...력 GO!

Go! 매쓰

Run-C

교과서 사고력

수학 6-2

구성과 특징

1주차 교과 집중 학습

1 교과서 개념 완성

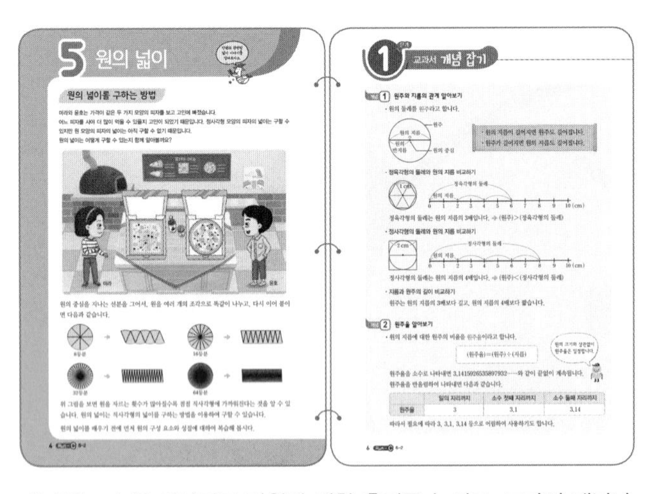

재미있는 수학 이야기로 단원에 대한 흥미를 높이고, 교과서 개념과 기본 문제를 학습합니다.

2 교과서 개념 PLAY

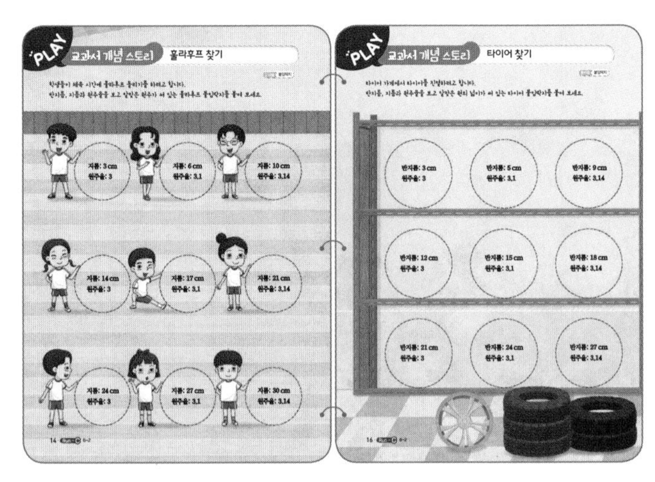

게임으로 개념을 학습하면서 집중력을 높여 쉽게 개념을 익히고 기본을 탄탄하게 만듭니다.

3 문제 풀이로 실력 & 자신감 UP!

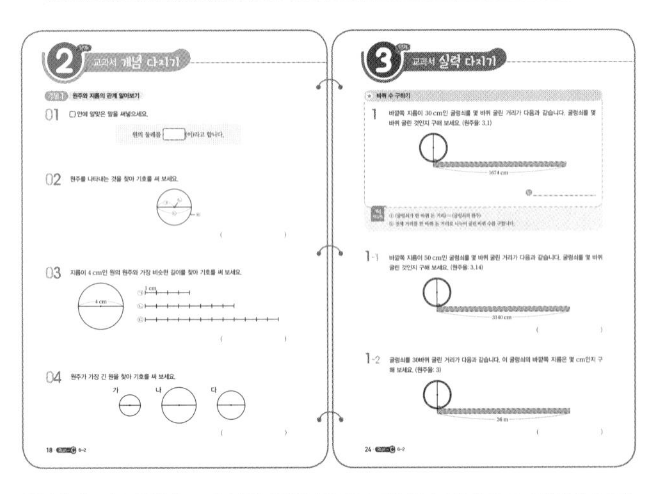

한 단계 더 나아간 교과서와 익힘 문제로 개념을 완성하고, 다양한 문제 유형으로 응용력을 키웁니다.

4 서술형 문제 풀이

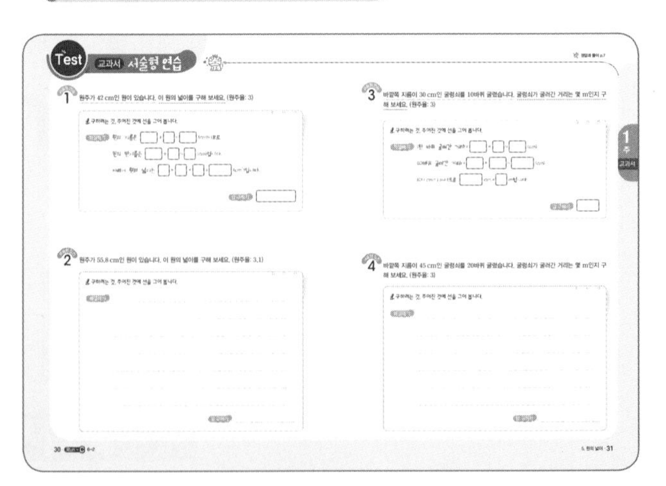

시험에 잘 나오는 서술형 문제 중심으로 단계별로 풀이하는 연습을 하여 서술하는 힘을 높여 줍니다.

교과 + 사고력

2주에 한 단원 완성!

2 주차 사고력 확장 학습

1 사고력 PLAY

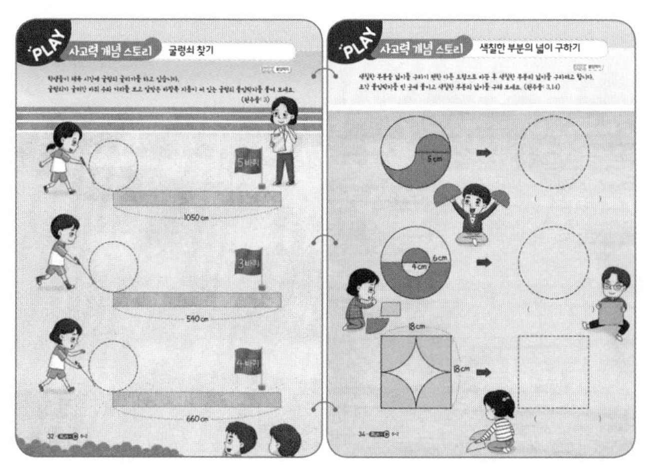

교과 심화 문제와 사고력 문제를 게임으로 쉽게 접근하여 어려운 문제에 대한 거부감을 낮추고 집중력을 높입니다.

2 교과 사고력 잡기

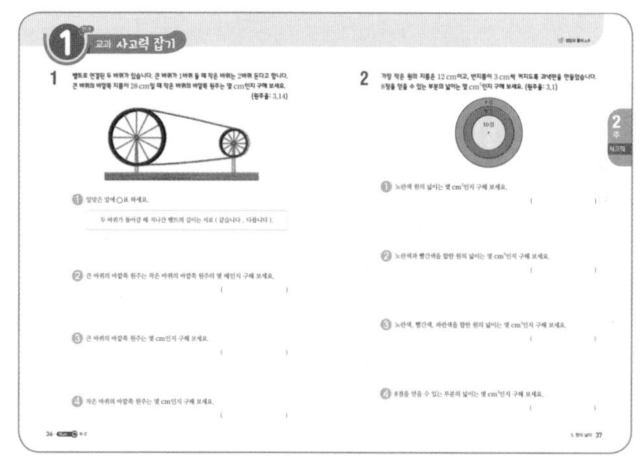

문제에 필요한 요소를 찾아 단계별로 해결하면서 문제 해결력을 키울 수 있는 힘을 기릅니다.

3 교과 사고력 확장+완성

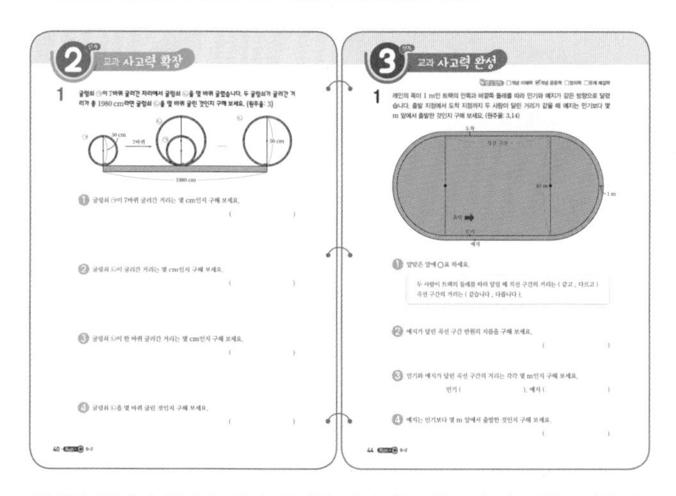

틀에서 벗어난 생각을 하여 문제를 해결하는 창의적 사고력을 기를 수 있는 힘을 기릅니다.

4 종합평가 / 특강

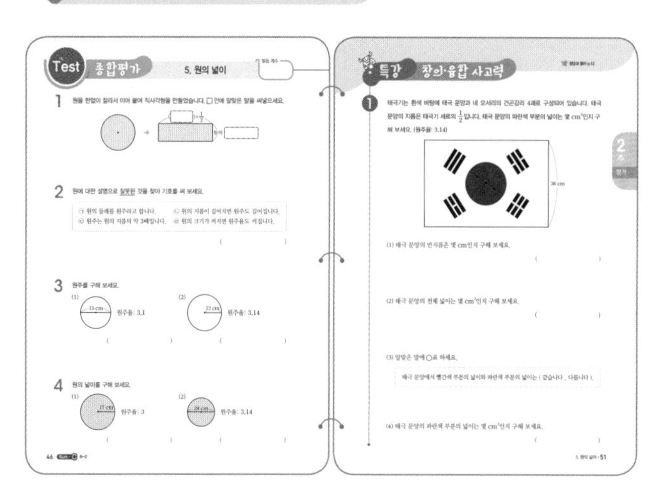

교과 학습과 사고력 학습을 얼마나 잘 이해하였는지 평가하여 배운 내용을 정리합니다.

5 원의 넓이

원의 넓이를 구하는 방법

미라와 윤호는 가격이 같은 두 가지 모양의 피자를 보고 고민에 빠졌습니다.
어느 피자를 사야 더 많이 먹을 수 있을지 고민이 되었기 때문입니다. 정사각형 모양의 피자의 넓이는 구할 수 있지만 원 모양의 피자의 넓이는 아직 구할 수 없기 때문입니다.
원의 넓이는 어떻게 구할 수 있는지 함께 알아볼까요?

원의 중심을 지나는 선분을 그어서, 원을 여러 개의 조각으로 똑같이 나누고, 다시 이어 붙이면 다음과 같습니다.

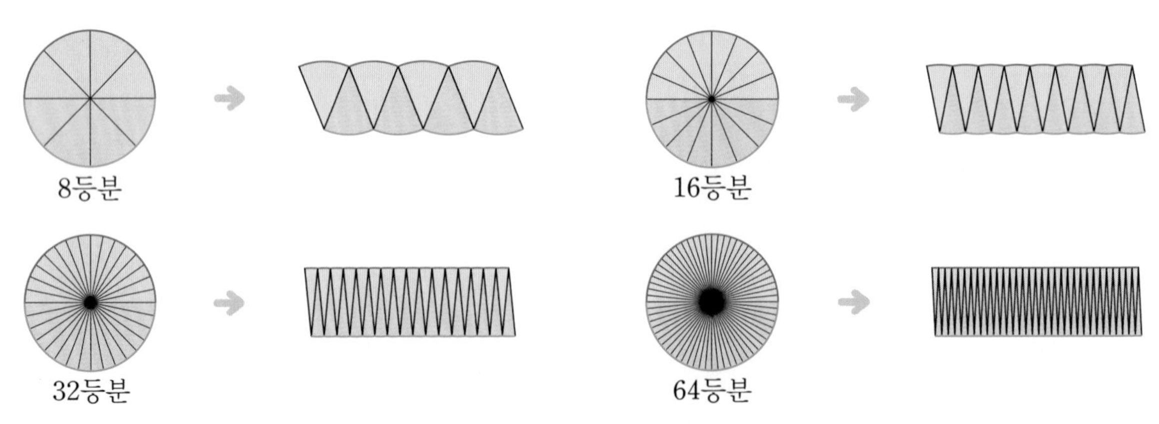

위 그림을 보면 원을 자르는 횟수가 많아질수록 점점 직사각형에 가까워진다는 것을 알 수 있습니다. 원의 넓이는 직사각형의 넓이를 구하는 방법을 이용하여 구할 수 있습니다.

원의 넓이를 배우기 전에 먼저 원의 구성 요소와 성질에 대하여 복습해 봅시다.

 □ 안에 알맞은 말을 써넣으세요.

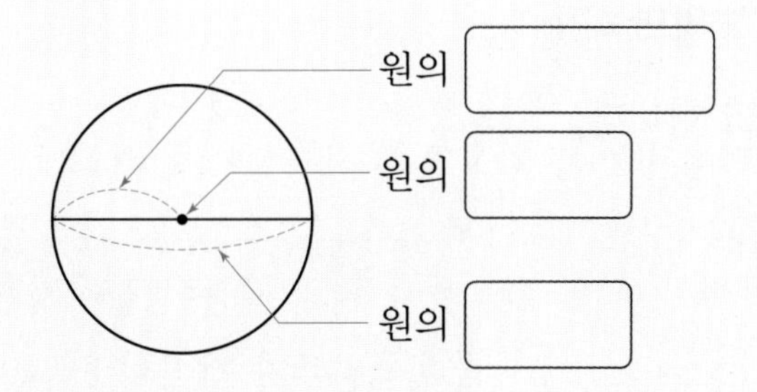

 알맞은 말에 ○표 하세요.

(1) 한 원에서 원의 중심은 (1개 , 2개)입니다.

(2) 지름은 원을 똑같이 (둘로 , 셋으로) 나눕니다.

(3) 지름은 원 안에 그을 수 있는 가장 (짧은 , 긴) 선분입니다.

(4) 한 원에서 지름은 반지름의 (2배 , 3배)입니다.

 원의 반지름과 지름을 각각 구해 보세요.

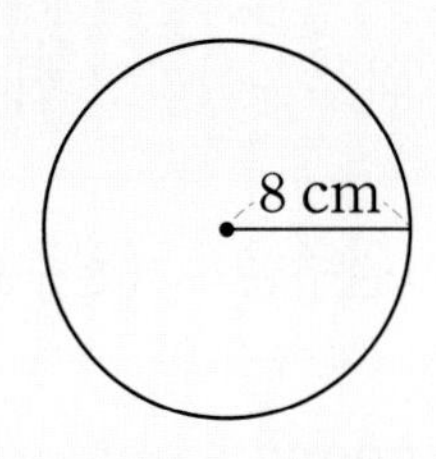

반지름 (　　　　　　　　)
지름 (　　　　　　　　)

1단계 교과서 개념 잡기

개념 1 원주와 지름의 관계 알아보기

• 원의 둘레를 원주라고 합니다.

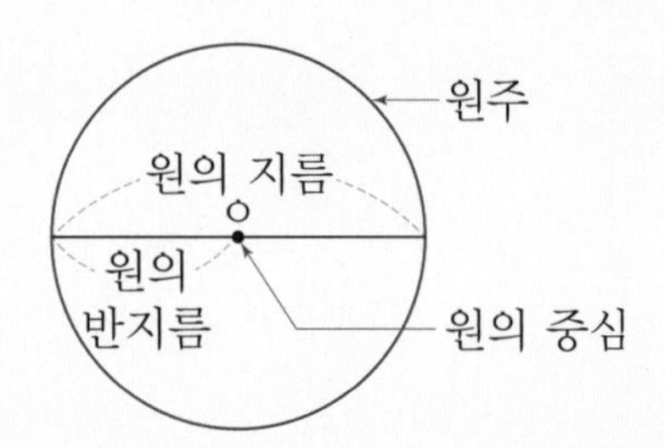

• 원의 지름이 길어지면 원주도 길어집니다.
• 원주가 길어지면 원의 지름도 길어집니다.

• 정육각형의 둘레와 원의 지름 비교하기

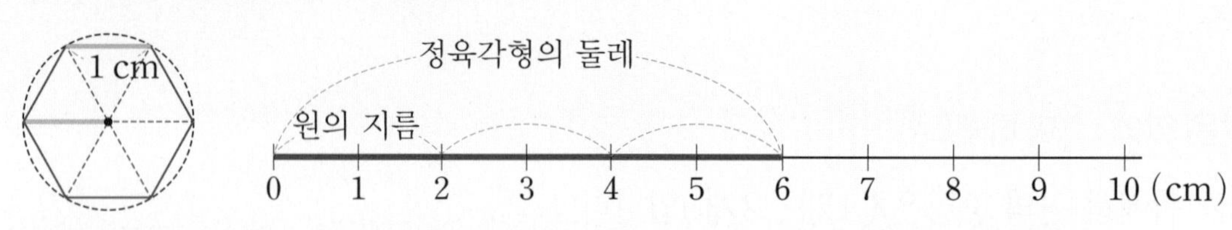

정육각형의 둘레는 원의 지름의 3배입니다. ➜ (원주)>(정육각형의 둘레)

• 정사각형의 둘레와 원의 지름 비교하기

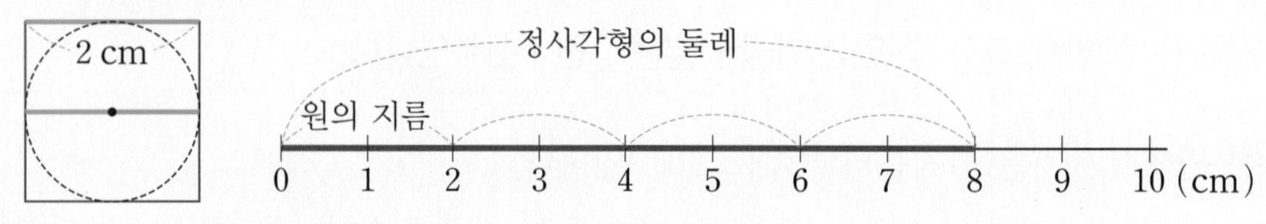

정사각형의 둘레는 원의 지름의 4배입니다. ➜ (원주)<(정사각형의 둘레)

• 지름과 원주의 길이 비교하기

원주는 원의 지름의 3배보다 길고, 원의 지름의 4배보다 짧습니다.

개념 2 원주율 알아보기

• 원의 지름에 대한 원주의 비율을 원주율이라고 합니다.

(원주율)=(원주)÷(지름)

원의 크기와 상관없이 원주율은 일정합니다.

원주율을 소수로 나타내면 3.1415926535897932……와 같이 끝없이 계속됩니다.
원주율을 반올림하여 나타내면 다음과 같습니다.

	일의 자리까지	소수 첫째 자리까지	소수 둘째 자리까지
원주율	3	3.1	3.14

따라서 필요에 따라 3, 3.1, 3.14 등으로 어림하여 사용하기도 합니다.

개념 확인 문제

1-1 원의 지름과 원주를 표시해 보세요.

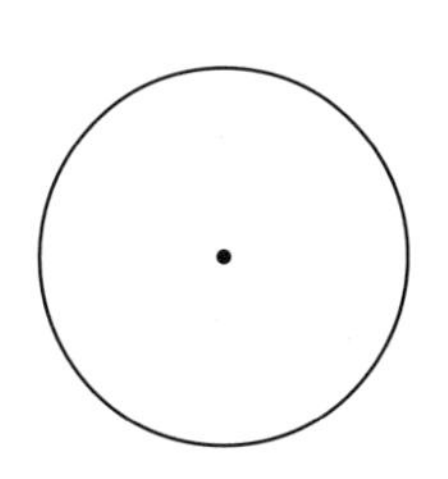

1-2 정사각형, 원, 정육각형을 보고 ○ 안에 >, =, <를 알맞게 써넣고, □ 안에 알맞은 수를 써넣으세요.

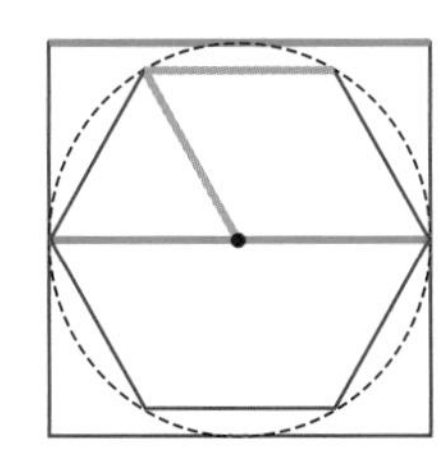

(1) (정육각형의 둘레) ○ (원주) ○ (정사각형의 둘레)

(2) 원주는 원의 지름의 □배보다 길고, 원의 지름의 □배보다 짧습니다.

2 원 모양이 있는 여러 가지 물건들의 (원주)÷(지름)의 값을 비교하려고 합니다. 물음에 답하세요.
(원주)÷(지름) → 원주율

(1) 빈칸에 알맞은 수를 써넣으세요.

물건	원주(cm)	지름(cm)	(원주)÷(지름)
음료수 캔	18.84	6	
시계	65.94	21	

(2) 위 표를 보고 □ 안에 알맞은 수를 써넣으세요.

(원주)÷(지름)의 값을 비교해 보면 □(으)로 같습니다.

(3) 설명이 옳으면 ○표, 틀리면 ×표 하세요.

원의 크기와 상관없이 (원주)÷(지름)의 값은 일정합니다.

(　　　　　　)

1주 교과서

개념 3 지름 또는 반지름을 알 때 원주 구하기

• 지름 또는 반지름을 알 때 원주 구하는 방법

(원주율)=(원주)÷(지름) ➔ (원주)=(지름)×(원주율)
=(반지름)×2×(원주율)

예 지름이 5 cm인 원의 원주 구하기

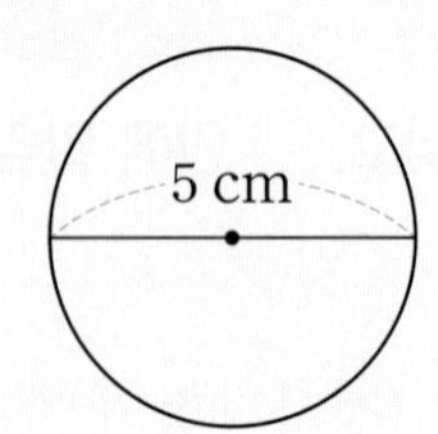

원주율: 3.14 ➔ (원주)=5×3.14=15.7 (cm)

예 반지름이 4 cm인 원의 원주 구하기

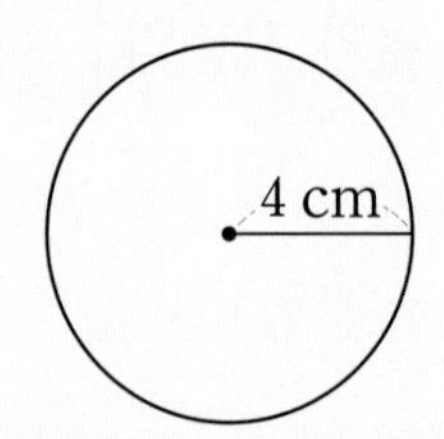

원주율: 3.14 ➔ (원주)=4×2×3.14=25.12 (cm)

개념 4 원주를 알 때 지름과 반지름 구하기

• 원주를 알 때 지름과 반지름 구하는 방법

(원주율)=(원주)÷(지름) ➔ (지름)=(원주)÷(원주율)
➔ (반지름)=(원주)÷(원주율)÷2

예 원주가 18.84 cm인 원의 지름 구하기

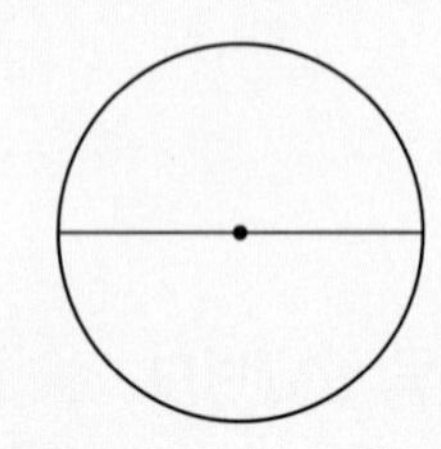

원주율: 3.14 ➔ (지름)=18.84÷3.14=6 (cm)

예 원주가 31.4 cm인 원의 반지름 구하기

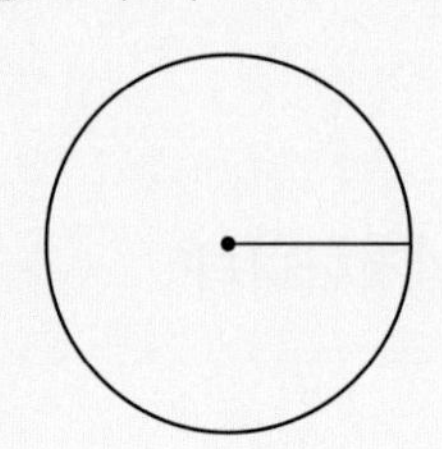

원주율: 3.14 ➔ (반지름)=31.4÷3.14÷2=5 (cm)

개념 확인 문제

3-1 원주를 구하려고 합니다. □ 안에 알맞은 수를 써넣으세요.

(1)

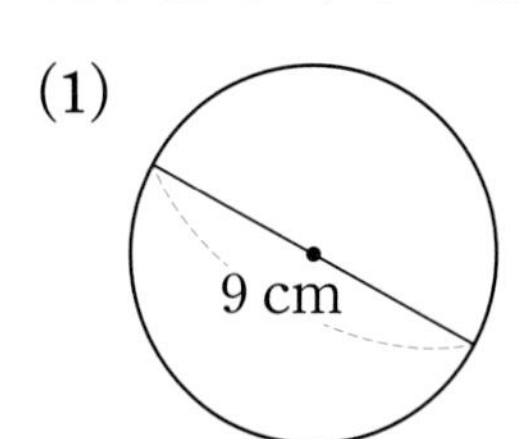

원주율: 3

(원주)$=9\times$□$=$□(cm)

(2)

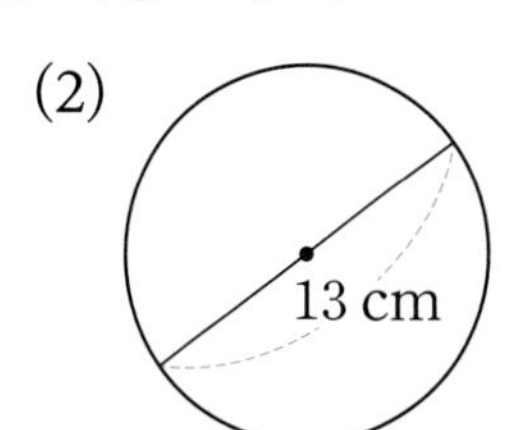

원주율: 3.1

(원주)$=13\times$□$=$□(cm)

3-2 원주를 구해 보세요.

(1)

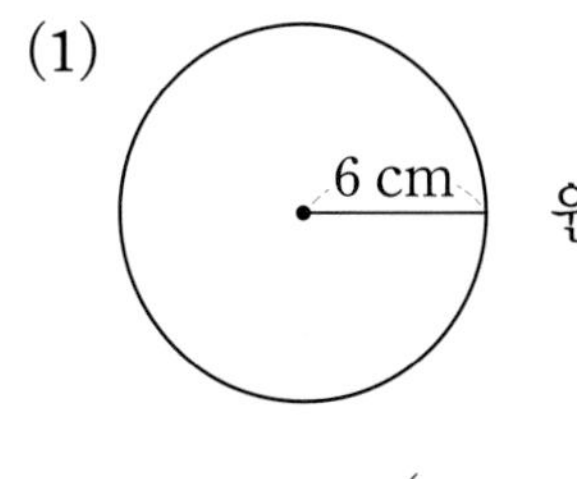

원주율: 3

(　　　　　　　　)

(2)

11 cm

원주율: 3.14

(　　　　　　　　)

4-1 원주가 다음과 같을 때 □ 안에 알맞은 수를 써넣으세요.

(1)

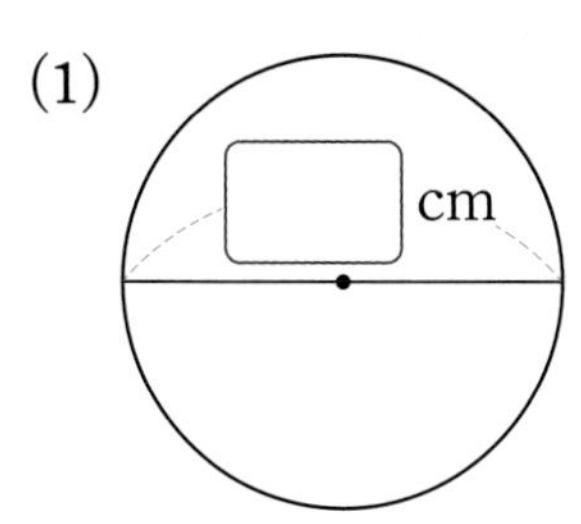

원주: 36 cm

원주율: 3

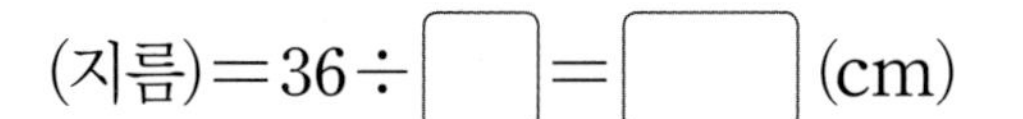

(지름)$=36\div$□$=$□(cm)

(2)

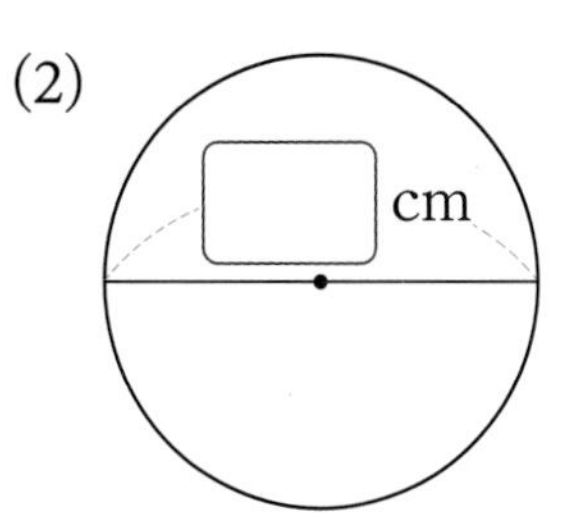

원주: 52.7 cm

원주율: 3.1

(지름)$=52.7\div$□$=$□(cm)

4-2 원주가 56.52 cm인 원의 반지름을 구해 보세요. (원주율: 3.14)

(　　　　　　　　)

1 주 교과서

개념 5 정사각형으로 원의 넓이 어림하기

• 반지름이 10 cm인 원의 넓이 어림하기

원 안에 있는 정사각형은 두 대각선의 길이가 모두 20 cm인 마름모라고 할 수 있습니다.

10 cm
10 cm

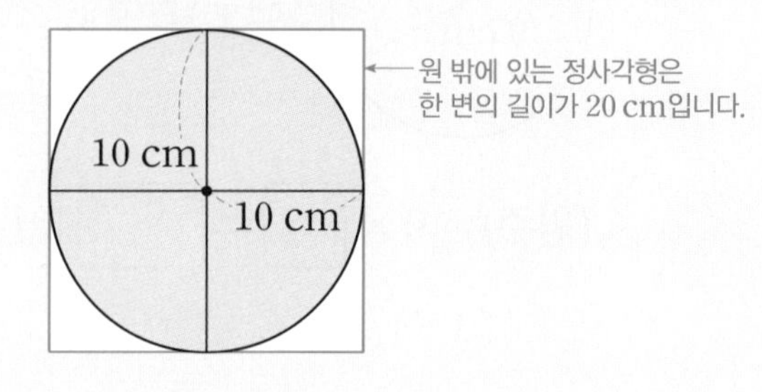

① (원 안에 있는 정사각형의 넓이)$=20\times20\div2=200$ (cm^2)
(한 대각선의 길이)×(다른 대각선의 길이)÷2

② (원 밖에 있는 정사각형의 넓이)$=20\times20=400$ (cm^2)

③ 원의 넓이는 원 안에 있는 정사각형의 넓이보다 넓고, 원 밖에 있는 정사각형의 넓이보다 좁습니다.

200 cm$^2<$(반지름이 10 cm인 원의 넓이)

(반지름이 10 cm인 원의 넓이)$<$400 cm^2

➡ 원의 넓이는 200 cm^{2}와 400 cm^2 사이의 값인 300 cm^{2}라고 어림할 수 있습니다.
$(200+400)\div2=300$ (cm^2)

개념 6 모눈종이를 이용하여 원의 넓이 어림하기

• 반지름이 10 cm인 원의 넓이 어림하기

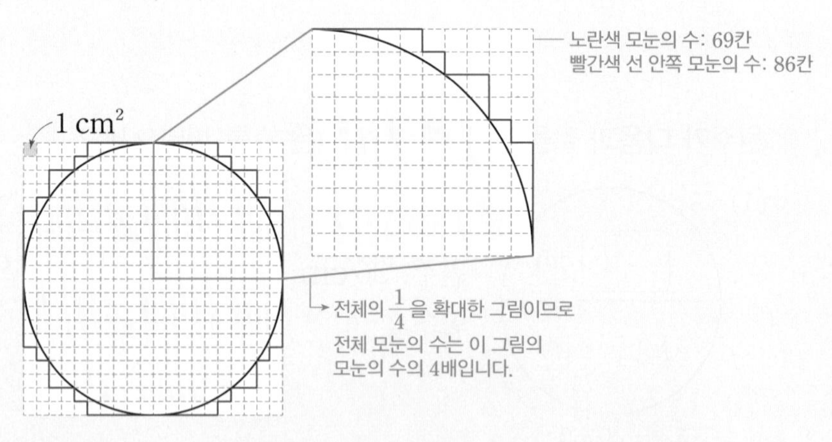

① 노란색 모눈의 수는 모두 $69\times4=276$(칸)이므로 넓이는 276 cm^{2}입니다.

② 빨간색 선 안쪽 모눈의 수는 모두 $86\times4=344$(칸)이므로 넓이는 344 cm^{2}입니다.

③ 원의 넓이는 노란색 모눈의 넓이보다 넓고, 빨간색 선 안쪽 모눈의 넓이보다 좁습니다.

276 cm$^2<$(반지름이 10 cm인 원의 넓이)

(반지름이 10 cm인 원의 넓이)$<$344 cm^2

➡ 원의 넓이는 276 cm^{2}와 344 cm^2 사이의 값인 310 cm^{2}라고 어림할 수 있습니다.
$(276+344)\div2=310$ (cm^2)

5 반지름이 15 cm인 원의 넓이를 어림하려고 합니다. □ 안에 알맞은 수를 써넣으세요.

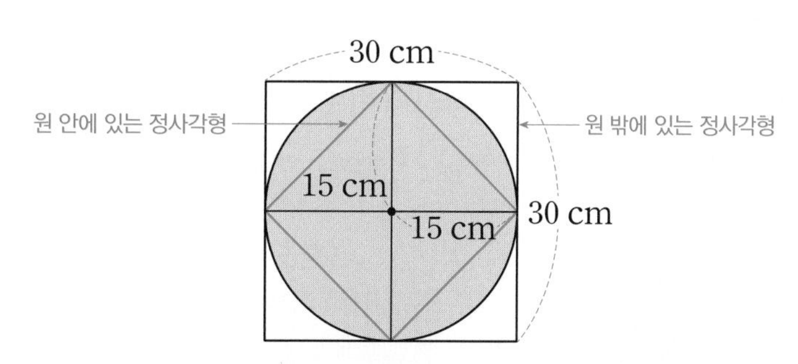

(1) 원의 넓이와 원 안에 있는 정사각형의 넓이를 비교해 보세요.

(정사각형의 넓이)=□ cm^2 ➜ □ cm^2<(원의 넓이)

(2) 원의 넓이와 원 밖에 있는 정사각형의 넓이를 비교해 보세요.

(정사각형의 넓이)=□ cm^2 ➜ (원의 넓이)<□ cm^2

(3) 원의 넓이는 □ cm^2보다 넓고, □ cm^2보다 좁습니다.

6 반지름이 6 cm인 원의 넓이를 어림하려고 합니다. □ 안에 알맞은 수를 써넣으세요.

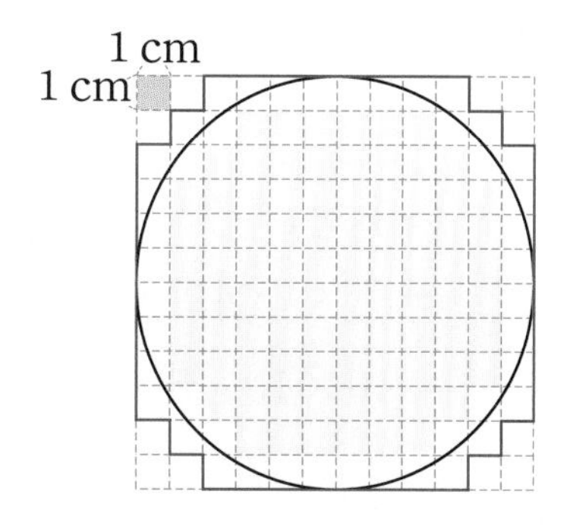

(1) 노란색 모눈의 넓이를 구해 보세요.

노란색 모눈의 수는 모두 □칸이므로 노란색 모눈의 넓이는 □ cm^2입니다.

(2) 빨간색 선 안쪽 모눈의 넓이를 구해 보세요.

빨간색 선 안쪽 모눈의 수는 모두 □칸이므로 빨간색 선 안쪽 모눈의 넓이는 □ cm^2입니다.

(3) 원의 넓이는 □ cm^2보다 넓고, □ cm^2보다 좁습니다.

개념 7 원의 넓이 구하는 방법 알아보기

원을 한없이 잘라서 이어 붙이면 점점 직사각형에 가까워집니다.

➜ 원의 넓이는 직사각형의 넓이를 구하는 방법을 이용하여 구할 수 있습니다.

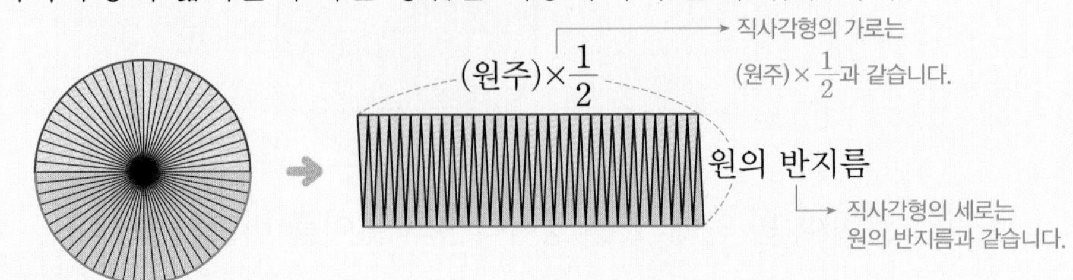

(원의 넓이)=(원주)$\times\frac{1}{2}\times$(반지름)

=(원주율)$\times$(지름)$\times\frac{1}{2}\times$(반지름)

=(원주율)$\times$(반지름)$\times$(반지름)

참고
- (직사각형의 넓이)=(가로)$\times$(세로)
- (원주)=(원주율)$\times$(지름)
- (지름)$\times\frac{1}{2}$=(반지름)

(원의 넓이)=(반지름)$\times$(반지름)$\times$(원주율)

개념 8 여러 가지 원의 넓이 구하기

방법1 전체에서 부분의 넓이 빼기 (원주율: 3.14)

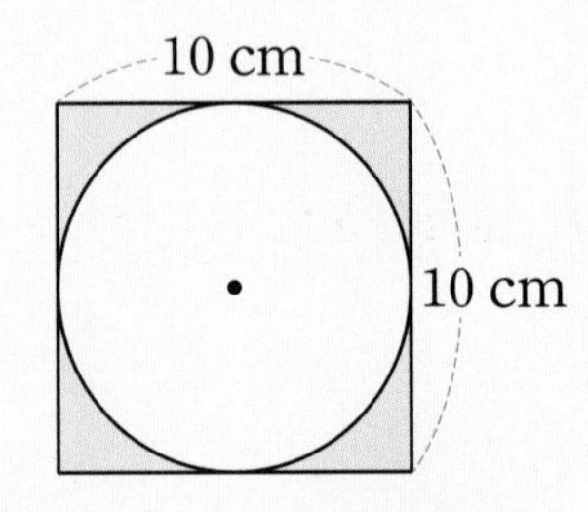

(색칠한 부분의 넓이)

=(정사각형의 넓이)−(원의 넓이)

$=10\times10-5\times5\times3.14$

$=100-78.5=21.5\ (\mathrm{cm}^2)$

방법2 도형의 일부분 옮기기

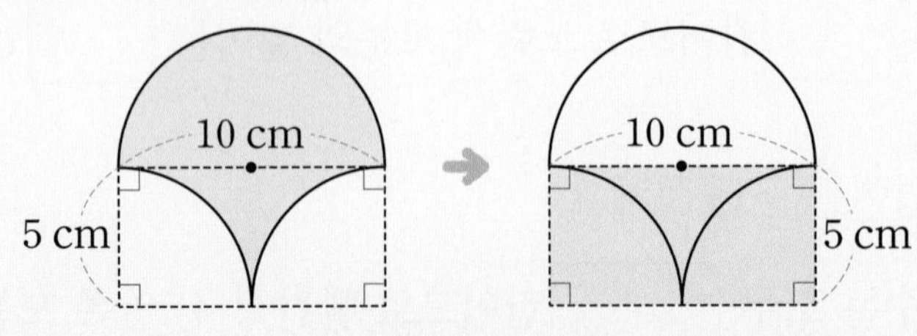

문제에서 주어진
도형에 따라
편한 방법을
사용합니다.

반원 부분을 옮기면 직사각형이 됩니다.

(색칠한 부분의 넓이)=(직사각형의 넓이)$=10\times5=50\ (\mathrm{cm}^2)$

7-1 원을 한없이 잘라서 이어 붙여 직사각형을 만들었습니다. □ 안에 알맞은 수를 써넣으세요. (원주율: 3)

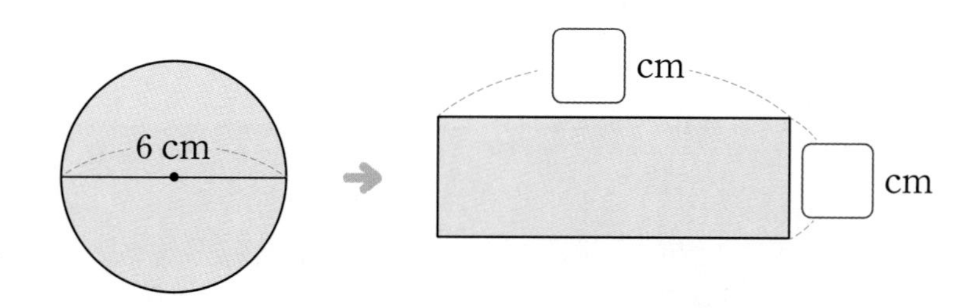

(원의 넓이)=(직사각형의 넓이)=□×3=□(cm^2)

7-2 원의 넓이를 구해 보세요.

(1) 7 cm 원주율: 3.1

( )

(2) 18 cm 원주율: 3.14

( )

8 색칠한 부분의 넓이를 구하려고 합니다. □ 안에 알맞은 수를 써넣으세요. (원주율: 3)

(1)

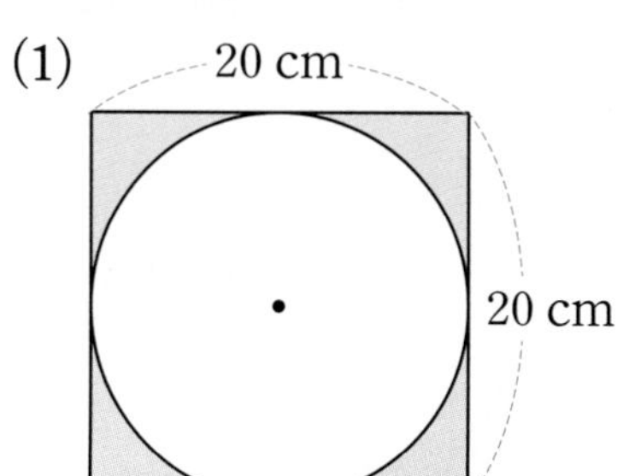

(색칠한 부분의 넓이)=(정사각형의 넓이)−(원의 넓이)
=□−□
=□(cm^2)

(2)

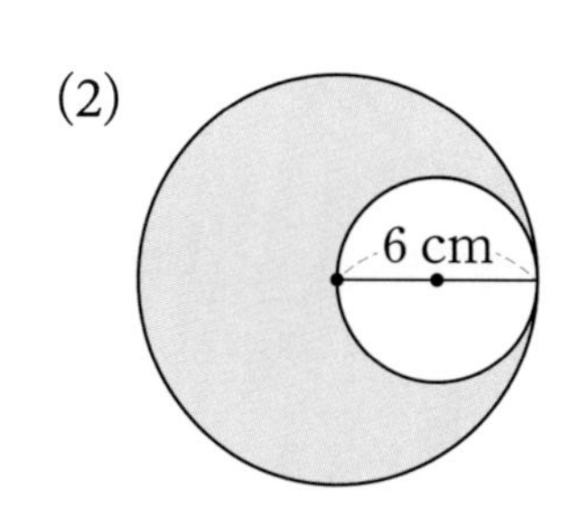

(색칠한 부분의 넓이)=(큰 원의 넓이)−(작은 원의 넓이)
=□−□
=□(cm^2)

1주 교과서

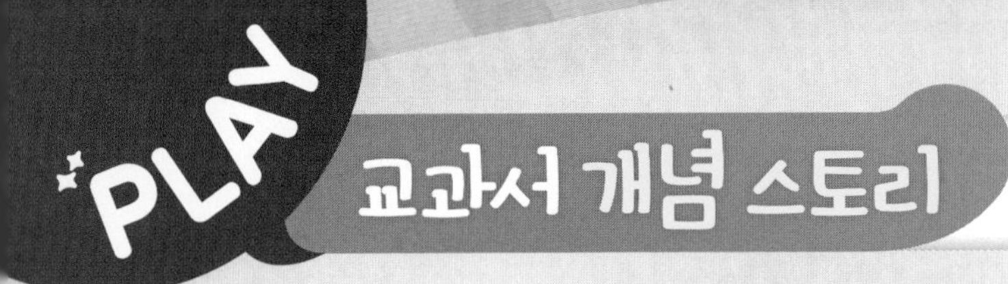

훌라후프 찾기

준비물 붙임딱지

학생들이 체육 시간에 훌라후프 돌리기를 하려고 합니다.
반지름, 지름과 원주율을 보고 알맞은 원주가 써 있는 훌라후프 붙임딱지를 붙여 보세요.

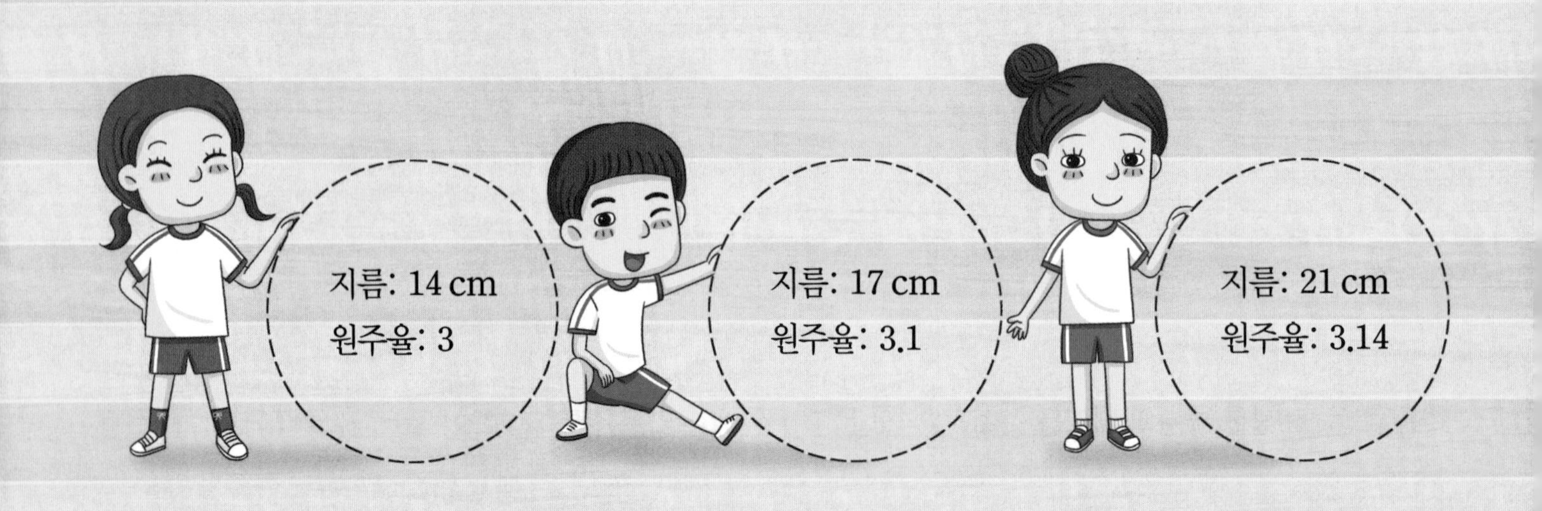

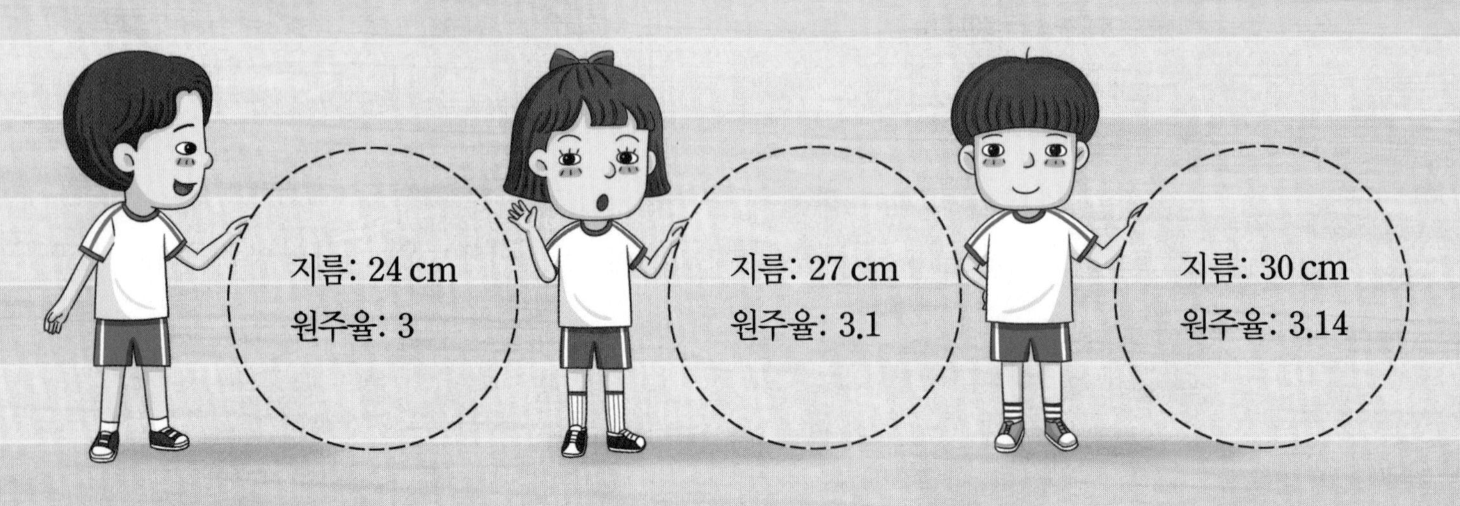

반지름: 3 cm
원주율: 3
반지름: 4 cm
원주율: 3.1
반지름: 6 cm
원주율: 3.14

1
주
교과서

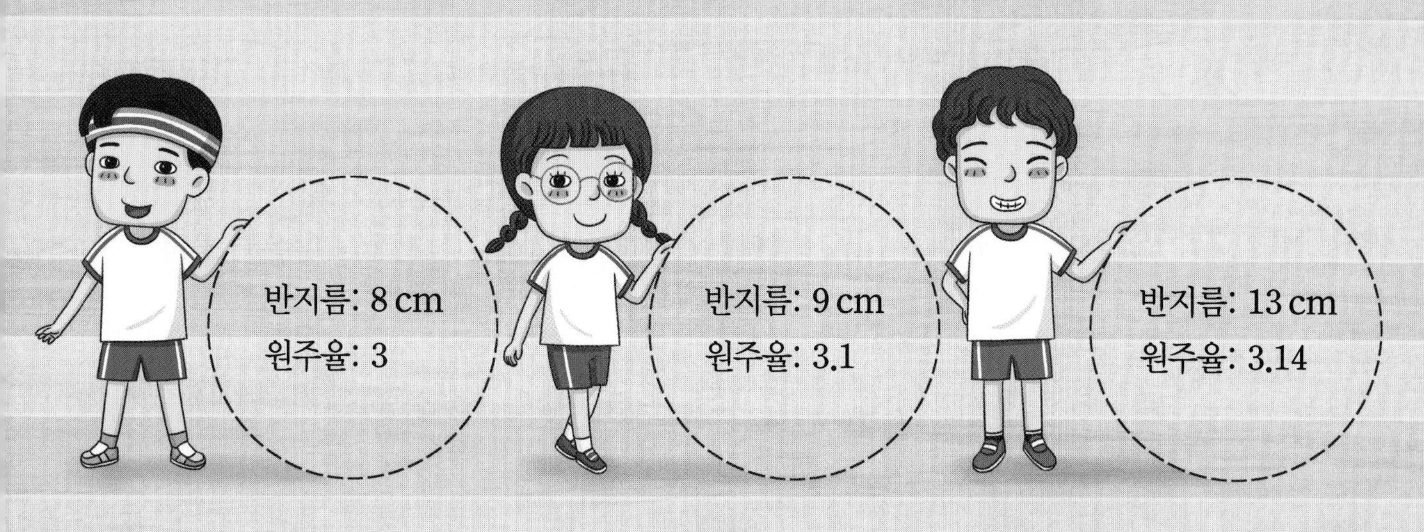
반지름: 8 cm
원주율: 3
반지름: 9 cm
원주율: 3.1
반지름: 13 cm
원주율: 3.14

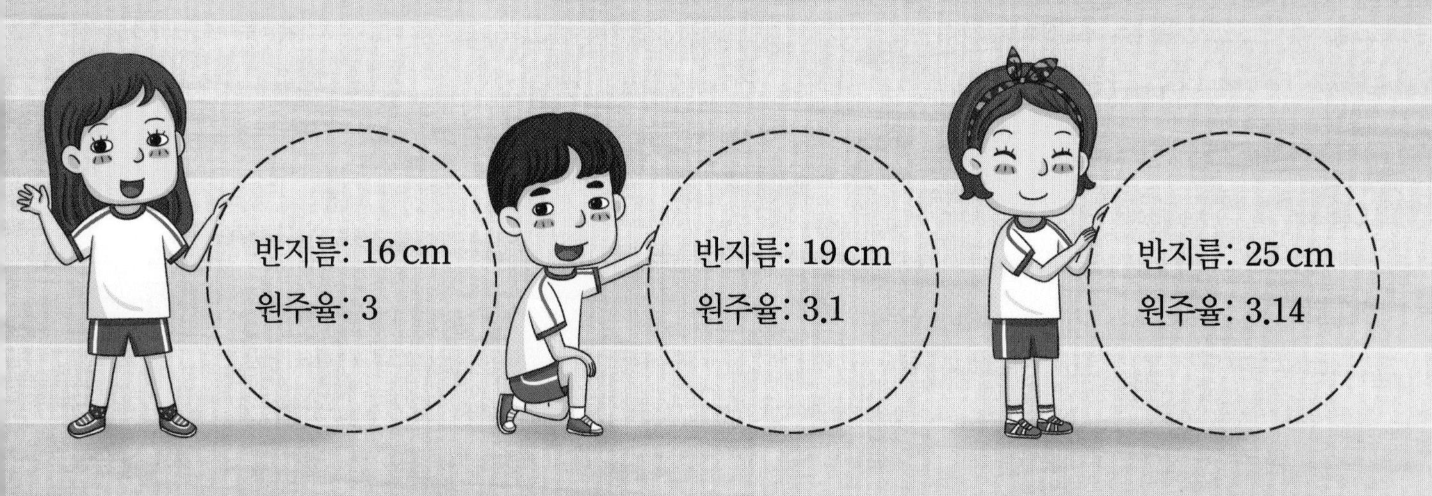
반지름: 16 cm
원주율: 3
반지름: 19 cm
원주율: 3.1
반지름: 25 cm
원주율: 3.14

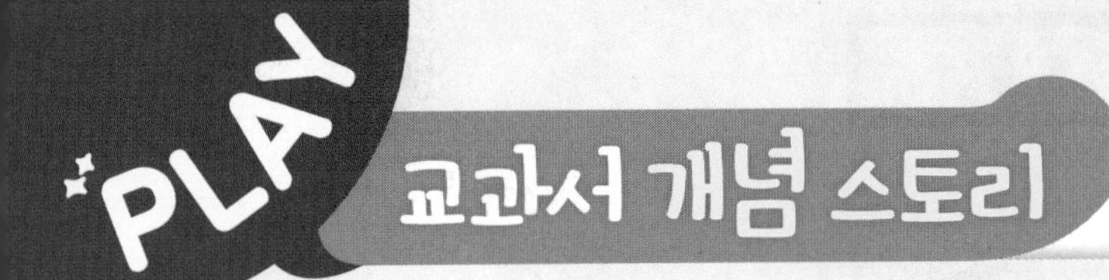

타이어 찾기

준비물 붙임딱지

타이어 가게에서 타이어를 진열하려고 합니다.
반지름, 지름과 원주율을 보고 알맞은 원의 넓이가 써 있는 타이어 붙임딱지를 붙여 보세요.

반지름: 3 cm
원주율: 3

반지름: 5 cm
원주율: 3.1

반지름: 9 cm
원주율: 3.14

반지름: 12 cm
원주율: 3

반지름: 15 cm
원주율: 3.1

반지름: 18 cm
원주율: 3.14

반지름: 21 cm
원주율: 3

반지름: 24 cm
원주율: 3.1

반지름: 27 cm
원주율: 3.14

1 주

교과서

지름: 8 cm
원주율: 3

지름: 16 cm
원주율: 3.1

지름: 20 cm
원주율: 3.14

지름: 22 cm
원주율: 3

지름: 26 cm
원주율: 3.1

지름: 32 cm
원주율: 3.14

지름: 38 cm
원주율: 3

지름: 42 cm
원주율: 3.1

지름: 46 cm
원주율: 3.14

개념 1 원주와 지름의 관계 알아보기

01 □ 안에 알맞은 말을 써넣으세요.

원의 둘레를 □(이)라고 합니다.

02 원주를 나타내는 것을 찾아 기호를 써 보세요.

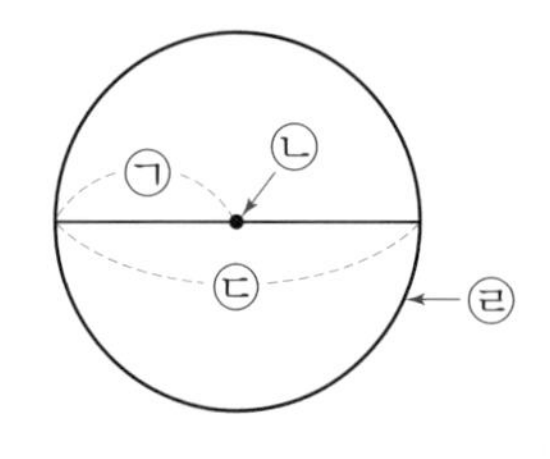

(　　　　　　　　)

03 지름이 4 cm인 원의 원주와 가장 비슷한 길이를 찾아 기호를 써 보세요.

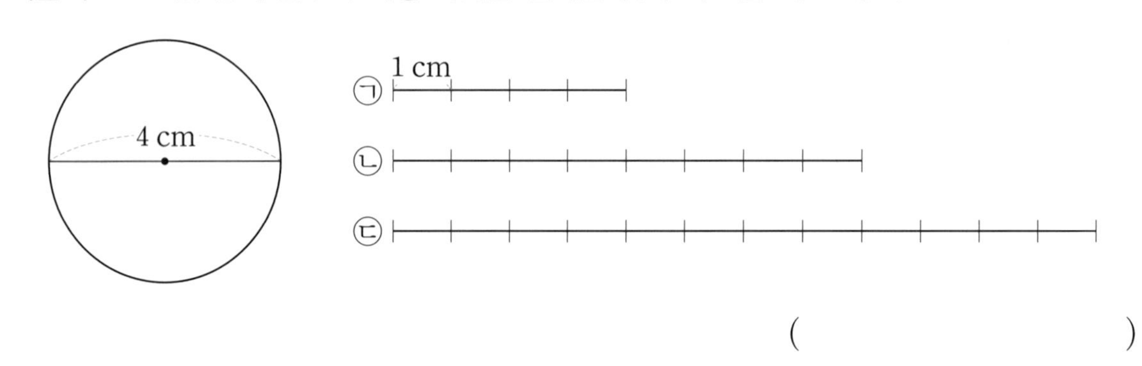

(　　　　　　　　)

04 원주가 가장 긴 원을 찾아 기호를 써 보세요.

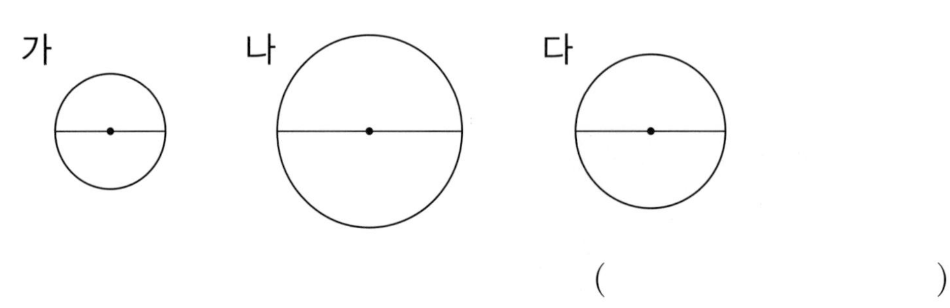

(　　　　　　　　)

개념 2 **원주율 알아보기**

05

크기가 다른 두 원의 지름과 원주가 다음과 같습니다. 두 원의 (원주)÷(지름)을 계산하여 ○ 안에 >, =, <를 알맞게 써넣으세요.

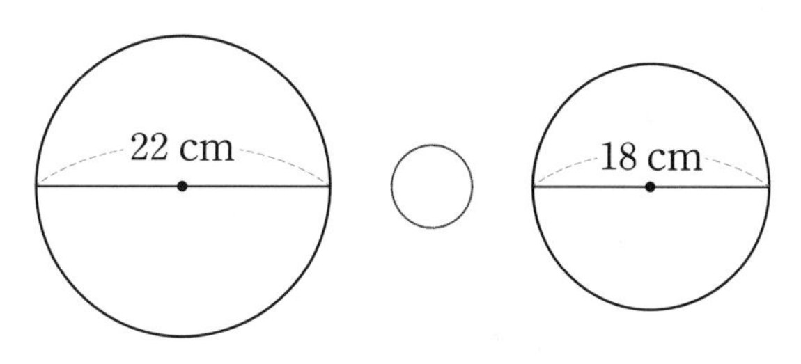

원주: 69.08 cm　　원주: 56.52 cm

06

지름이 다른 두 원에서 항상 같은 것을 찾아 기호를 써 보세요.

㉠ 원주	㉡ 원의 반지름	㉢ 원주율	㉣ 원의 크기

(　　　　　　　　)

07

원 모양이 있는 여러 가지 악기를 보고 물음에 답하세요.

탬버린

지름: 25 cm
원주: 78.5 cm

소고

지름: 20 cm
원주: 62.8 cm

북

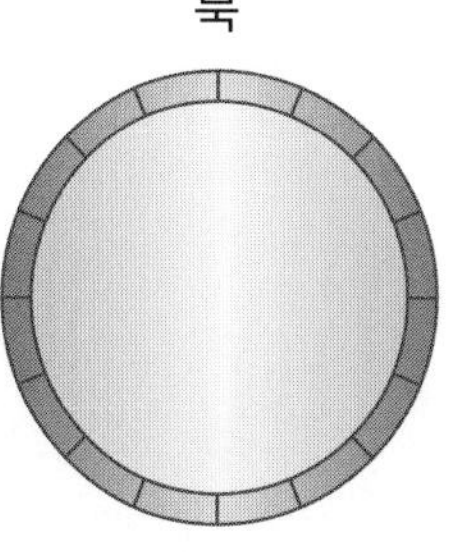

지름: 60 cm
원주: 188.4 cm

(1) (원주)÷(지름)을 계산해 빈칸에 써넣으세요.

악기	탬버린	소고	북
(원주)÷(지름)			

(2) 위 표를 보고 알맞은 말에 ○표 하세요.

원의 크기가 달라도 원주율은 (같습니다 , 다릅니다).

개념 3 원주와 지름 구하기

08 프로펠러의 길이가 7 cm인 드론이 있습니다. 프로펠러가 돌 때 생기는 원의 원주를 구해 보세요. (원주율: 3)

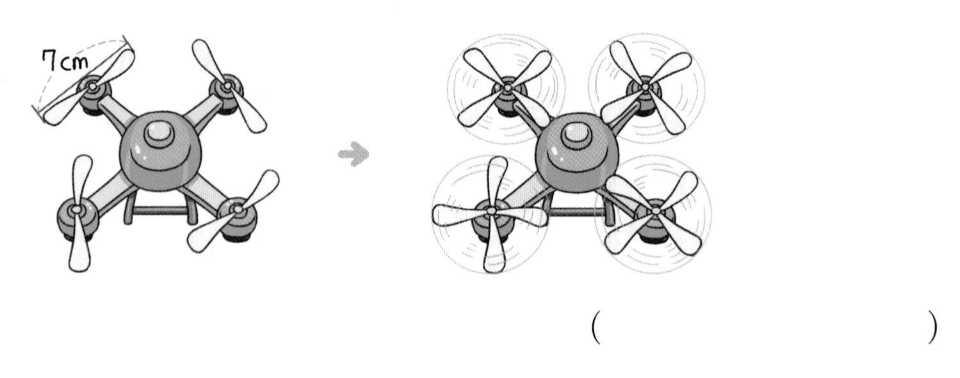

( )

09 길이가 124 cm인 종이띠를 겹치지 않게 붙여서 원을 만들었습니다. 만들어진 원의 반지름을 구해 보세요. (원주율: 3.1)

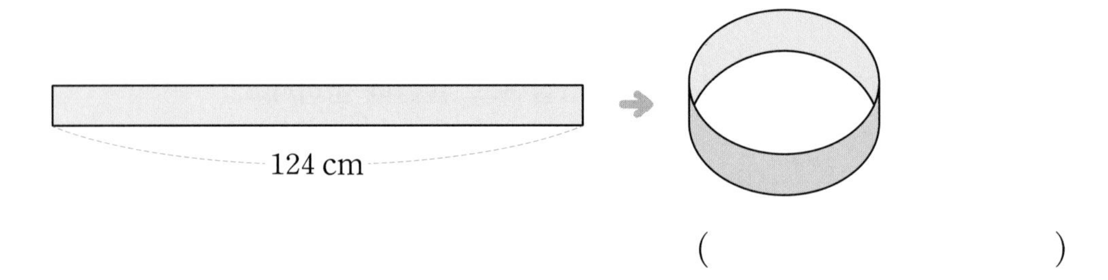

( )

10 미라와 윤호는 훌라후프를 돌리고 있습니다. 미라의 훌라후프는 바깥쪽 반지름이 50 cm이고, 윤호의 훌라후프는 바깥쪽 원주가 279 cm입니다. 훌라후프가 더 큰 사람은 누구일까요? (원주율: 3.1)

( )

개념 4 원의 넓이 어림하기

11 원 모양인 음료수 캔 윗면에 투명 모눈 판을 덮은 것입니다. 음료수 캔 윗면의 넓이는 몇 cm^2인지 어림해 보세요.

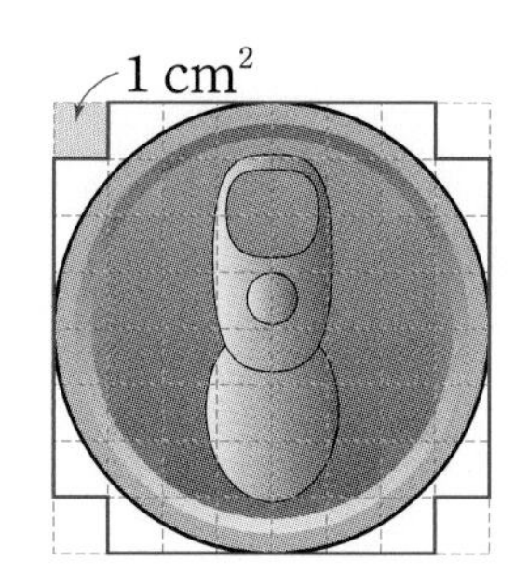

( )

12 원 안에 있는 정사각형의 넓이와 원 밖에 있는 정사각형의 넓이를 이용하여 원의 넓이가 몇 cm^2인지 어림해 보세요.

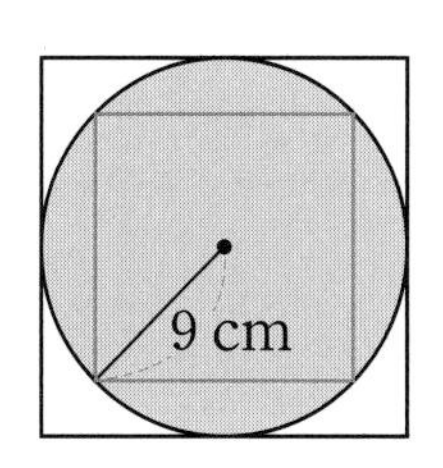

( )

13 정육각형의 넓이를 이용하여 원의 넓이를 어림하려고 합니다. 삼각형 ㄱㅇㄷ의 넓이가 $12\ cm^2$, 삼각형 ㄹㅇㅂ의 넓이가 $16\ cm^2$라면 원의 넓이는 몇 cm^2인지 어림해 보세요.

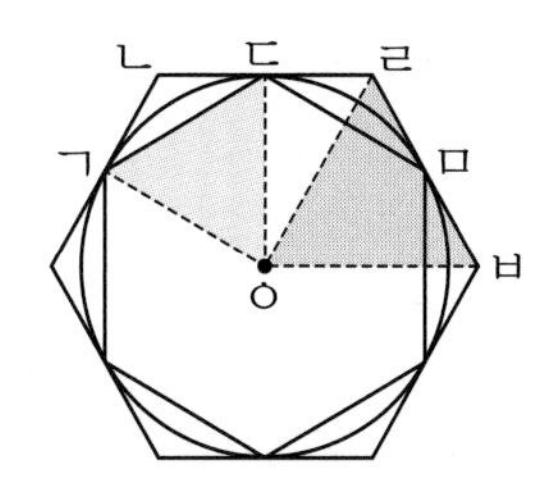

( )

개념 5 원의 넓이 구하기

14

주어진 원의 지름을 이용하여 빈칸에 알맞게 써넣으세요. (원주율: 3.14)

지름 (cm)	반지름 (cm)	원의 넓이를 구하는 식	원의 넓이 (cm^2)
14	7	$7 \times 7 \times 3.14$	
30			

15

원의 반지름을 구해 보세요. (원주율: 3)

(1) 넓이: 75 cm^2

(　　　　　　)

(2) 넓이: 192 cm^2

(　　　　　　)

16

오른쪽 그림과 같이 컴퍼스를 벌려 원을 그렸습니다. 원의 넓이를 구해 보세요. (원주율: 3.14)

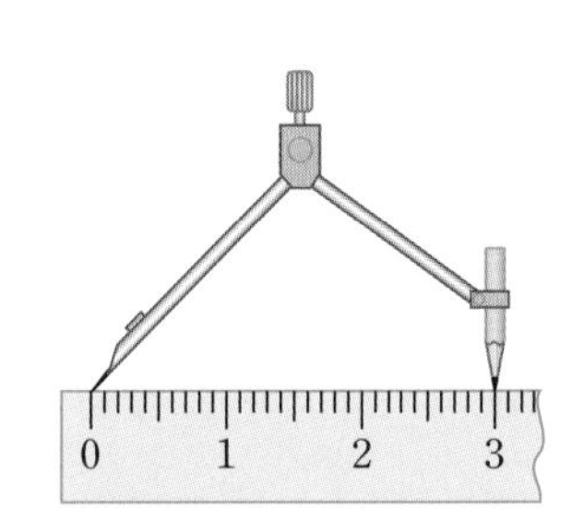

(　　　　　　)

17

가장 큰 원의 넓이를 구해 보세요. (원주율: 3.1)

반지름이 11 cm인 원 | 지름이 20 cm인 원 | 원주가 74.4 cm인 원

(　　　　　　)

개념 6 여러 가지 원의 넓이 구하기

18 반원의 넓이를 구해 보세요. (원주율: 3)

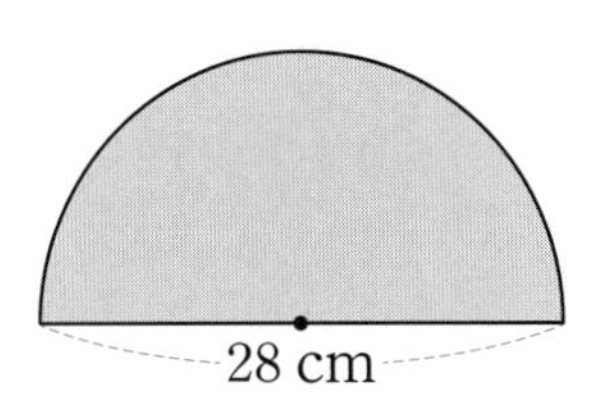

(　　　　　　　　)

19 색칠한 부분의 넓이를 구해 보세요. (원주율: 3.1)

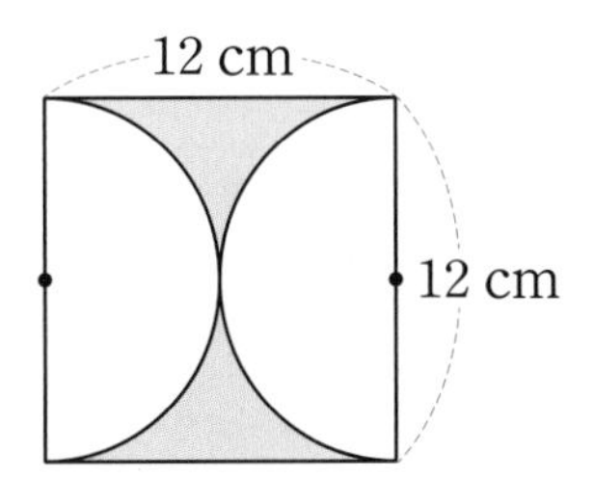

(　　　　　　　　)

20 색칠한 부분의 넓이를 구해 보세요. (원주율: 3.1)

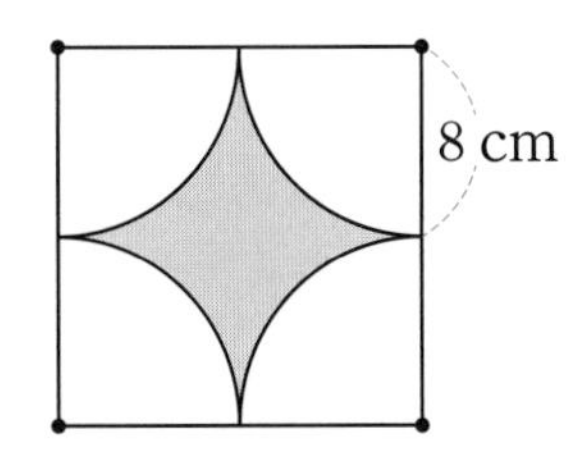

(　　　　　　　　)

21 색칠한 부분의 넓이를 구해 보세요. (원주율: 3)

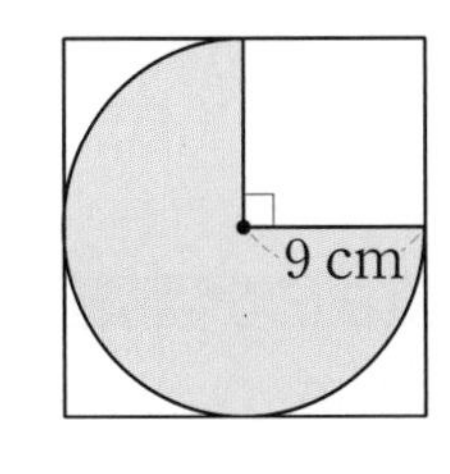

(　　　　　　　　)

3단계 교과서 실력 다지기

★ 바퀴 수 구하기

1 바깥쪽 지름이 30 cm인 굴렁쇠를 몇 바퀴 굴린 거리가 다음과 같습니다. 굴렁쇠를 몇 바퀴 굴린 것인지 구해 보세요. (원주율: 3.1)

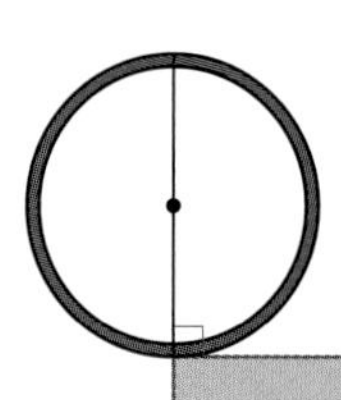

1674 cm

답 ____________

개념 피드백
① (굴렁쇠가 한 바퀴 돈 거리)=(굴렁쇠의 원주)
② 전체 거리를 한 바퀴 돈 거리로 나누어 굴린 바퀴 수를 구합니다.

1-1 바깥쪽 지름이 50 cm인 굴렁쇠를 몇 바퀴 굴린 거리가 다음과 같습니다. 굴렁쇠를 몇 바퀴 굴린 것인지 구해 보세요. (원주율: 3.14)

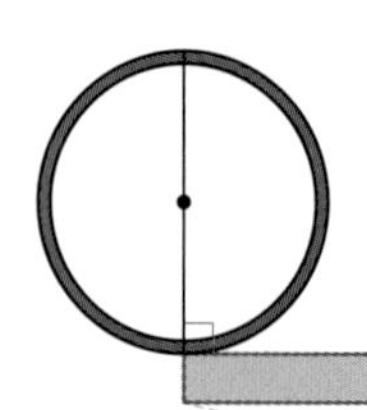

3140 cm

(   )

1-2 굴렁쇠를 30바퀴 굴린 거리가 다음과 같습니다. 이 굴렁쇠의 바깥쪽 지름은 몇 cm인지 구해 보세요. (원주율: 3)

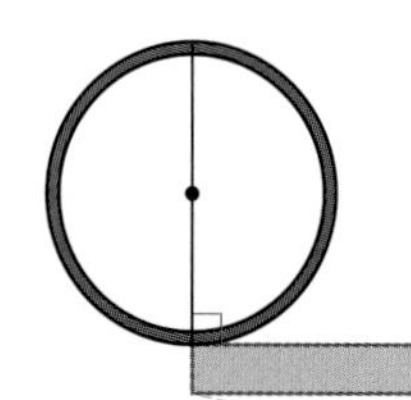

36 m

(   )

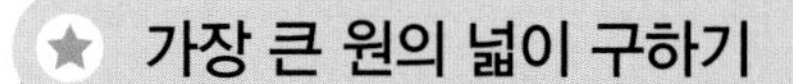

가장 큰 원의 넓이 구하기

2 다음 정사각형 안에 들어갈 수 있는 가장 큰 원의 넓이는 몇 cm^2인지 구해 보세요.

(원주율: 3)

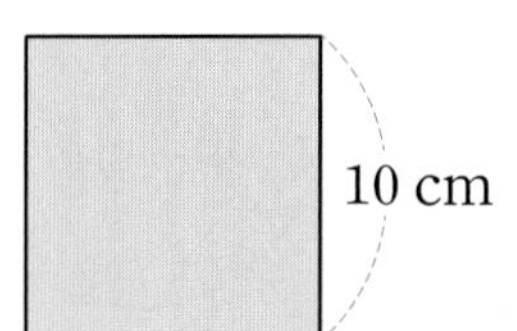

답 ______________

① 가장 큰 원의 지름은 정사각형의 한 변의 길이와 같습니다.
② 원의 반지름을 구한 후 원의 넓이를 구합니다.

2-1 다음 정사각형 안에 들어갈 수 있는 가장 큰 원의 넓이는 몇 cm^2인지 구해 보세요.

(원주율: 3.1)

둘레:
64 cm

(　　　　　　　　)

2-2 다음 직사각형 안에 들어갈 수 있는 가장 큰 원의 넓이는 몇 cm^2인지 구해 보세요.

(원주율: 3.14)

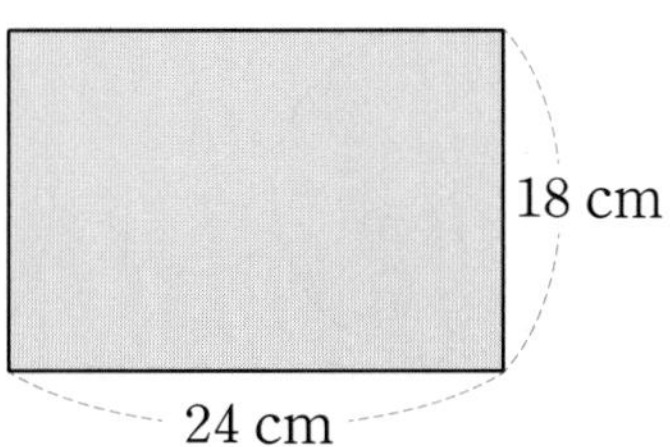

(　　　　　　　　)

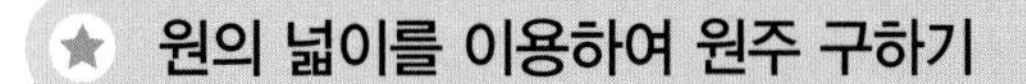

원의 넓이를 이용하여 원주 구하기

3 원의 원주를 구해 보세요. (원주율: 3)

답 ______________

개념 피드백
① 원의 넓이를 이용하여 지름을 구합니다.
② 원주를 구합니다.

3-1 원의 원주를 구해 보세요. (원주율: 3.1)

( )

3-2 두 원의 원주의 차를 구해 보세요 (원주율: 3)

( )

색칠한 부분의 둘레 구하기

4 색칠한 부분의 둘레를 구해 보세요. (원주율: 3)

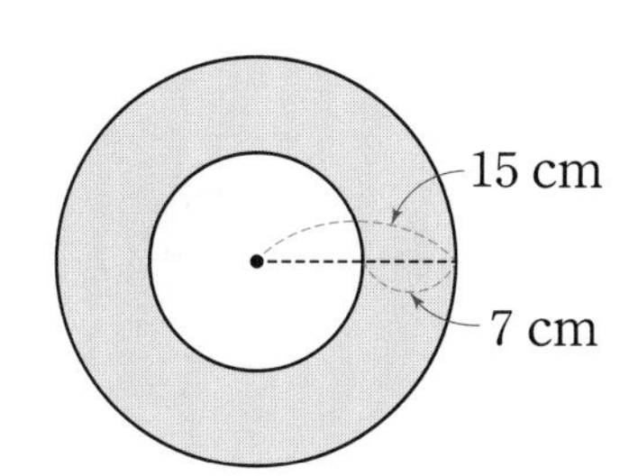

답 ______________

개념 피드백
① 큰 원과 작은 원의 원주를 각각 구합니다.
② 색칠한 부분의 둘레는 ①에서 구한 두 원의 원주의 합과 같습니다.

4-1 색칠한 부분의 둘레를 구해 보세요. (원주율: 3.1)

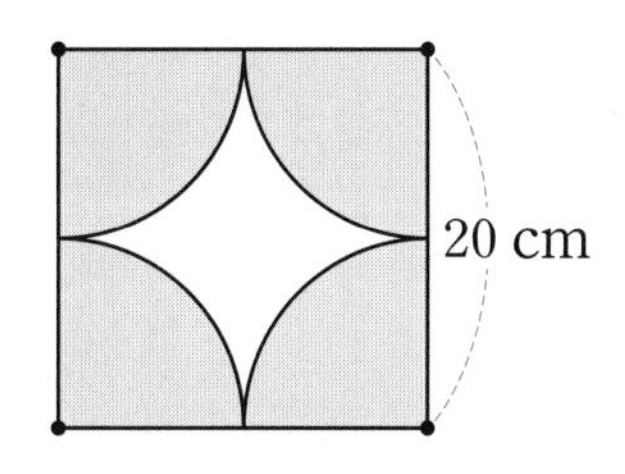

(   )

4-2 색칠한 부분의 둘레를 구해 보세요. (원주율: 3.14)

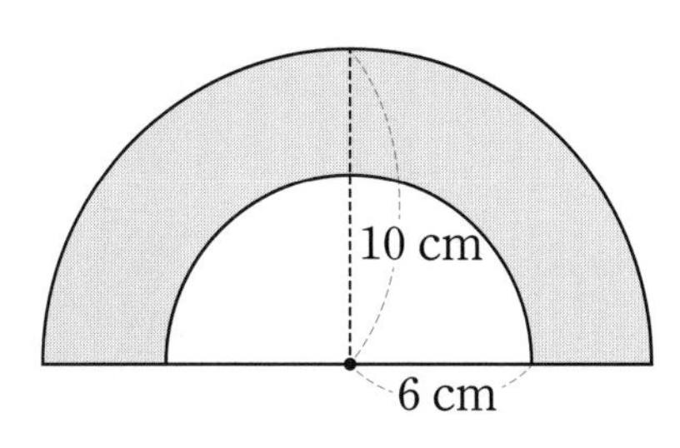

(   )

3 단계 교과서 실력 다지기

원의 일부분의 넓이 구하기

5 원의 일부분입니다. 도형의 넓이를 구해 보세요. (원주율: 3)

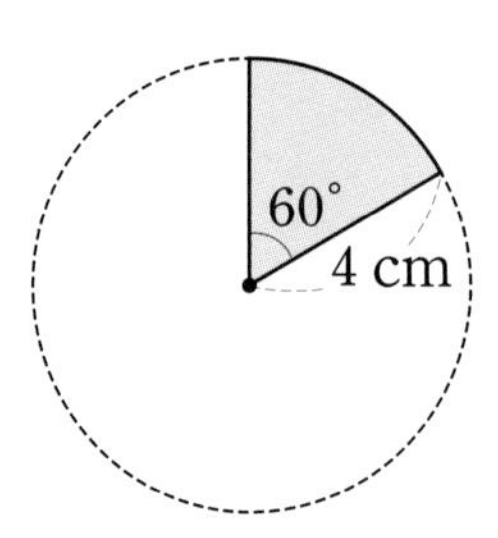

답 ______________________

개념 피드백
① 주어진 각도는 360°의 몇 분의 몇인지 분수로 나타내어 봅니다.
② 전체 원의 넓이의 ①만큼을 구합니다.

5-1 원의 일부분입니다. 도형의 넓이를 구해 보세요. (원주율: 3)

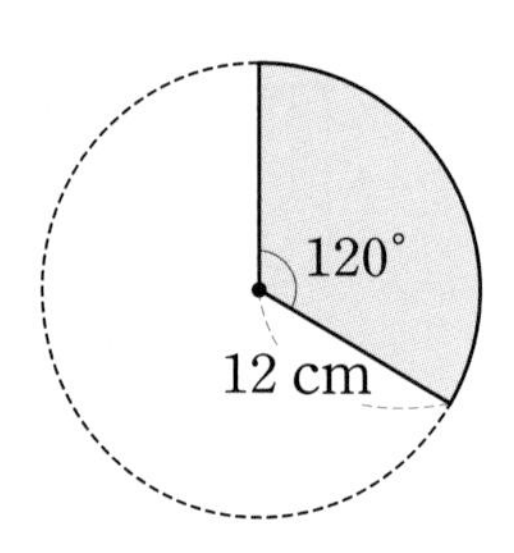

(   )

5-2 원의 일부분입니다. 도형의 넓이를 구해 보세요. (원주율: 3)

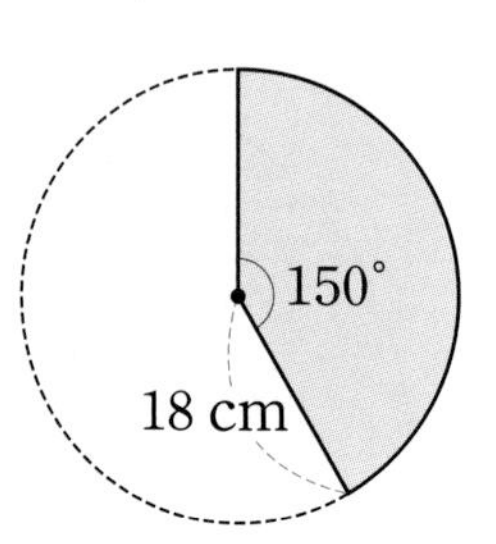

(   )

★ 색칠한 부분의 넓이 구하기

6 색칠한 부분의 넓이를 구해 보세요. (원주율: 3)

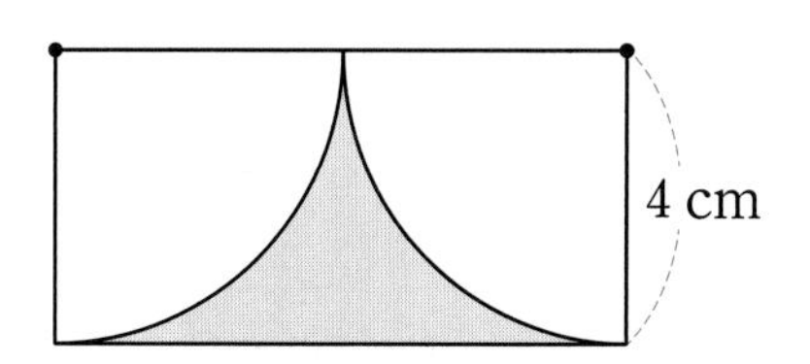

답 ____________

개념 피드백

① 원의 일부분 2개의 넓이의 합은 (원의 넓이)$\times\frac{1}{2}$과 같습니다.

② 색칠한 부분의 넓이는 직사각형의 넓이에서 ①의 넓이를 뺍니다.

6-1 색칠한 부분의 넓이를 구해 보세요. (원주율: 3)

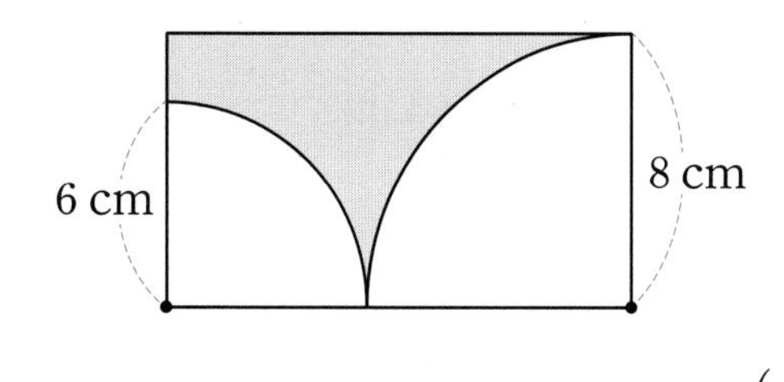

(　　　　　　　　)

6-2 직사각형의 넓이가 18 cm^2일 때 색칠한 부분의 넓이를 구해 보세요. (원주율: 3)

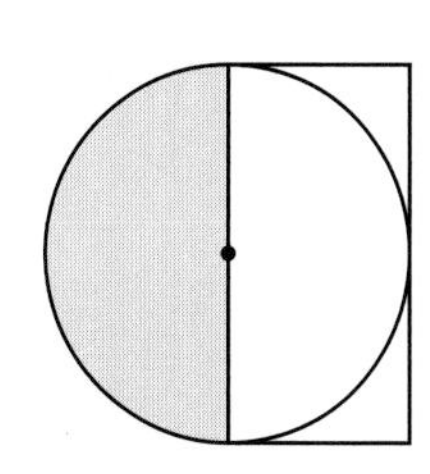

(　　　　　　　　)

교과서 서술형 연습

1 원주가 42 cm인 원이 있습니다. 이 원의 넓이를 구해 보세요. (원주율: 3)

구하려는 것, 주어진 것에 선을 그어 봅니다.

해결하기 원의 지름은 □ ÷ □ = □ (cm)이므로

원의 반지름은 □ ÷ □ = □ (cm)입니다.

따라서 원의 넓이는 □ × □ × □ = □ (cm^2)입니다.

답 구하기 □

서술형 실전

2 원주가 55.8 cm인 원이 있습니다. 이 원의 넓이를 구해 보세요. (원주율: 3.1)

구하려는 것, 주어진 것에 선을 그어 봅니다.

해결하기

답 구하기

정답과 풀이 p.7

바깥쪽 지름이 30 cm인 굴렁쇠를 10바퀴 굴렸습니다. 굴렁쇠가 굴러간 거리는 몇 m인지 구해 보세요. (원주율: 3)

구하려는 것, 주어진 것에 선을 그어 봅니다.

해결하기 (한 바퀴 굴러간 거리) = ☐ × ☐ = ☐ (cm)

(10바퀴 굴러간 거리) = ☐ × ☐ = ☐ (cm)

100 cm = 1 m이므로 ☐ cm = ☐ m입니다.

답 구하기 ☐

바깥쪽 지름이 45 cm인 굴렁쇠를 20바퀴 굴렸습니다. 굴렁쇠가 굴러간 거리는 몇 m인지 구해 보세요. (원주율: 3)

구하려는 것, 주어진 것에 선을 그어 봅니다.

해결하기

답 구하기

1주 교과서

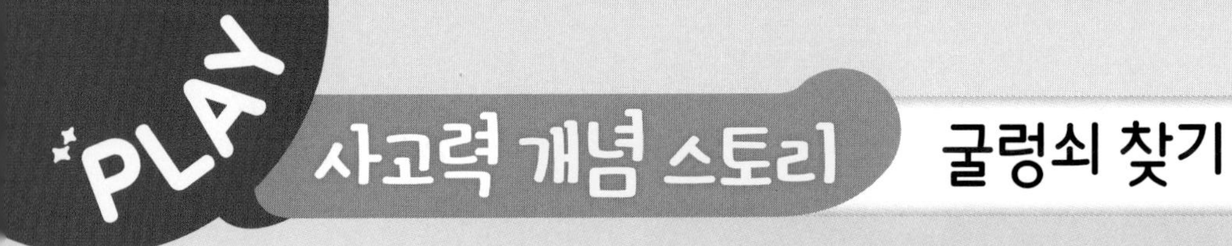

굴렁쇠 찾기

준비물 붙임딱지

학생들이 체육 시간에 굴렁쇠 굴리기를 하고 있습니다.
굴렁쇠가 굴러간 바퀴 수와 거리를 보고 알맞은 바깥쪽 지름이 써 있는 굴렁쇠 붙임딱지를 붙여 보세요.
(원주율: 3)

정답과 풀이 p.10

2

원 모양의 호수 둘레에 4.65 m의 간격으로 의자가 80개 놓여 있습니다. 이 호수의 넓이는 몇 m^2인지 구해 보세요. (원주율: 3.1) (단, 의자의 길이는 생각하지 않습니다.)

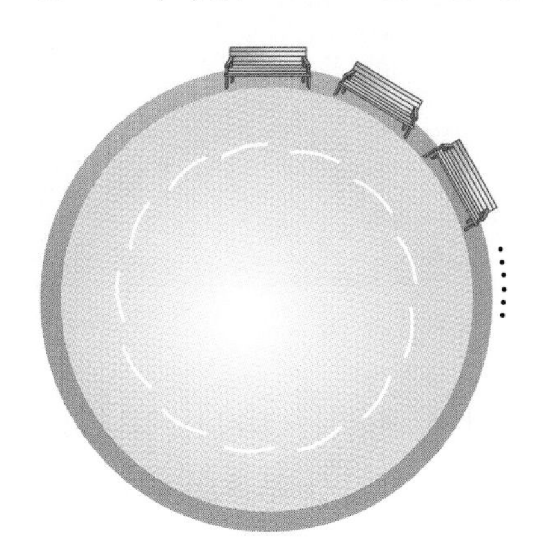

1. 알맞은 말을 한 사람을 찾아 이름을 써 보세요.

강호	의자의 수는 간격의 수보다 1만큼 커.
서희	의자의 수와 간격의 수는 서로 같아.

( )

2. 호수의 둘레는 몇 m인지 구해 보세요.

( )

3. 호수의 반지름은 몇 m인지 구해 보세요.

( )

4. 호수의 넓이는 몇 m^2인지 구해 보세요.

( )

2주 사고력

3

다음 조건 을 만족하는 운동장의 넓이는 몇 m^2인지 구해 보세요. (원주율: 3)

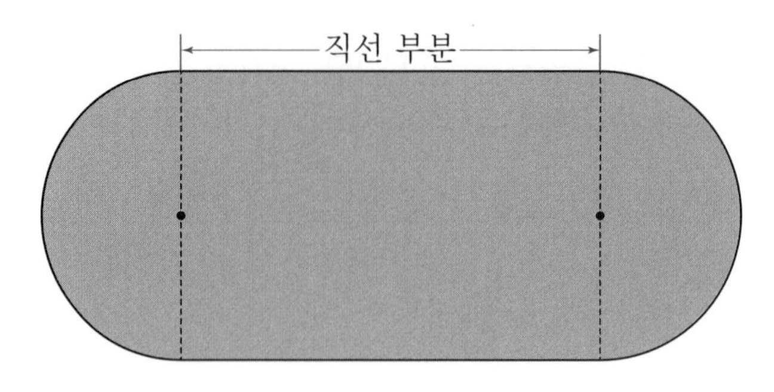

조건

- 운동장 한 바퀴는 480 m입니다.
- 운동장에서 직선 부분의 거리의 합은 240 m입니다.
- 운동장 양 끝은 반원 모양입니다.
- 운동장 가운데는 직사각형 모양입니다.

1 반원의 반지름은 몇 m인지 구해 보세요.

(　　　　　　　　　　)

2 운동장에서 반원 부분의 넓이의 합은 몇 m^2인지 구해 보세요.

(　　　　　　　　　　)

3 운동장에서 직사각형 부분의 넓이는 몇 m^2인지 구해 보세요.

(　　　　　　　　　　)

4 운동장의 넓이는 몇 m^2인지 구해 보세요.

(　　　　　　　　　　)

4

크기가 같은 원 모양의 음료수 캔 15개를 그림과 같이 끈으로 한 번 묶었습니다. 매듭으로 사용한 끈의 길이가 10 cm일 때, 사용한 끈의 길이는 몇 cm인지 구해 보세요. (원주율: 3.14)

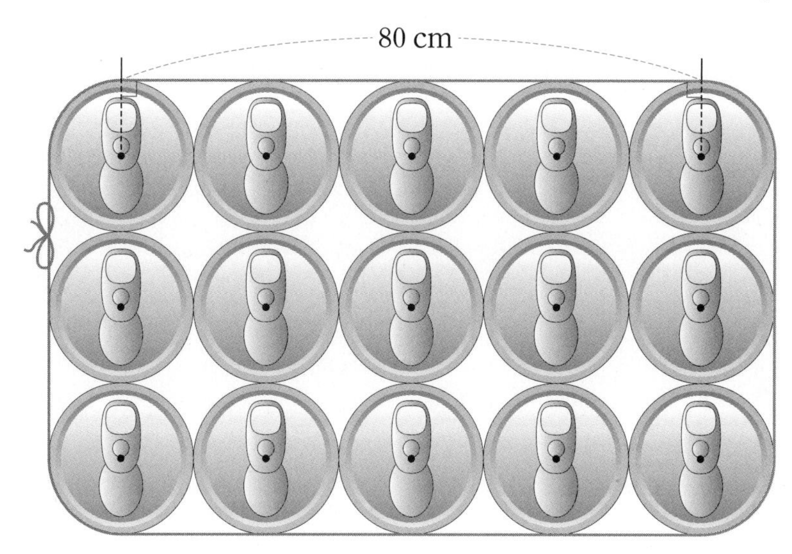

① 음료수 캔의 반지름은 몇 cm인지 구해 보세요.

( )

② 곡선 부분의 길이의 합은 몇 cm인지 구해 보세요.

( )

③ 직선 부분의 길이의 합은 몇 cm인지 구해 보세요.

( )

④ 사용한 끈의 길이는 몇 cm인지 구해 보세요.

( )

3단계 교과 사고력 완성

평가 영역 □개념 이해력 ☑개념 응용력 □창의력 □문제 해결력

1 레인의 폭이 1 m인 트랙의 안쪽과 바깥쪽 둘레를 따라 민기와 예지가 같은 방향으로 달렸습니다. 출발 지점에서 도착 지점까지 두 사람이 달린 거리가 같을 때 예지는 민기보다 몇 m 앞에서 출발한 것인지 구해 보세요. (원주율: 3.14)

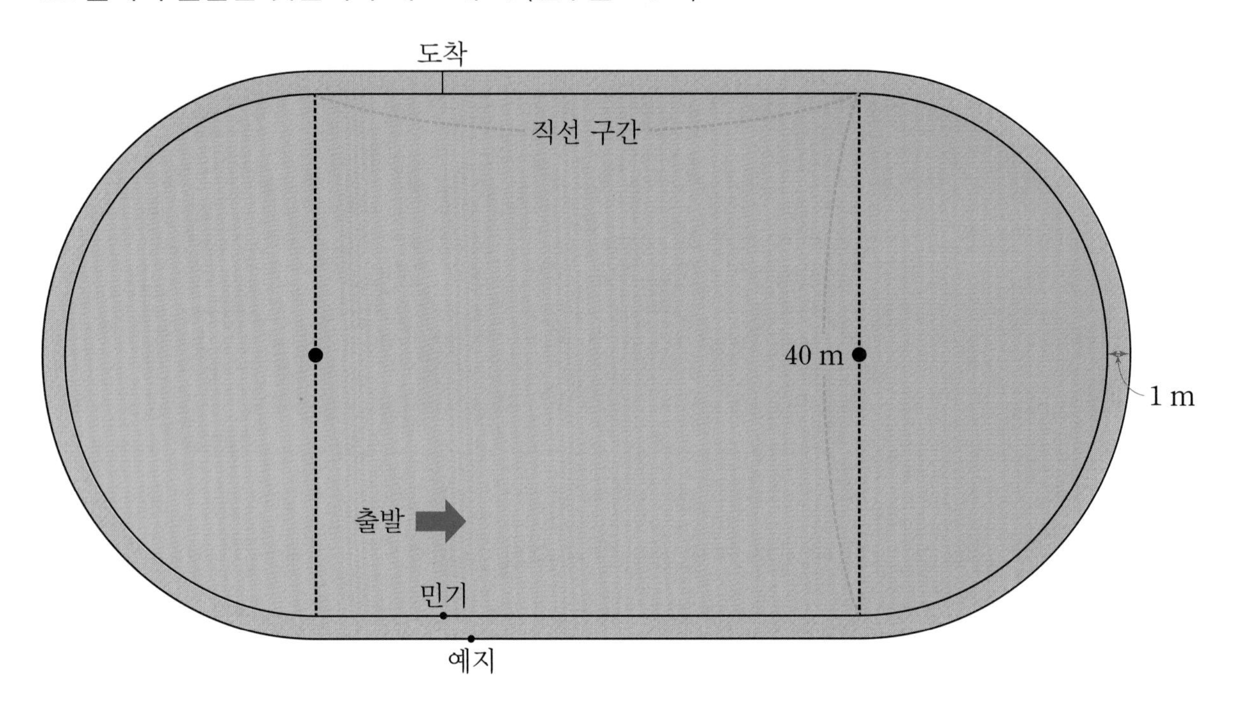

① 알맞은 말에 ○표 하세요.

> 두 사람이 트랙의 둘레를 따라 달릴 때 직선 구간의 거리는 (같고 , 다르고) 곡선 구간의 거리는 (같습니다 , 다릅니다).

② 예지가 달린 곡선 구간 반원의 지름을 구해 보세요.

( )

③ 민기와 예지가 달린 곡선 구간의 거리는 각각 몇 m인지 구해 보세요.

민기 ( ), 예지 ( )

④ 예지는 민기보다 몇 m 앞에서 출발한 것인지 구해 보세요.

( )

정답과 풀이 p.11

평가 영역 □개념 이해력 □개념 응용력 □창의력 ☑문제 해결력

2

한 변의 길이가 4 cm인 정사각형의 둘레에 크기가 다른 원의 $\frac{1}{4}$인 모양을 붙여서 만든 것입니다. 색칠한 부분의 넓이는 몇 cm^2인지 구해 보세요. (원주율: 3)

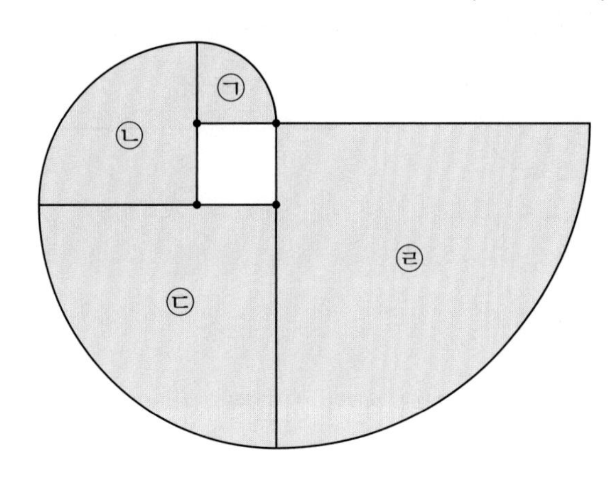

1 ㉠의 넓이는 몇 cm^2인지 구해 보세요.

(　　　　　　　　)

2 ㉡의 넓이는 몇 cm^2인지 구해 보세요.

(　　　　　　　　)

3 ㉢의 넓이는 몇 cm^2인지 구해 보세요.

(　　　　　　　　)

4 ㉣의 넓이는 몇 cm^2인지 구해 보세요.

(　　　　　　　　)

5 색칠한 부분의 넓이는 몇 cm^2인지 구해 보세요.

(　　　　　　　　)

맞은 개수

1 원을 한없이 잘라서 이어 붙여 직사각형을 만들었습니다. □ 안에 알맞은 말을 써넣으세요.

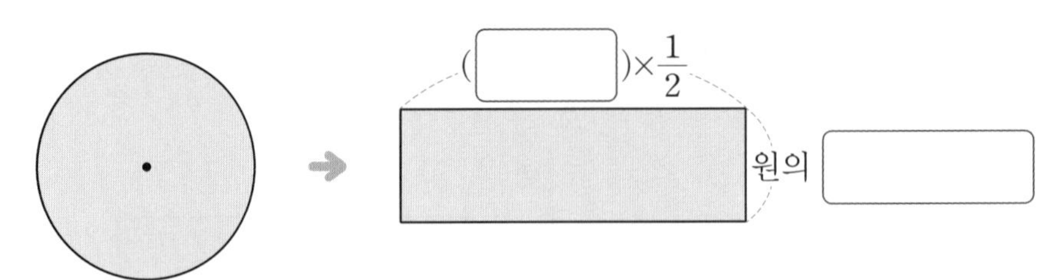

2 원에 대한 설명으로 잘못된 것을 찾아 기호를 써 보세요.

㉠ 원의 둘레를 원주라고 합니다.
㉡ 원의 지름이 길어지면 원주도 길어집니다.
㉢ 원주는 원의 지름의 약 3배입니다.
㉣ 원의 크기가 커지면 원주율도 커집니다.

( )

3 원주를 구해 보세요.

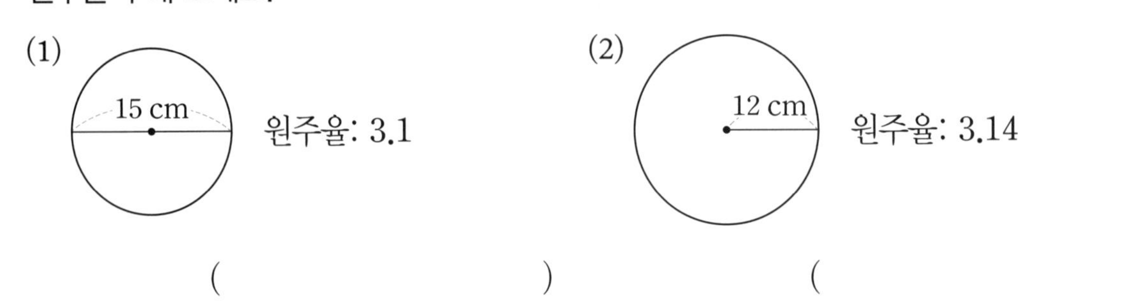

( ) ( )

4 원의 넓이를 구해 보세요.

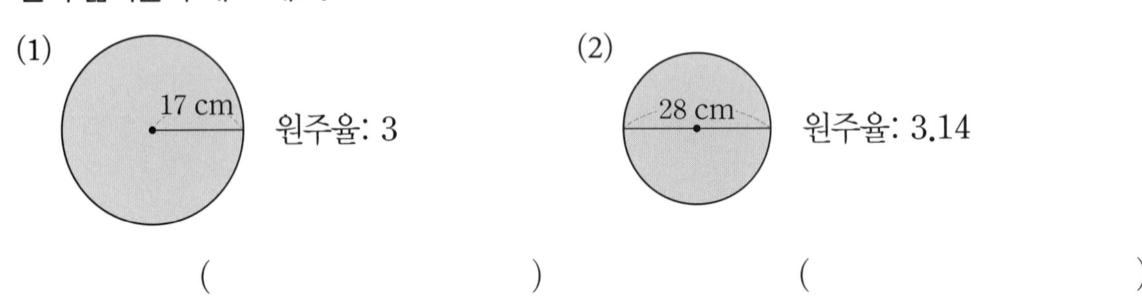

( ) ( )

5 원의 반지름을 구해 보세요.

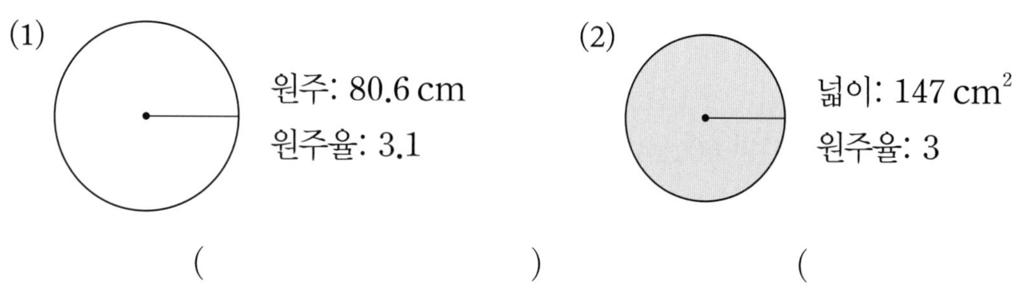

(1) (　　　　　　　　　　)　　(2) (　　　　　　　　　　)

6 두 원을 이어 붙여서 만든 도형입니다. 큰 원의 원주를 구해 보세요. (원주율: 3.1)

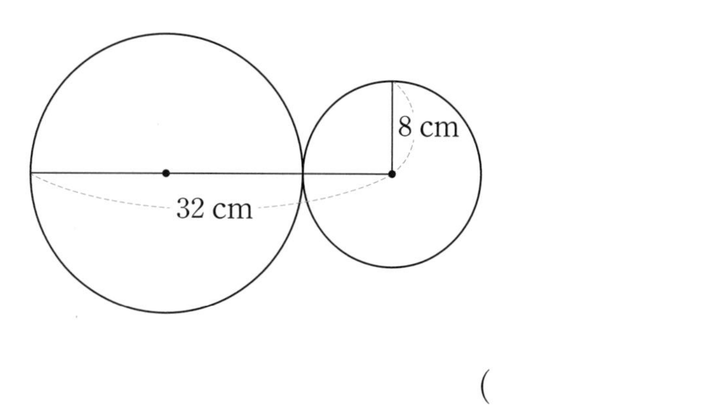

(　　　　　　　　　　)

7 다음 직사각형 안에 들어갈 수 있는 가장 큰 원의 넓이는 몇 cm^2인지 구해 보세요.

(원주율: 3.14)

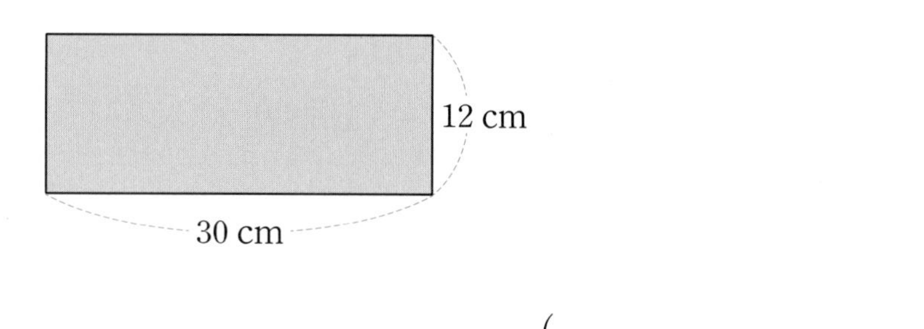

(　　　　　　　　　　)

8 큰 원부터 순서대로 기호를 써 보세요.(원주율: 3)

㉠ 반지름이 12 cm인 원	㉡ 지름이 36 cm인 원
㉢ 원주가 60 cm인 원	㉣ 넓이가 675 cm^2인 원

( )

9 색칠한 부분의 둘레는 몇 cm인지 구해 보세요. (원주율: 3.14)

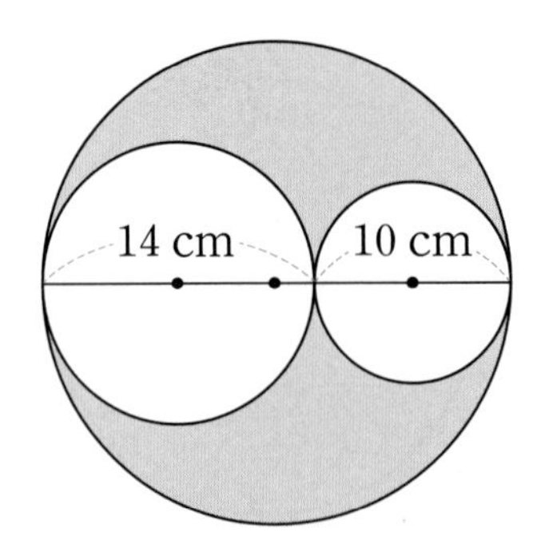

( )

10 직사각형과 원의 넓이가 같습니다. 원의 원주는 몇 cm인지 구해 보세요. (원주율: 3)

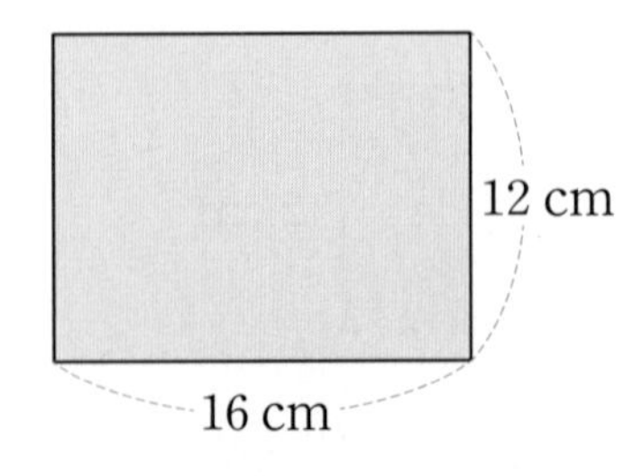

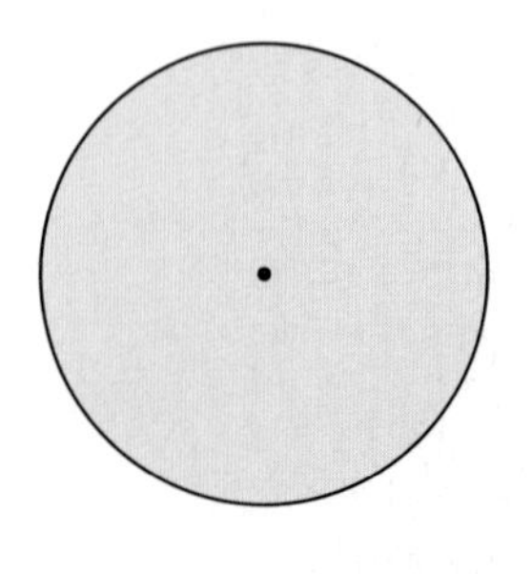

( )

11 원의 일부분입니다. 도형의 둘레는 몇 cm인지 구해 보세요. (원주율: 3)

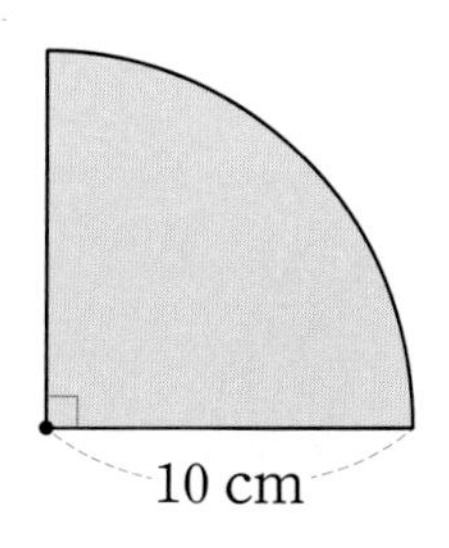

(　　　　　　　　　　)

12 원주가 108 cm인 원 모양의 피자를 똑같이 나누어 먹었습니다. 먹은 피자의 넓이는 몇 cm^2인지 구해 보세요. (원주율: 3)

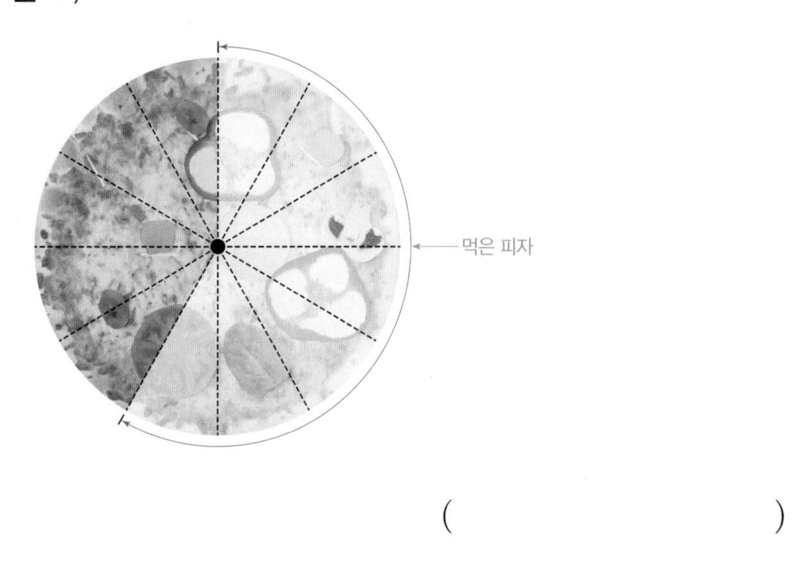

(　　　　　　　　　　)

13 진호는 다음과 같은 운동장의 둘레를 따라 3바퀴 달렸습니다. 진호가 달린 거리는 몇 m인지 구해 보세요. (원주율: 3)

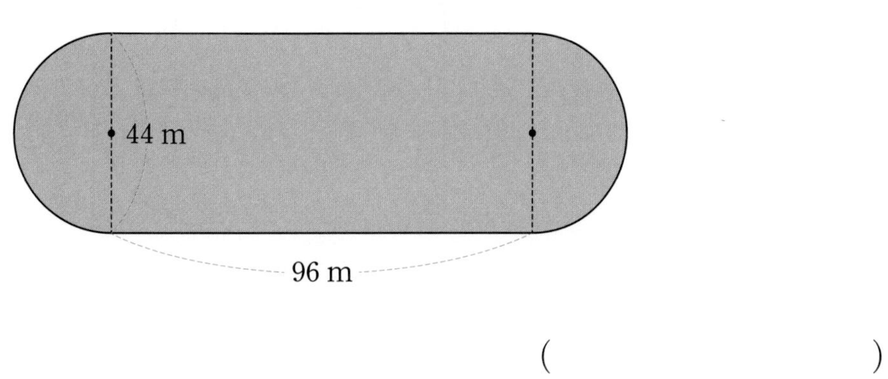

(　　　　　　　　　　)

14 지름을 1 cm씩 늘여가며 원을 그리고 있습니다. 첫 번째 원의 지름이 4 cm일 때 원의 넓이가 첫 번째 원의 16배가 되는 것은 몇 번째 원인지 구해 보세요.

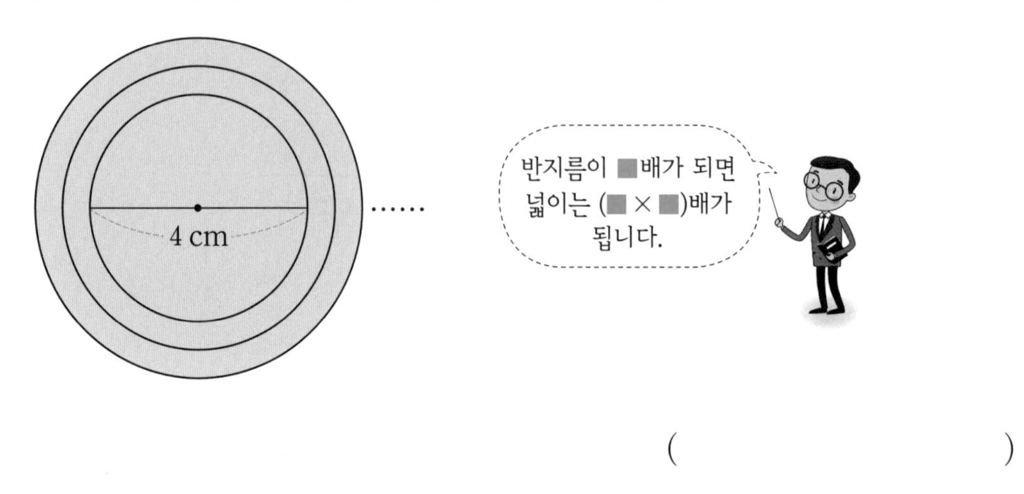

4 cm
반지름이 ■배가 되면
넓이는 (■ × ■)배가
됩니다.

( )

15 색칠한 부분의 넓이를 구해 보세요. (원주율: 3.1)

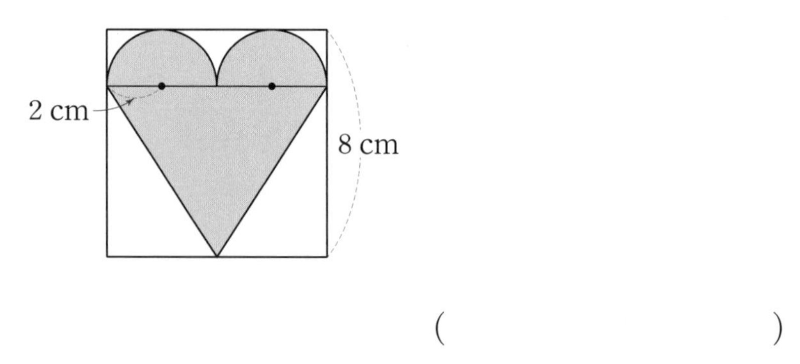

( )

16 직사각형 안에 크기가 다른 원의 $\frac{1}{4}$인 모양을 3개 그린 것입니다. 색칠한 부분의 둘레는 몇 cm인지 구해 보세요. (원주율: 3)

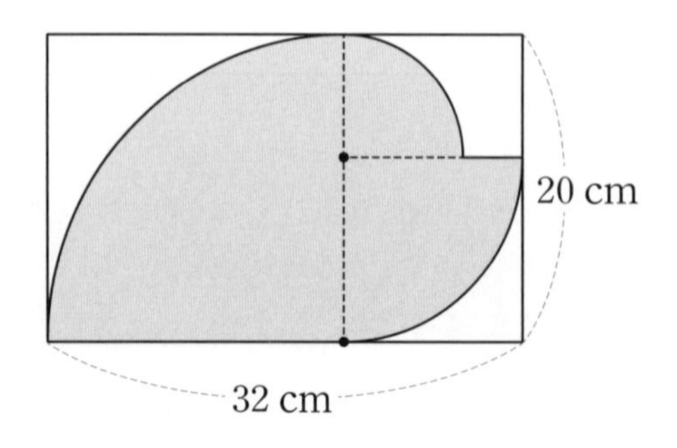

( )

특강 창의·융합 사고력

정답과 풀이 p.12

1 태극기는 흰색 바탕에 태극 문양과 네 모서리의 건곤감리 4괘로 구성되어 있습니다. 태극 문양의 지름은 태극기 세로의 $\frac{1}{2}$입니다. 태극 문양의 파란색 부분의 넓이는 몇 cm^2인지 구해 보세요. (원주율: 3.14)

(1) 태극 문양의 반지름은 몇 cm인지 구해 보세요.

( )

(2) 태극 문양의 전체 넓이는 몇 cm^2인지 구해 보세요.

( )

(3) 알맞은 말에 ○표 하세요.

태극 문양에서 빨간색 부분의 넓이와 파란색 부분의 넓이는 (같습니다 , 다릅니다).

(4) 태극 문양의 파란색 부분의 넓이는 몇 cm^2인지 구해 보세요.

( )

6 원기둥, 원뿔, 구

단원과 관련된
입체도형 이야기를
살펴보아요.

입체도형

우리 주위에는 다양한 모양의 입체도형을 볼 수 있습니다. 마트에 진열되어 있는 물건을 보고 어떤 입체도형을 찾을 수 있는지 함께 알아볼까요?

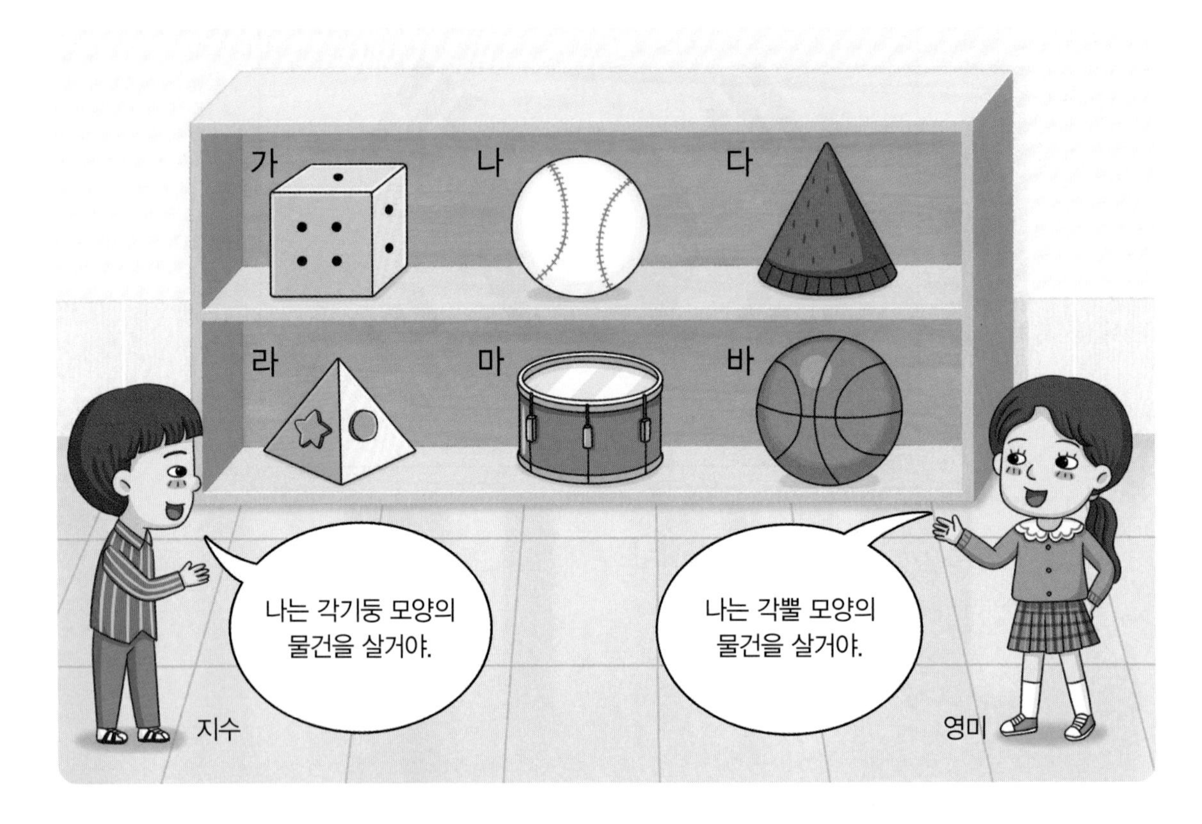

지수가 사려는 물건을 찾아 기호를 써 보세요.

( )

영미가 사려는 물건을 찾아 기호를 써 보세요.

( )

지수와 영미가 사지 않은 물건과 같은 모양의 입체도형은 어떤 이름과 특징을 가지고 있는지 알아보도록 할까요?

 각기둥의 이름을 써 보세요.

❶

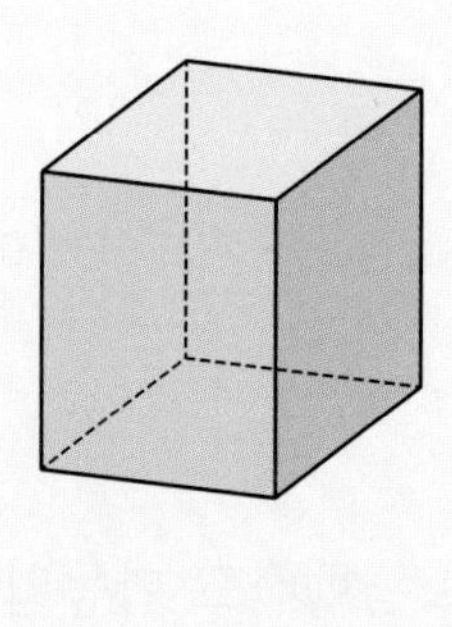

(　　　　　　　　)

❷

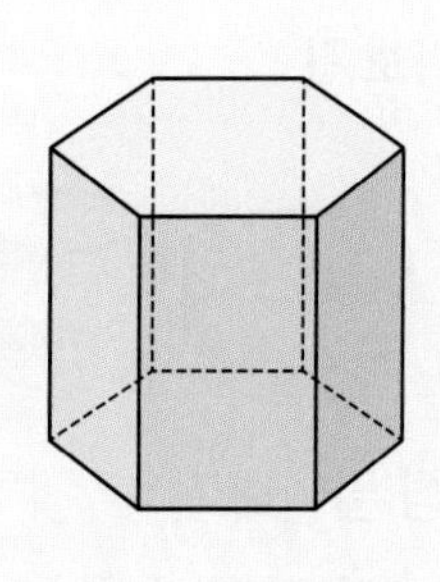

(　　　　　　　　)

각뿔의 이름을 써 보세요.

❶

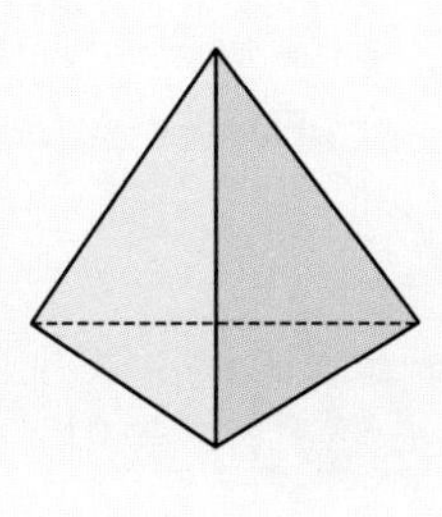

(　　　　　　　　)

❷

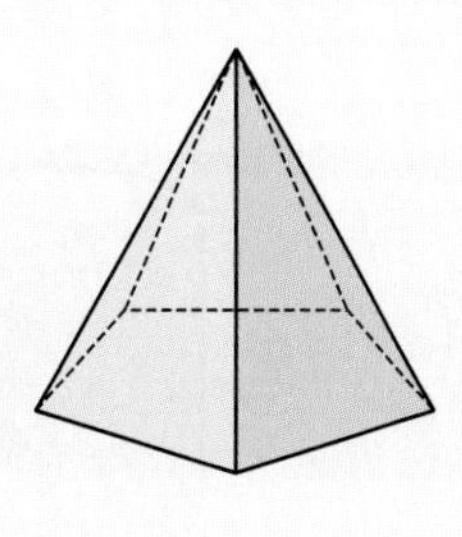

(　　　　　　　　)

관계있는 것끼리 선으로 이어 보세요.

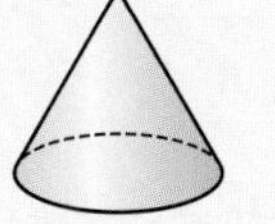
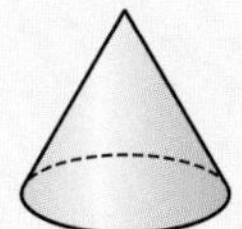 •　　　　　　　　• 

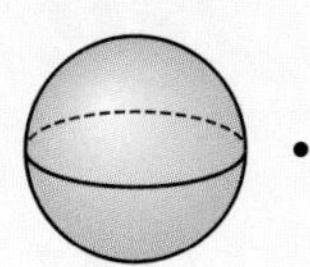 •　　　　　　　　• 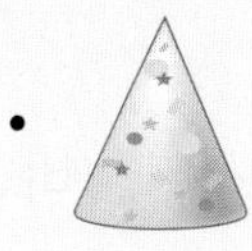

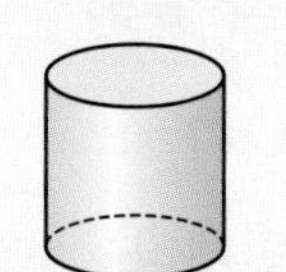 •　　　　　　　　• 

1 단계 교과서 개념 잡기

개념 1 원기둥 알아보기

(1) 원기둥: 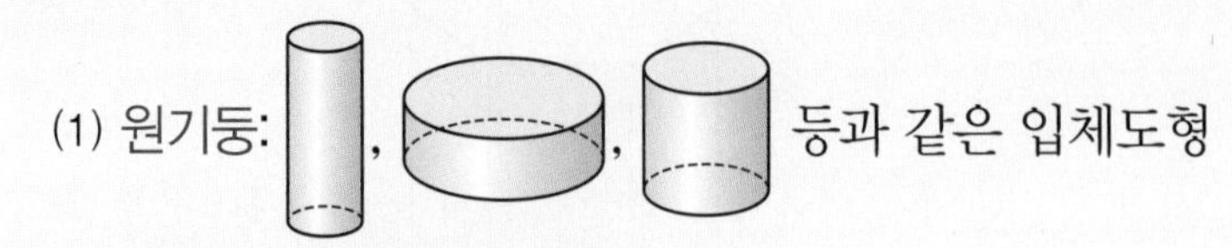 등과 같은 입체도형

(2) 원기둥의 특징 알아보기

- 두 면은 평평한 원입니다.
- 두 면은 서로 평행하고 합동입니다.
- 옆을 둘러싼 면은 굽은 면입니다.
- 굴리면 잘 굴러갑니다.

(3) 원기둥의 구성 요소 알아보기

- 밑면: 서로 평행하고 합동인 두 면
- 옆면: 두 밑면과 만나는 면 → 원기둥의 옆면은 굽은 면입니다.
- 높이: 두 밑면에 수직인 선분의 길이

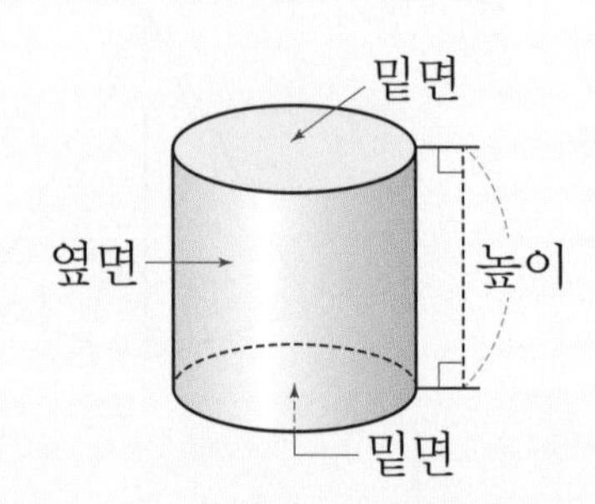

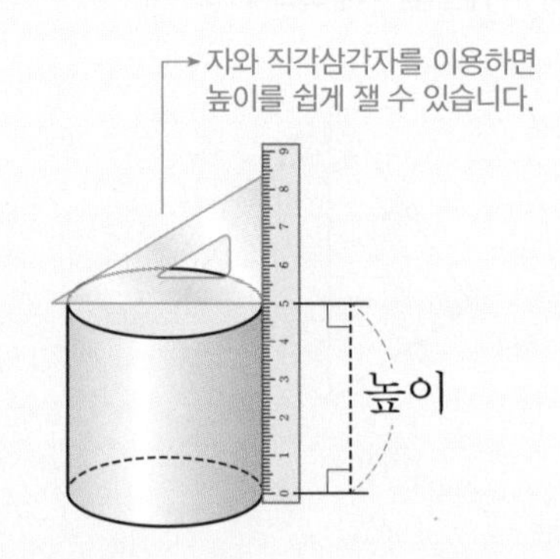

(4) 원기둥 만들기

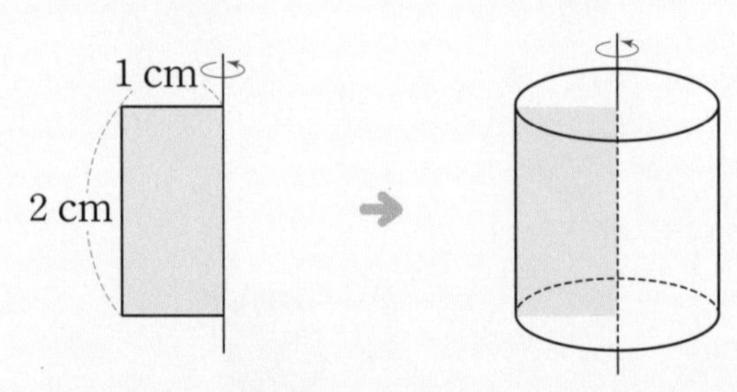

밑면의 지름: 2 cm → 밑면의 반지름: 1 cm
높이: 2 cm

→ 한 변을 기준으로 직사각형 모양의 종이를 돌리면 원기둥이 만들어집니다.

참고

- 원기둥과 각기둥 비교하기

원기둥	각기둥
• 꼭짓점이 없습니다. • 밑면이 원입니다. • 옆면이 굽은 면입니다.	• 꼭짓점이 있습니다. • 밑면이 다각형입니다. • 옆면이 평평한 면입니다.

1-1 원기둥을 찾아 기호를 써 보세요.

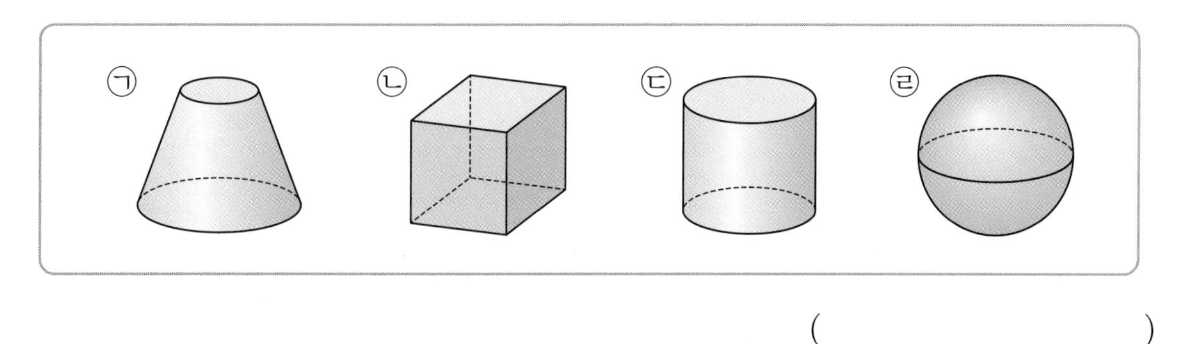

( )

1-2 원기둥에서 밑면을 찾아 색칠해 보세요.

(1)

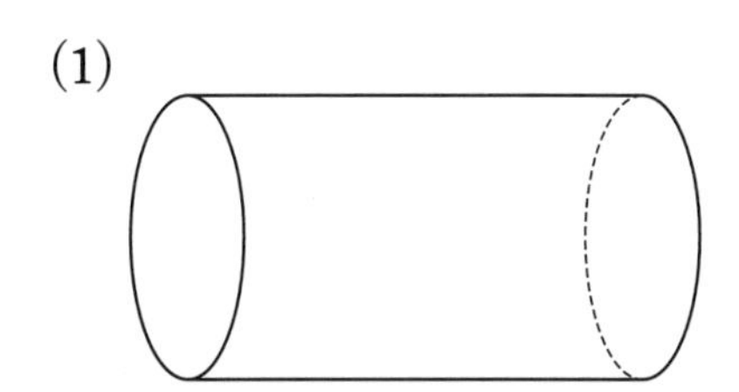

(2)

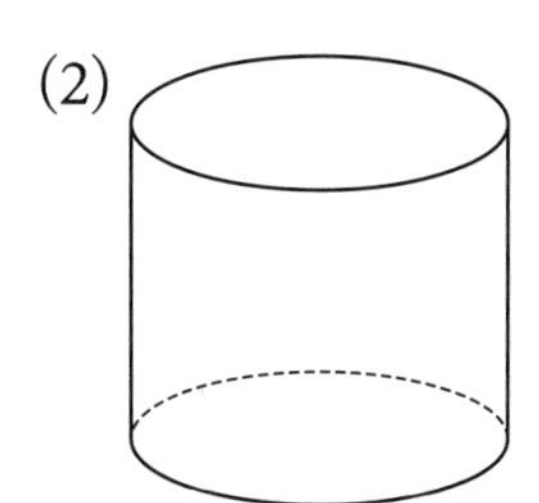

1-3 □ 안에 알맞은 말을 보기 에서 찾아 써넣으세요.

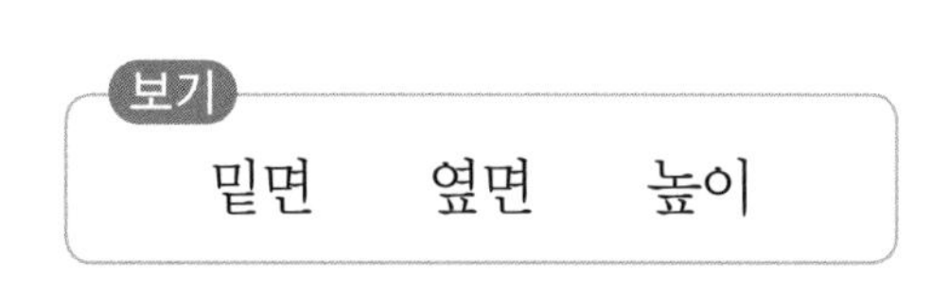

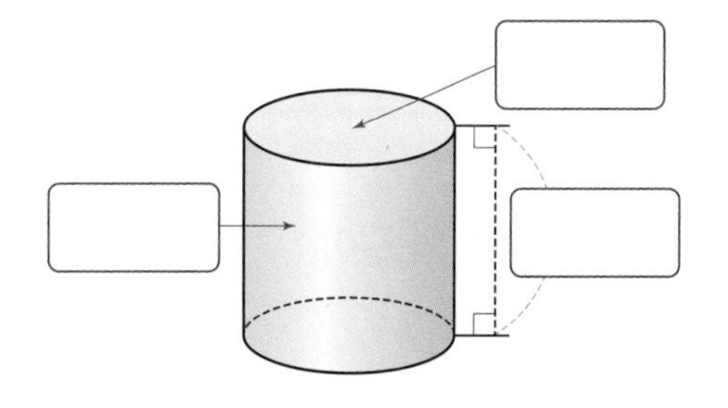

1-4 원기둥의 높이를 구해 보세요.

(1)

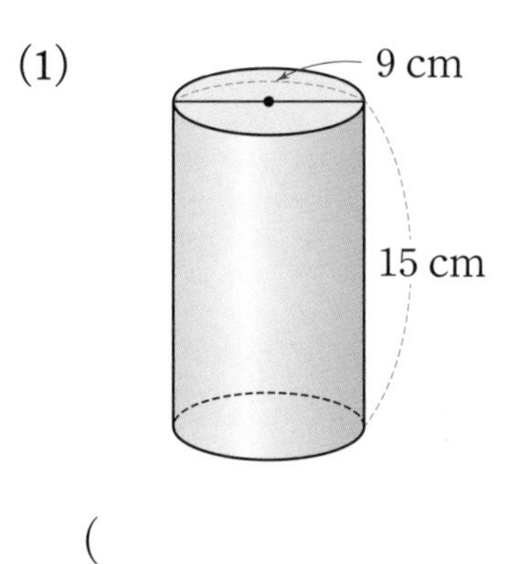

( )

(2)

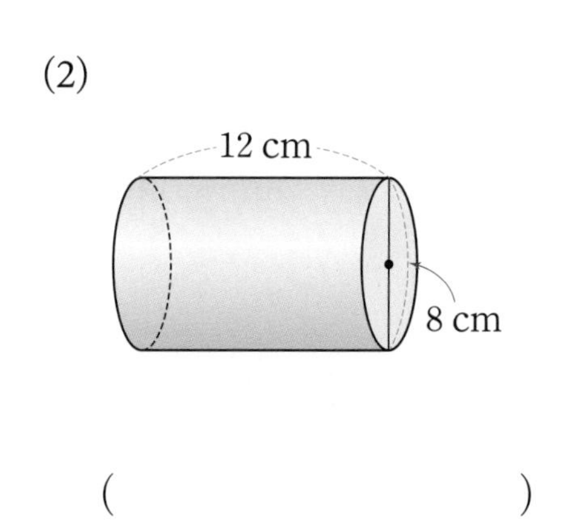

( )

1 단계 교과서 개념 잡기

개념 2 원기둥의 전개도 알아보기

• 원기둥의 전개도: 원기둥을 잘라서 펼쳐 놓은 그림

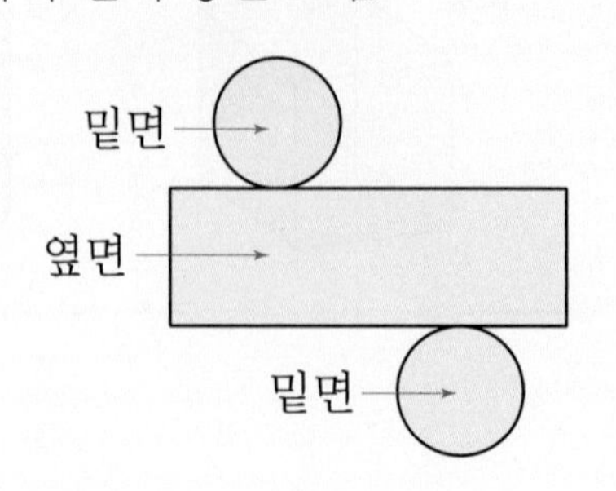

• 원기둥의 전개도 찾는 방법
- 두 밑면이 합동인 원인지 확인합니다.
- 옆면의 위아래에 합동인 원이 1개씩 있는지 확인합니다.
- 옆면의 모양이 직사각형인지 확인합니다.

• 원기둥의 전개도가 아닌 경우

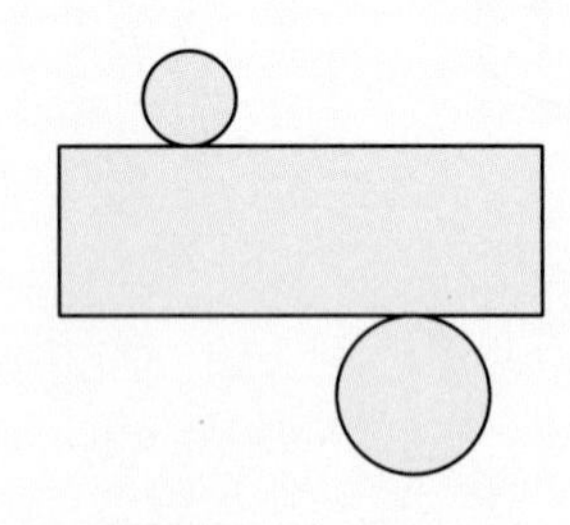

두 밑면이 합동인 원이 아닙니다.

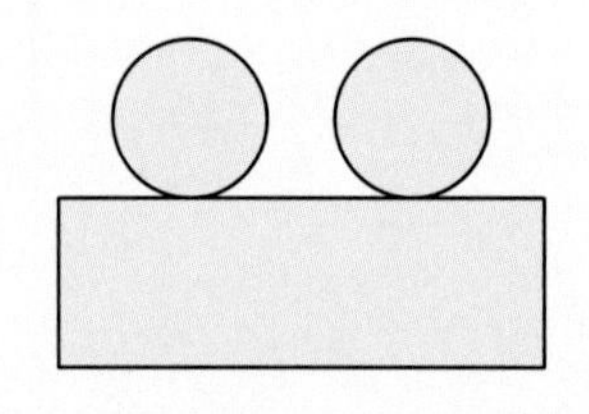

옆면의 위아래에 합동인 원이 없습니다.

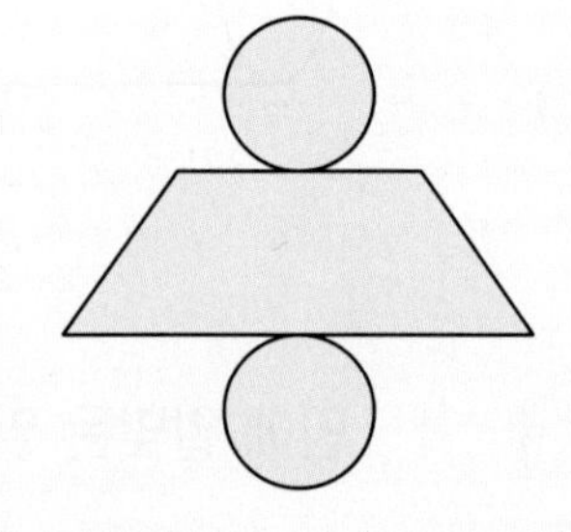

옆면의 모양이 직사각형이 아닙니다.

• 전개도의 각 부분의 길이

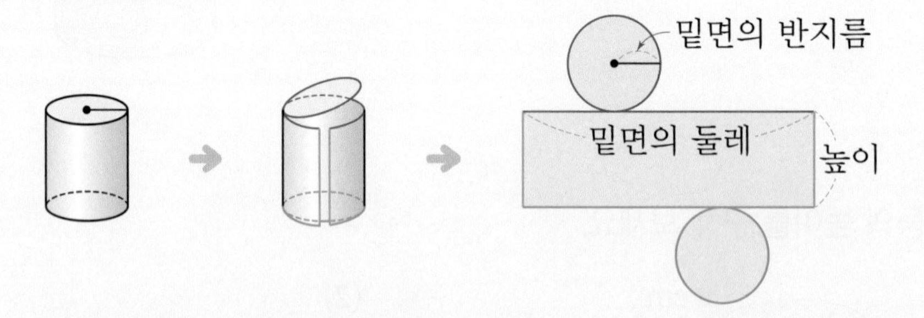

(옆면의 가로)=(밑면의 둘레)
=(밑면의 지름)×(원주율)
=(밑면의 반지름)×2×(원주율)
(옆면의 세로)=(원기둥의 높이)

개념 확인 문제

2-1 원기둥과 원기둥의 전개도를 보고 물음에 답하세요.

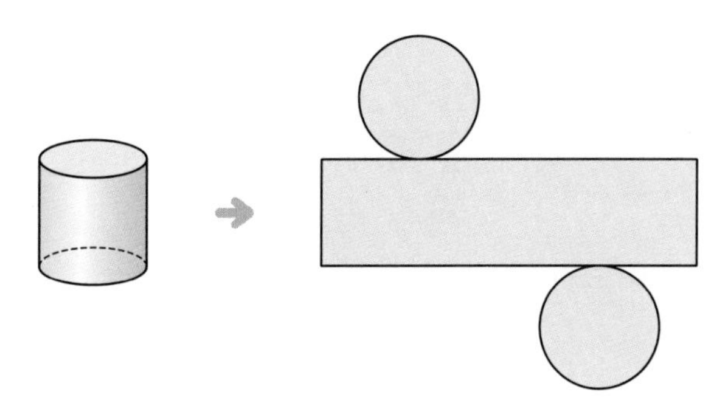

(1) 전개도에서 밑면의 모양은 무엇일까요?

( )

(2) 전개도에서 옆면의 모양은 무엇일까요?

( )

2-2 원기둥의 전개도를 찾아 ○표 하세요.

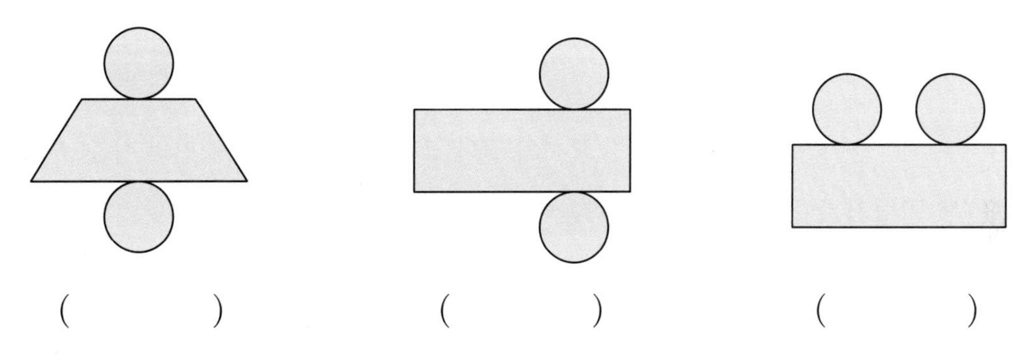

( ) ( ) ( )

2-3 원기둥의 전개도에서 밑면의 둘레와 같은 길이의 선분은 빨간색 선으로, 원기둥의 높이와 같은 선분은 파란색 선으로 모두 표시해 보세요.

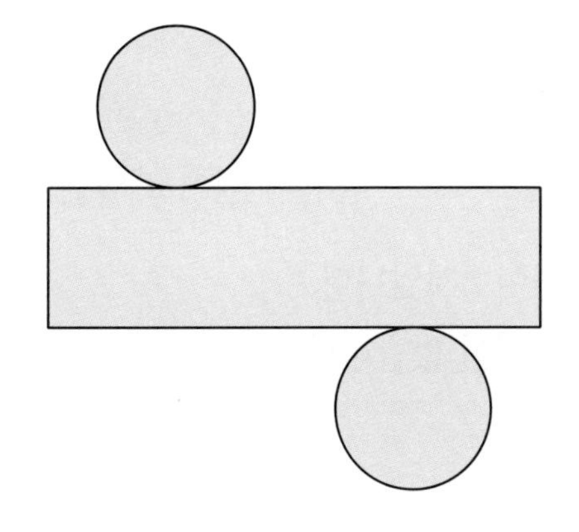

개념 3 원뿔 알아보기

(1) 원뿔: , , 등과 같은 입체도형

(2) 원뿔의 구성 요소 알아보기

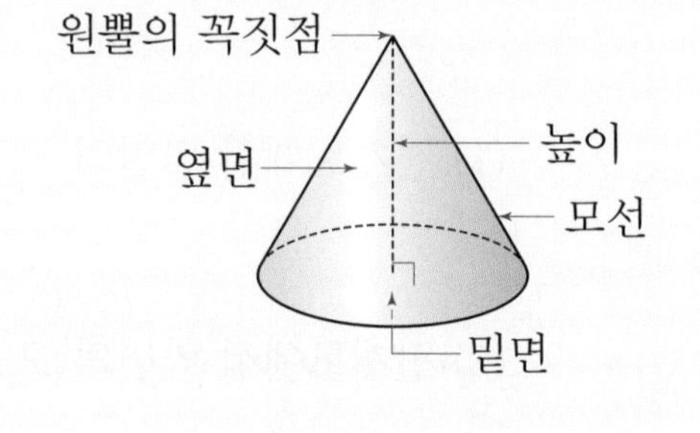

- 밑면: 평평한 면
- 옆면: 옆을 둘러싼 굽은 면
- 원뿔의 꼭짓점: 뾰족한 부분의 점
- 모선: 원뿔의 꼭짓점과 밑면인 원의 둘레의 한 점을 이은 선분
- 높이: 원뿔의 꼭짓점에서 밑면에 수직인 선분의 길이

(3) 원뿔의 높이, 모선의 길이, 밑면의 지름을 재는 방법 알아보기

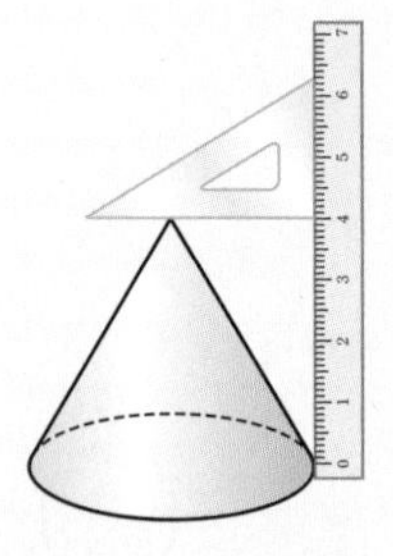

높이: 4 cm

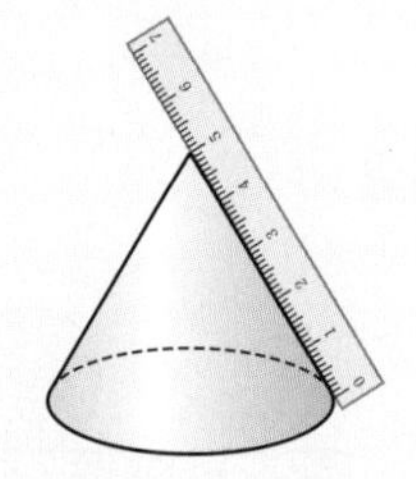

모선의 길이: 5 cm

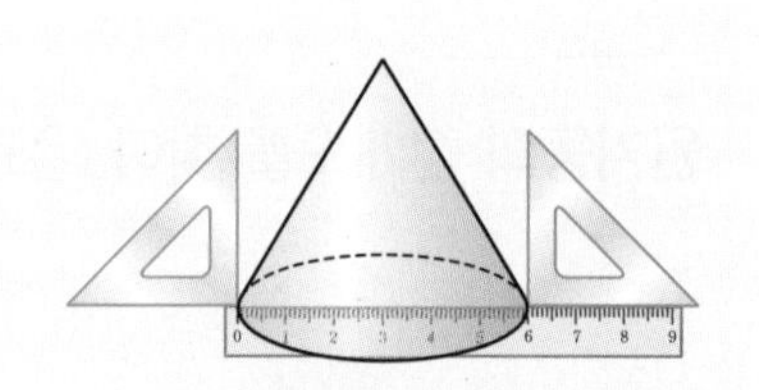

밑면의 지름: 6 cm

(4) 원뿔 만들기

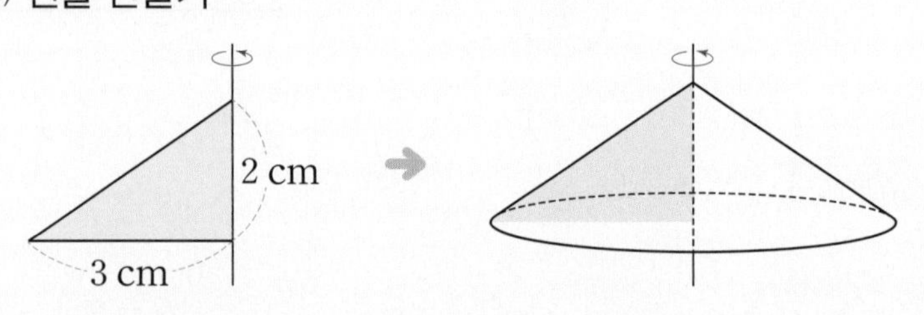

밑면의 반지름: 3 cm

밑면의 지름: 6 cm
높이: 2 cm

➜ 한 변을 기준으로 직각삼각형 모양의 종이를 돌리면 원뿔이 만들어집니다.

참고

- 원뿔과 원기둥 비교하기

입체도형	원기둥	원뿔
공통점	밑면이 원이고 옆면이 굽은 면입니다.	
차이점	• 밑면이 2개입니다. • 꼭짓점이 없습니다.	• 밑면이 1개입니다. • 꼭짓점이 있습니다.

정답과 풀이 p.14

3-1 원뿔을 찾아 기호를 써 보세요.

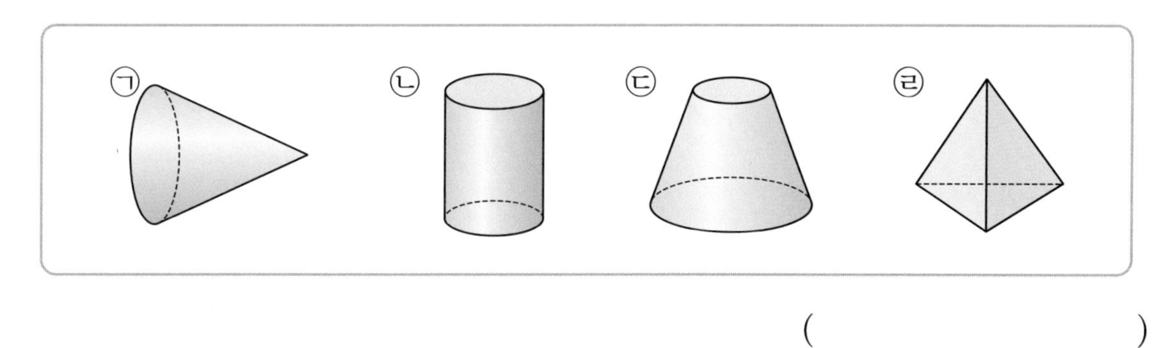

(　　　　　　　　　　)

3-2 □ 안에 알맞은 말을 보기 에서 찾아 써넣으세요.

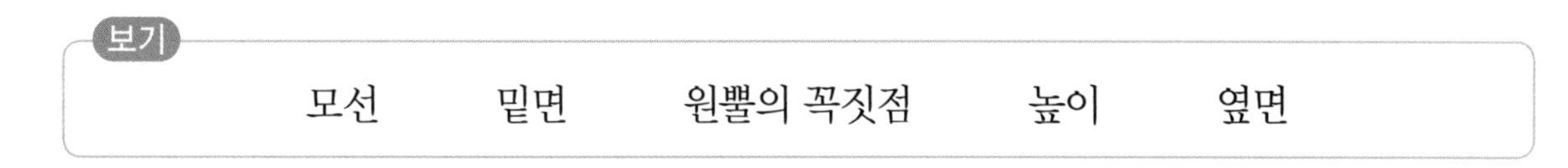

보기
모선 밑면 원뿔의 꼭짓점 높이 옆면

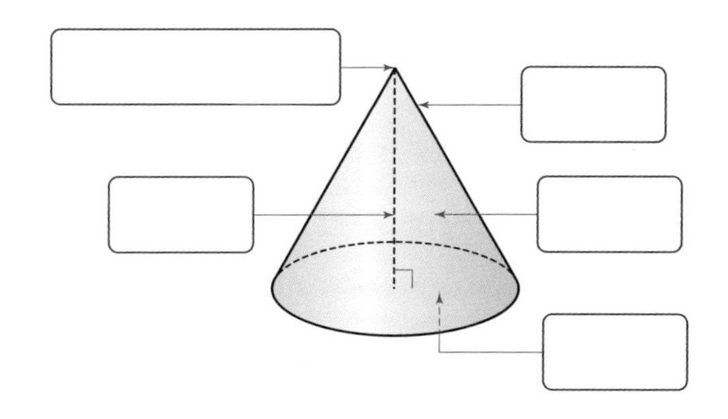

3-3 원뿔에서 모선의 길이는 몇 cm인지 구해 보세요.

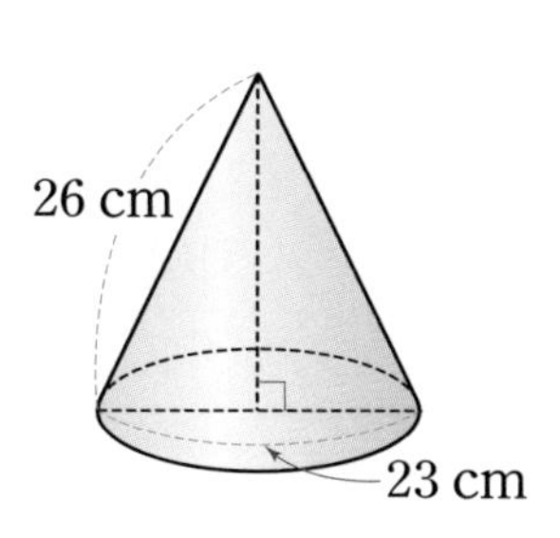

(　　　　　　　　　　)

3-4 원뿔의 무엇을 재는 것인지 써 보세요.

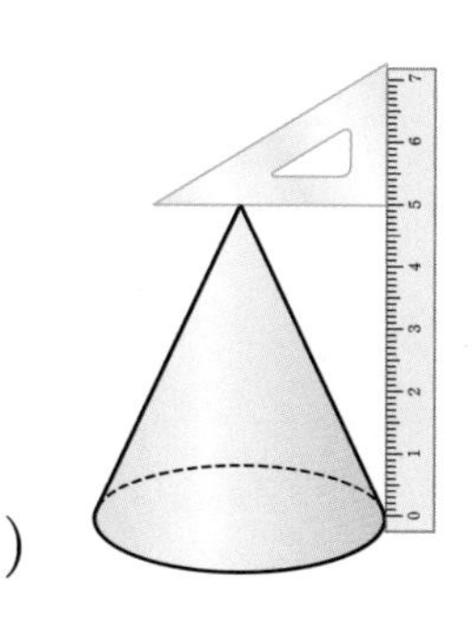

(　　　　　　　　　　)

개념 4 구 알아보기

(1) 구: , , 등과 같은 입체도형

(2) 구의 구성 요소 알아보기

- 구의 중심: 구에서 가장 안쪽에 있는 점
- 구의 반지름: 구의 중심에서 구의 겉면의 한 점을 이은 선분 → 무수히 많습니다.

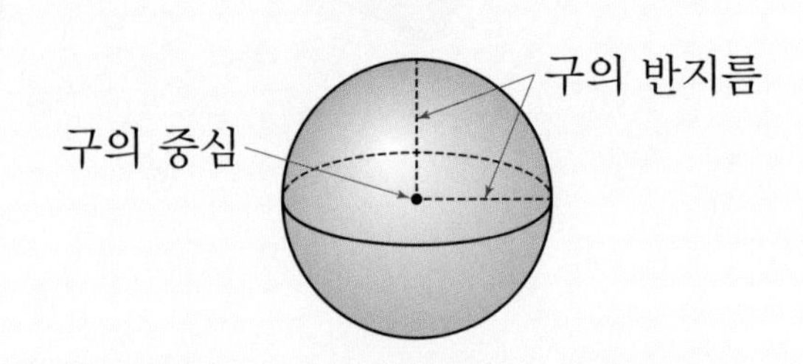

(3) 구 만들기

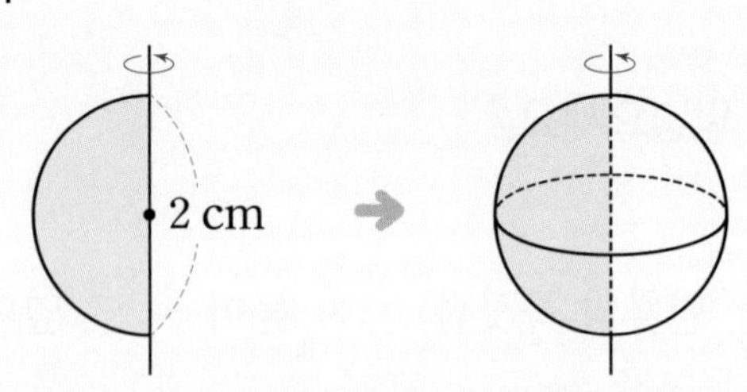

구의 반지름: 1 cm → 구의 지름: 2 cm

→ 지름을 기준으로 반원 모양의 종이를 돌리면 구가 만들어집니다.

참고

- 원기둥, 원뿔, 구 비교하기

입체도형	원기둥	원뿔	구
공통점	• 굽은 면으로 둘러싸여 있습니다. • 굴리면 잘 굴러갑니다. • 위에서 본 모양이 원입니다.		
차이점	• 원기둥과 원뿔은 밑면의 모양이 원입니다. • 원뿔은 꼭짓점이 있는데 원기둥과 구는 없습니다. • 원기둥, 원뿔, 구를 앞과 옆에서 본 모양은 직사각형, 이등변삼각형, 원으로 모두 다릅니다.		

개념 5 여러 가지 모양 만들기

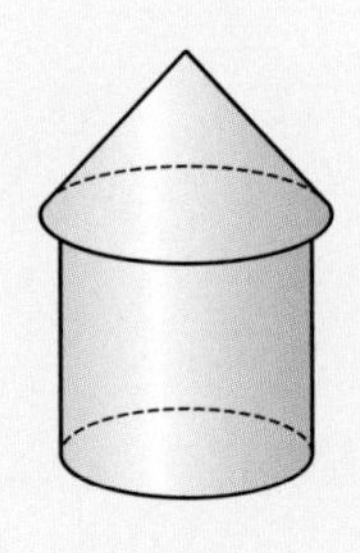

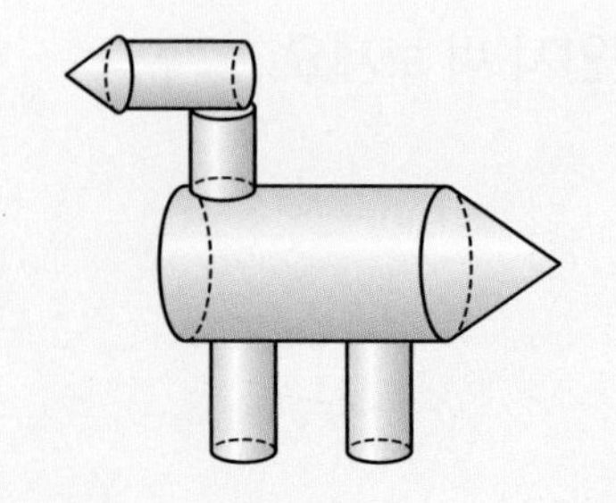

원기둥, 원뿔, 구를 사용하여 여러 가지 모양을 만들 수 있습니다.

4-1 구를 찾아 기호를 써 보세요.

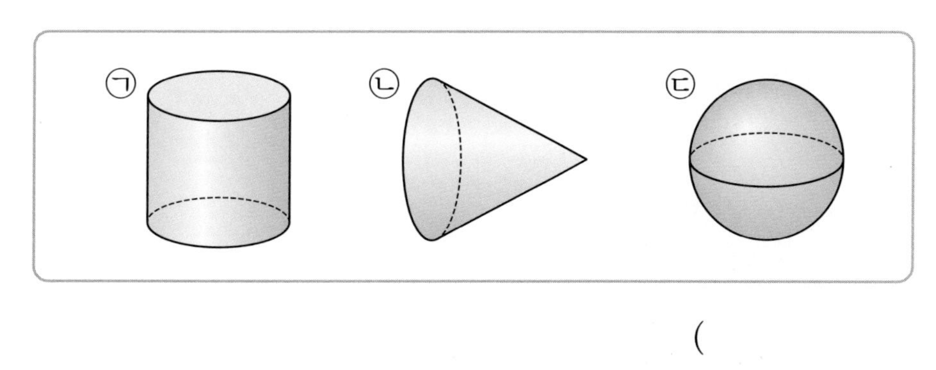

(　　　　　　　　　　)

4-2 □ 안에 알맞은 말을 써넣으세요.

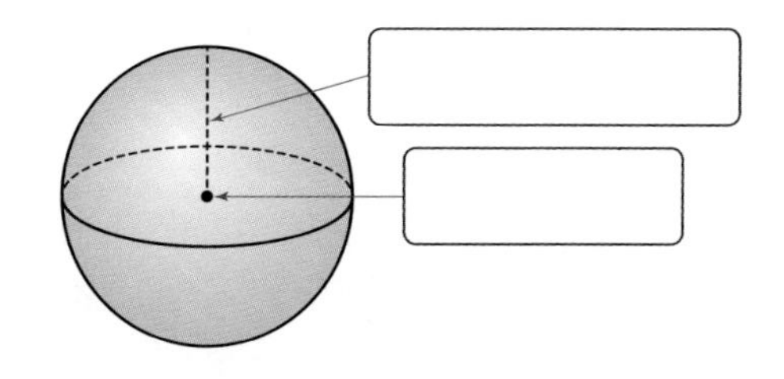

4-3 구의 반지름은 몇 cm인지 구해 보세요.

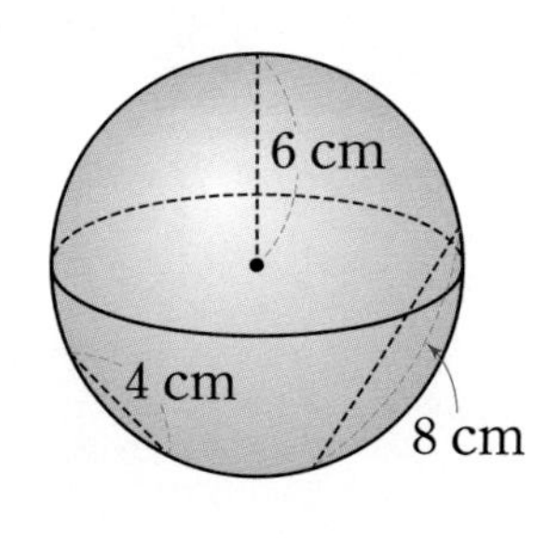

(　　　　　　　　　　)

5 다음 모양에는 각 입체도형이 몇 개씩 사용되었는지 구해 보세요.

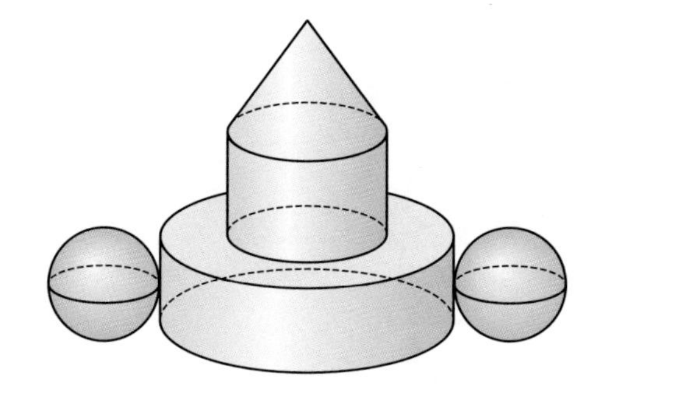

원기둥: □개

원뿔: □개

구: □개

PLAY 교과서 개념 스토리

초인종 달기

준비물 붙임딱지

문 옆에 입체도형 초인종을 달려고 합니다.
문 앞에 써 있는 설명에 알맞은 입체도형 붙임딱지를 붙여 보세요.

301
꼭짓점이 있는 입체도형
302
앞에서 본 모양이 직사각형인 입체도형
201
지름을 기준으로 반원을 돌려 만든 입체도형
202
밑면이 2개인 입체도형
101
한 변을 기준으로 직사각형을 돌려 만든 입체도형
102
옆에서 본 모양이 이등변삼각형인 입체도형

3
주
교과서

303
밑면이
1개인
입체도형
304
모선이 있는
입체도형
203
어느 방향에서
보아도
모양이 원인
입체도형
204
밑면이 없는
입체도형
103
전개도에서
옆면의 모양이
직사각형인
입체도형
104
한 변을 기준으로
직각삼각형을
돌려 만든
입체도형

전개도 고치기

준비물 붙임딱지

스케치북에 그려진 원기둥의 전개도를 보고 잘못된 이유를 쓰고 알맞은 원기둥의 전개도가 되도록 붙임딱지를 빈 곳에 바르게 붙여 보세요.

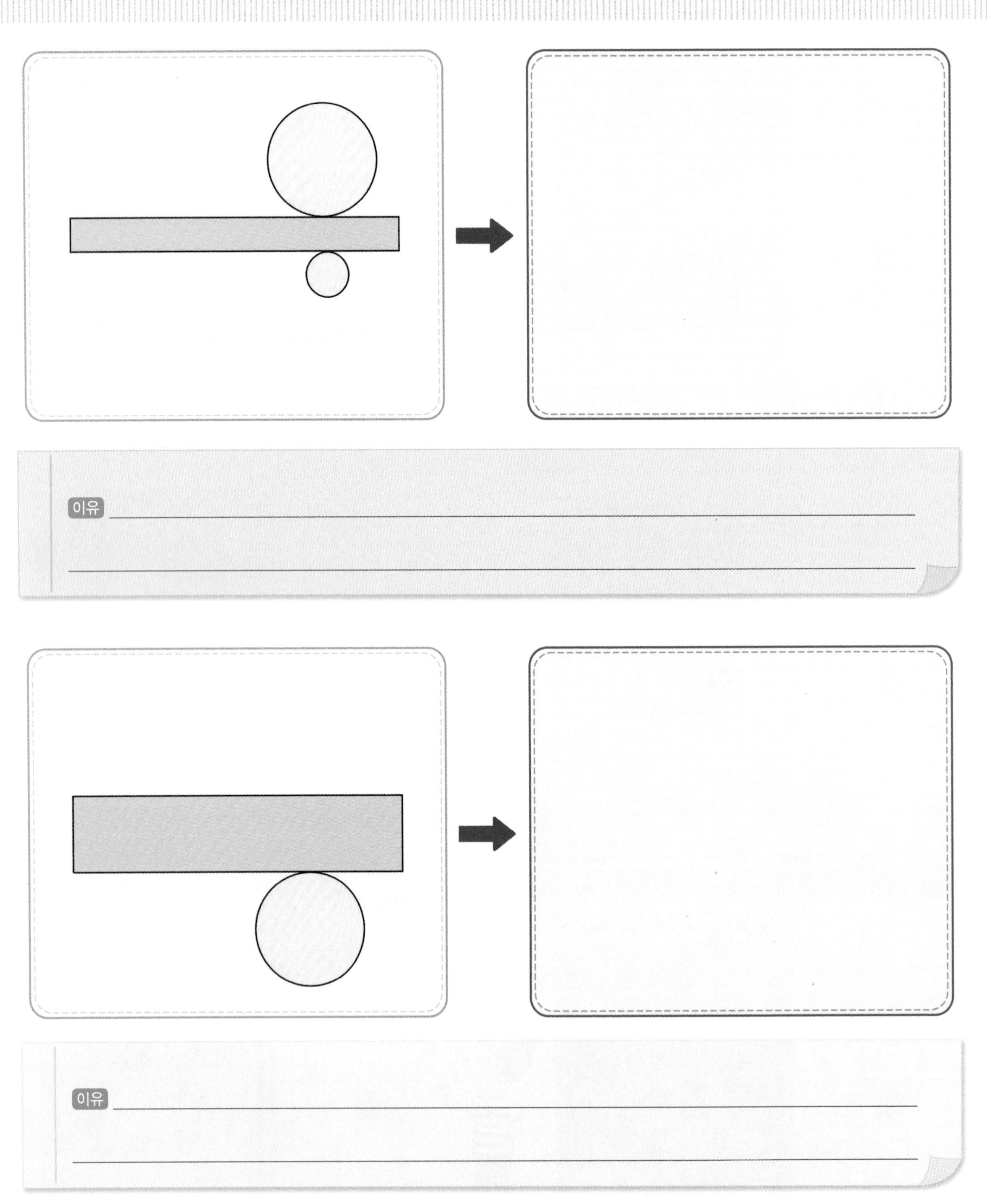

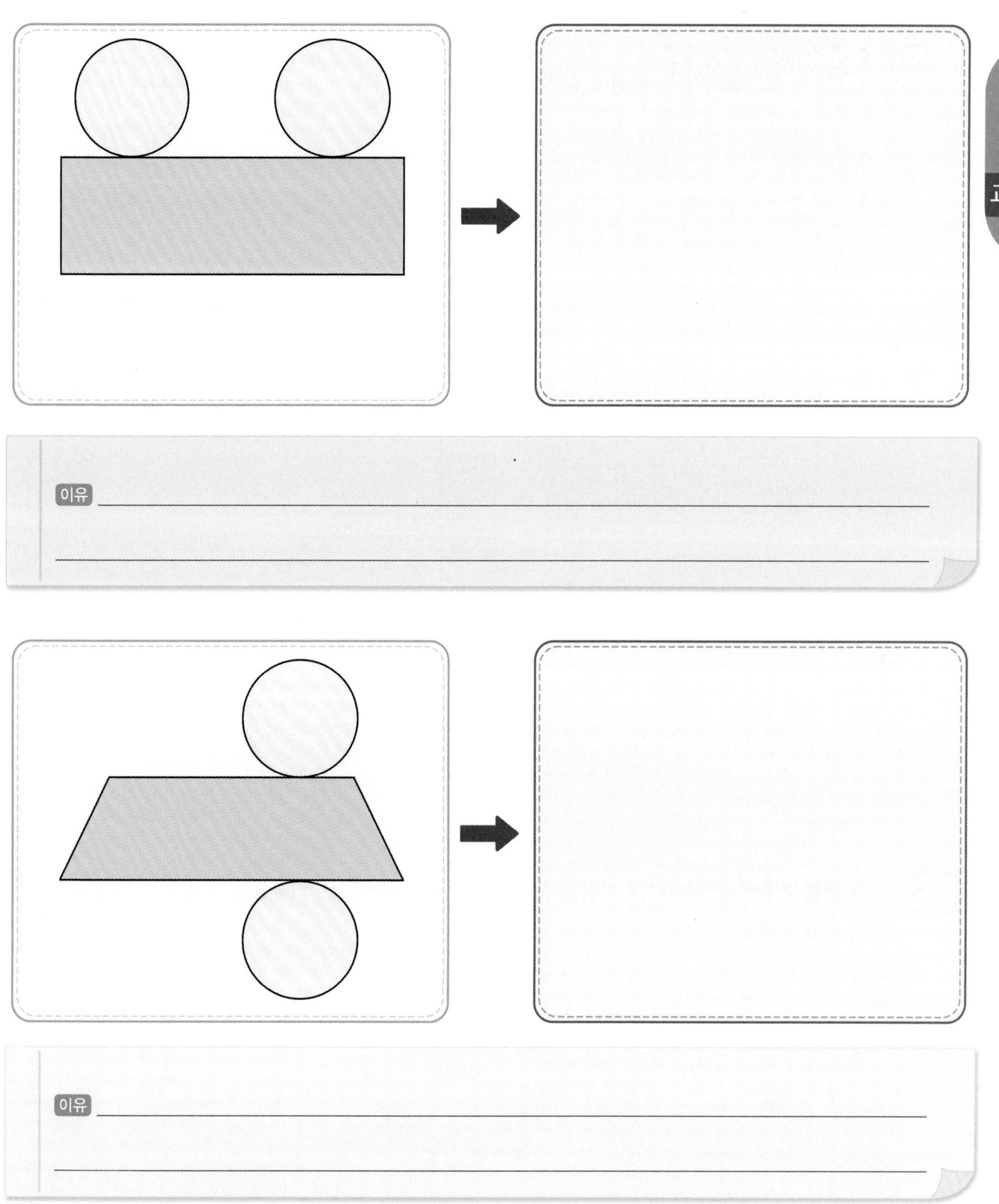

이유 ______________________________

____

이유 ______________________________

____

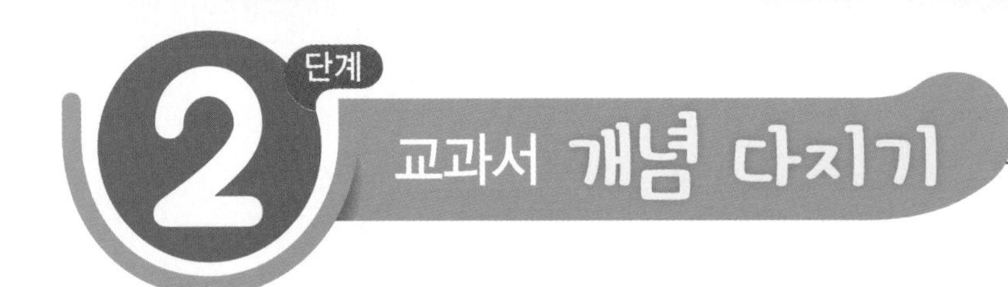

개념 1 원기둥 알아보기

01 □ 안에 알맞은 말을 써넣으세요.

> 원기둥에서 두 밑면에 수직인 선분의 길이를 □(이)라고 합니다.

02 한 변을 기준으로 직사각형 모양의 종이를 한 바퀴 돌려 만든 입체도형의 이름을 써 보세요.

(　　　　　　　　)

03 한 변을 기준으로 직사각형 모양의 종이를 한 바퀴 돌려 만든 입체도형의 높이는 몇 cm인지 구해 보세요.

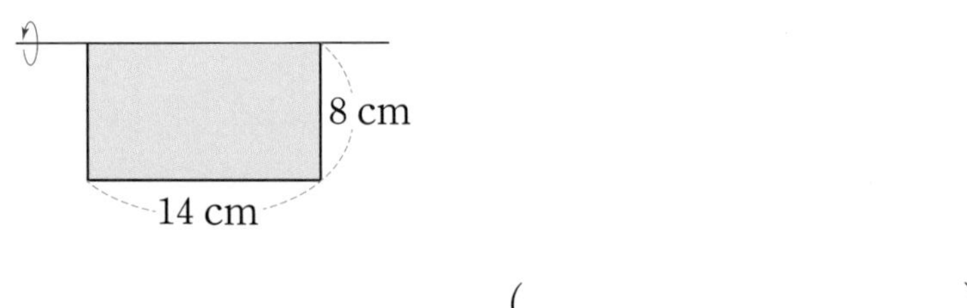

(　　　　　　　　)

개념 2 원기둥의 전개도 알아보기

04 원기둥의 전개도를 모두 찾아 기호를 써 보세요.

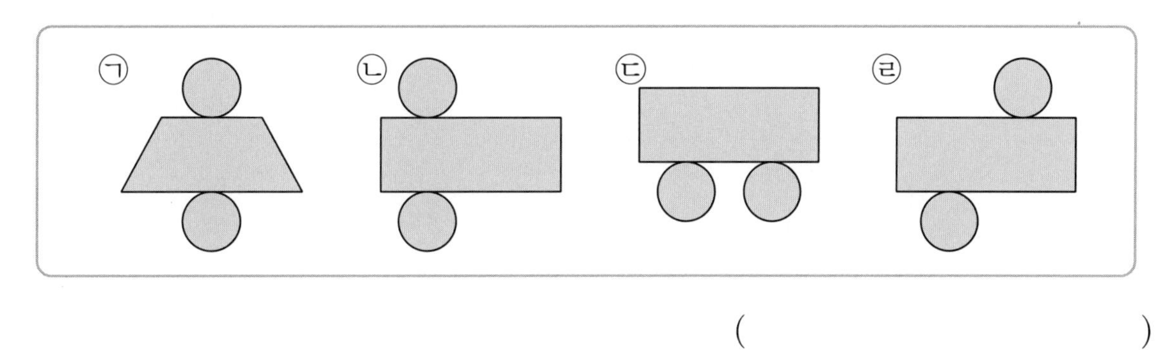

( )

05 다음 그림이 원기둥의 전개도가 아닌 이유를 써 보세요.

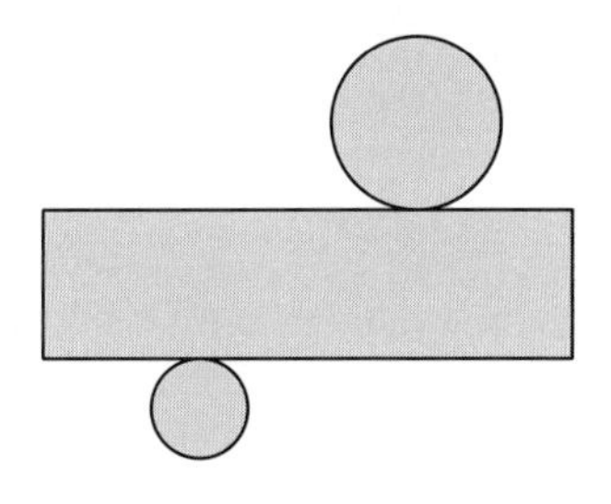

이유

06 원기둥과 원기둥의 전개도를 보고 □ 안에 알맞은 수를 써넣으세요. (원주율: 3.1)

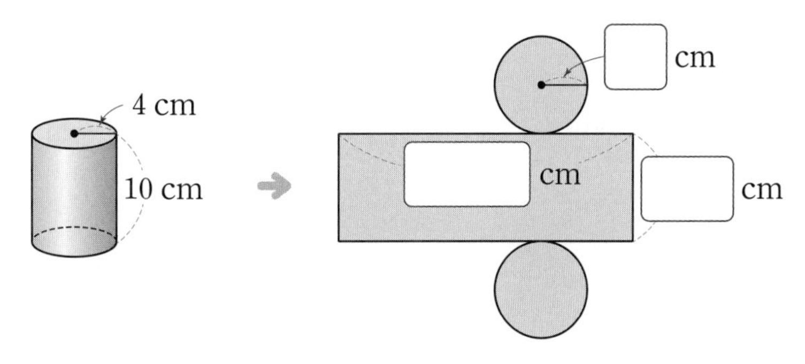

개념 3 원기둥의 전개도 그리기

07 원기둥의 전개도를 그려 보세요. (원주율: 3)

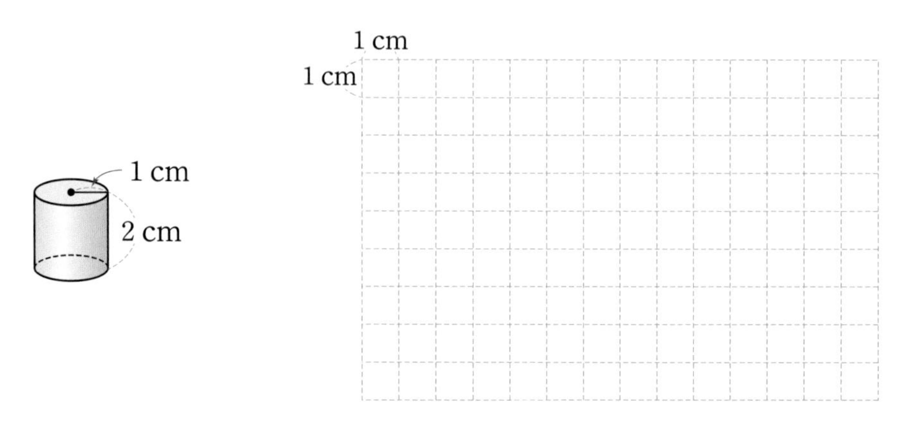

08 원기둥의 전개도를 그려 보세요. (원주율: 3)

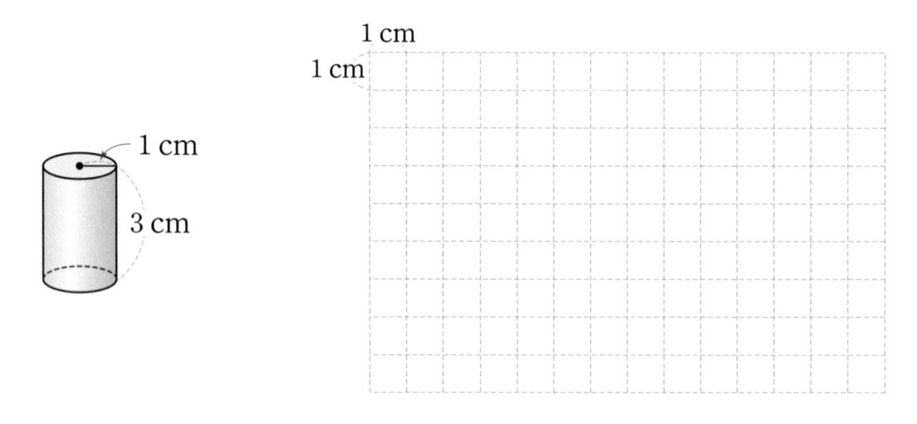

09 원기둥의 전개도를 그려 보세요. (원주율: 3)

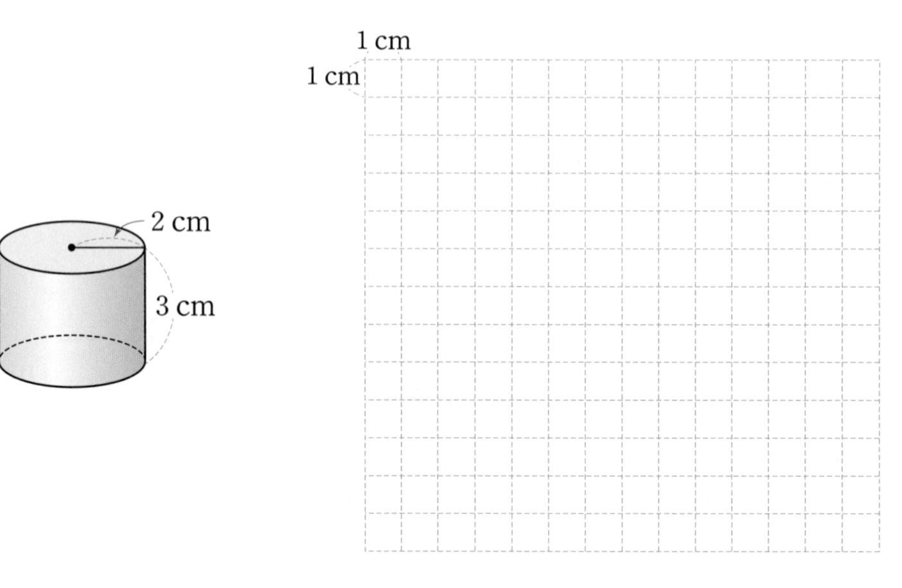

정답과 풀이 p.17

개념 4 원뿔 알아보기

10 한 변을 기준으로 직각삼각형 모양의 종이를 돌려 만든 입체도형의 이름을 써 보세요.

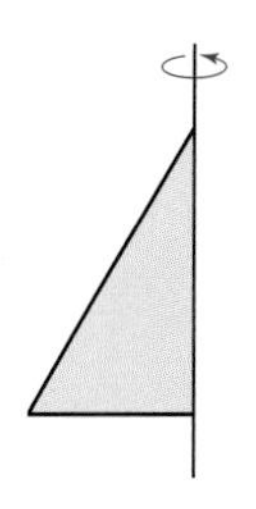

(　　　　　　　　)

11 원뿔의 모선의 길이, 높이, 밑면의 반지름은 각각 몇 cm인지 구해 보세요.

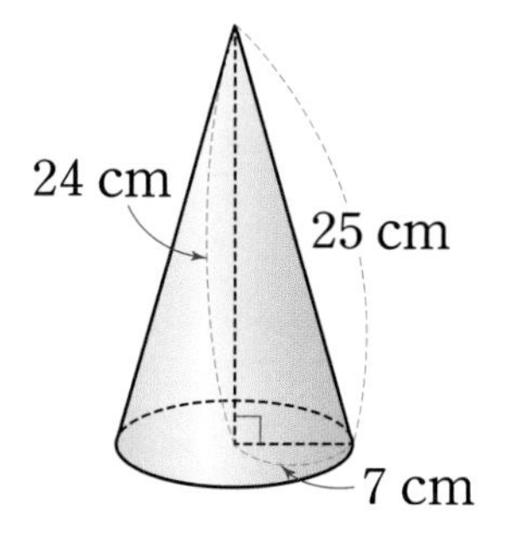

모선의 길이 (　　　　　　　　)

높이 (　　　　　　　　)

밑면의 반지름 (　　　　　　　　)

12 원뿔의 무엇을 재는 것인지 찾아 선으로 이어 보세요.

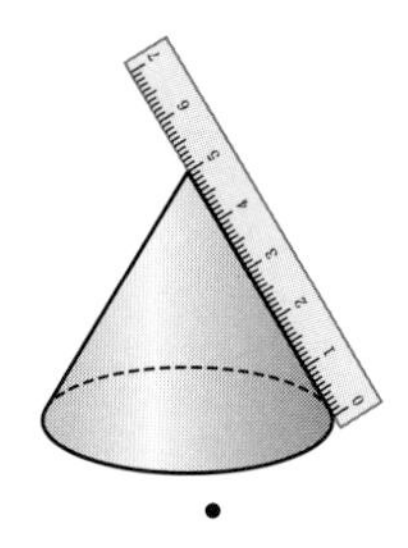

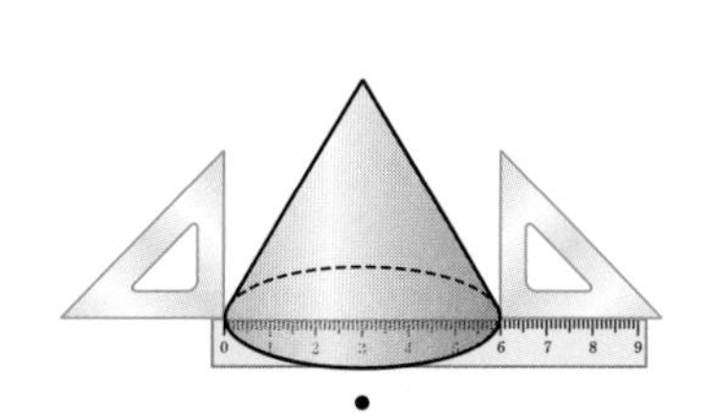

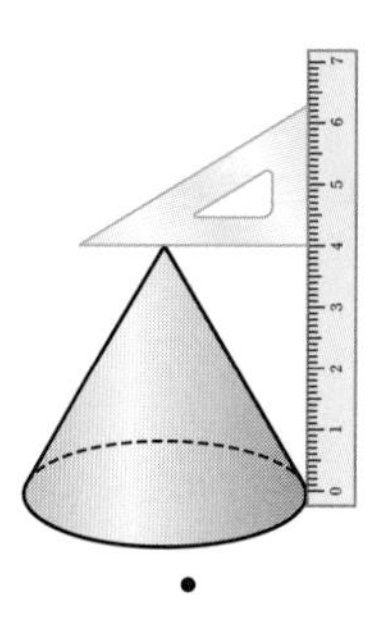

모선의 길이　　높이　　밑면의 지름

개념 5 구 알아보기

13 지름을 기준으로 반원 모양의 종이를 돌려 만든 입체도형의 이름을 써 보세요.

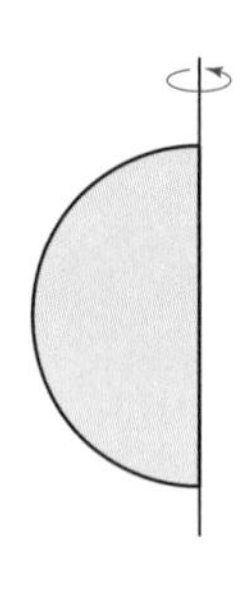

(　　　　　　　　　　)

14 지름을 기준으로 반원 모양의 종이를 한 바퀴 돌려 만든 입체도형의 반지름은 몇 cm인지 구해 보세요.

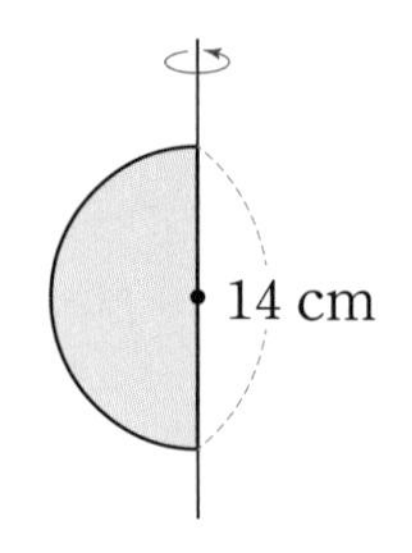

(　　　　　　　　　　)

15 다음 구를 위에서 본 모양의 둘레는 몇 cm인지 구해 보세요. (원주율: 3)

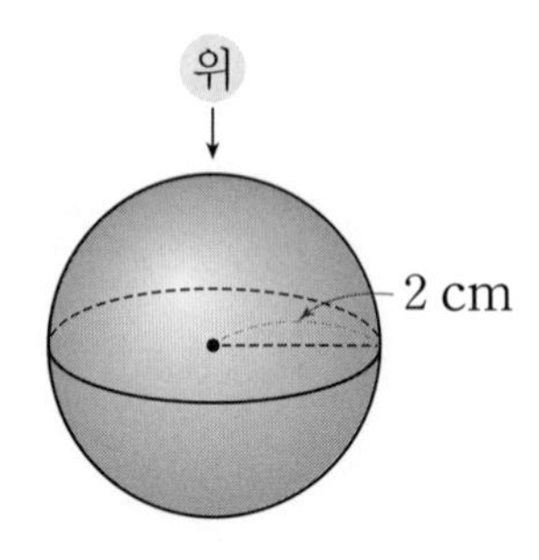

(　　　　　　　　　　)

개념 6 여러 가지 모양 만들기

16 다음 모양에서 찾을 수 있는 입체도형의 이름을 모두 써 보세요.

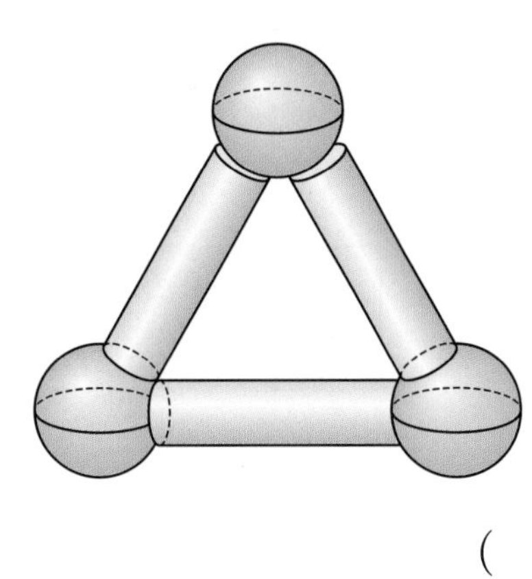

( )

17 다음 모양을 만드는 데 각 입체도형을 몇 개씩 사용했는지 구해 보세요.

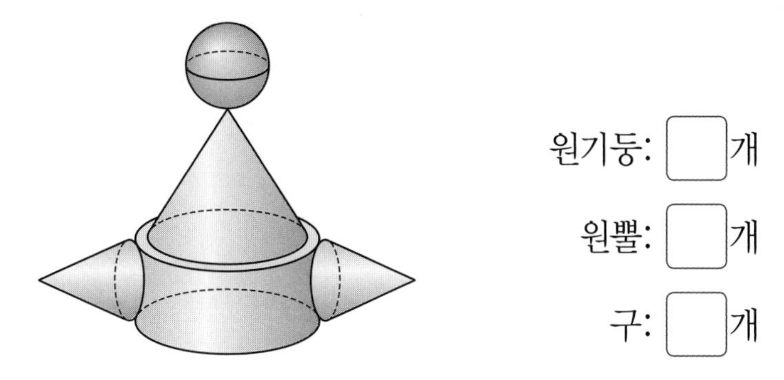

18 다음 모양을 만드는 데 가장 많이 사용한 입체도형은 무엇이고, 몇 개 사용했는지 차례로 구해 보세요.

( ), ( )

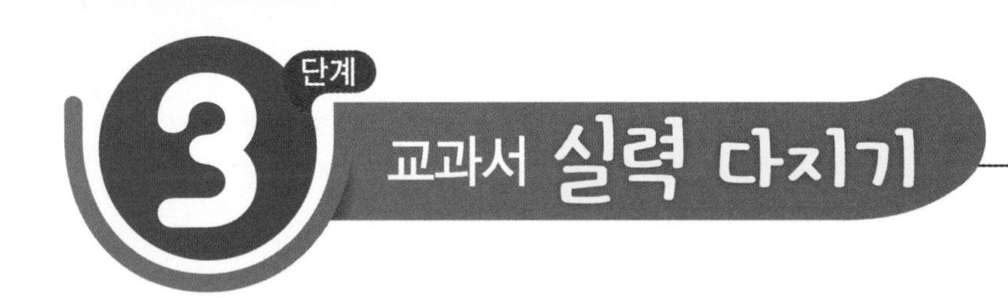

원기둥의 전개도를 보고 밑면의 반지름 구하기

1 원기둥의 전개도를 보고 원기둥의 밑면의 반지름은 몇 cm인지 구해 보세요. (원주율: 3)

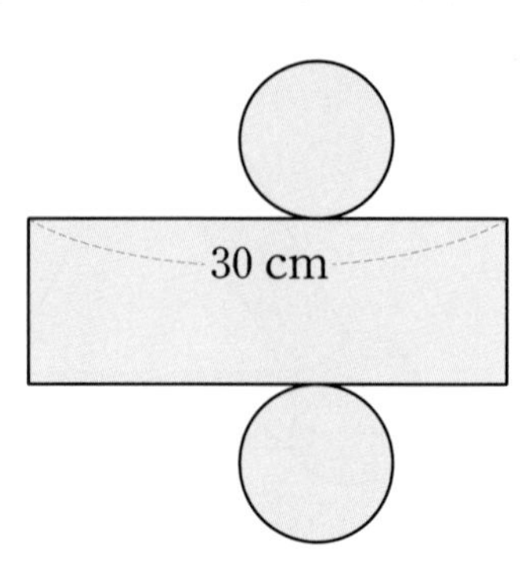

답 ______________

개념 피드백 (옆면의 가로)=(밑면의 둘레)=(밑면의 반지름)×2×(원주율)
➜ (밑면의 반지름)=(옆면의 가로)÷(원주율)÷2

1-1 원기둥의 전개도를 보고 원기둥의 밑면의 반지름은 몇 cm인지 구해 보세요. (원주율: 3.1)

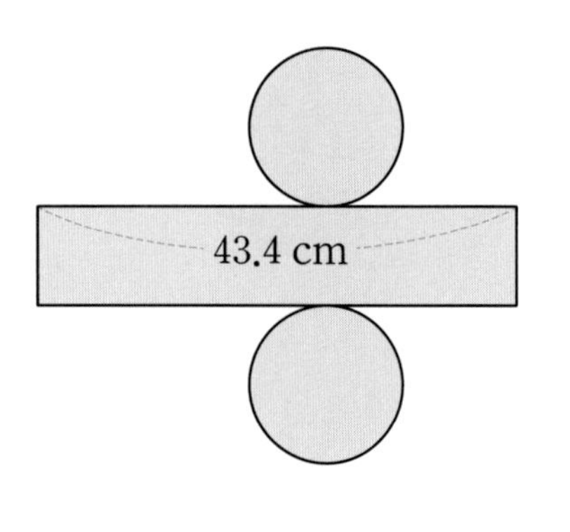

(　　　　　　　　)

1-2 원기둥의 전개도를 보고 원기둥의 밑면의 반지름은 몇 cm인지 구해 보세요. (원주율: 3.14)

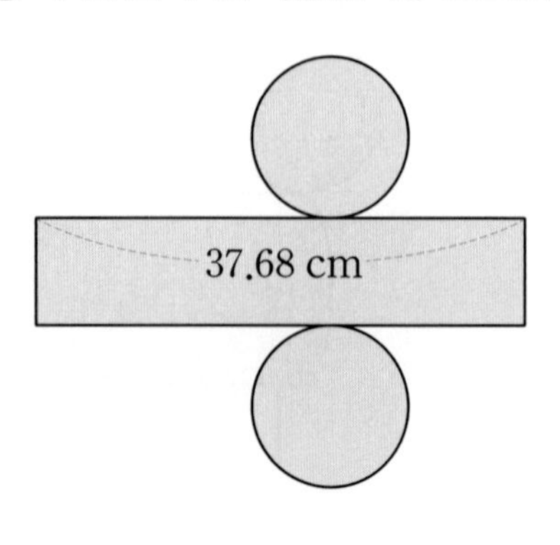

(　　　　　　　　)

★ 원기둥, 원뿔, 구 비교하기

2 원기둥과 원뿔의 공통점을 찾아 기호를 써 보세요.

㉠ 밑면이 2개입니다.
㉡ 밑면이 원 모양입니다.
㉢ 위, 앞, 옆에서 본 모양이 모두 같습니다.

답 ______________

① 원기둥의 밑면: 원 모양, 2개　　원뿔의 밑면: 원 모양, 1개
② 원기둥을 앞, 옆에서 본 모양: 직사각형　　원뿔을 앞, 옆에서 본 모양: 이등변삼각형

2-1 원기둥과 구의 공통점이 아닌 것을 찾아 기호를 써 보세요.

㉠ 굴리면 잘 굴러갑니다.
㉡ 높이가 있습니다.
㉢ 꼭짓점이 없습니다.

(　　　　　　　　)

2-2 원기둥, 원뿔, 구의 공통점을 찾아 기호를 써 보세요.

㉠ 밑면이 있습니다.
㉡ 모선이 있습니다.
㉢ 위에서 본 모양이 원입니다.

(　　　　　　　　)

3주 교과서

★ 원뿔을 여러 방향에서 본 모양의 넓이

3 원뿔을 앞에서 본 모양의 넓이를 구해 보세요.

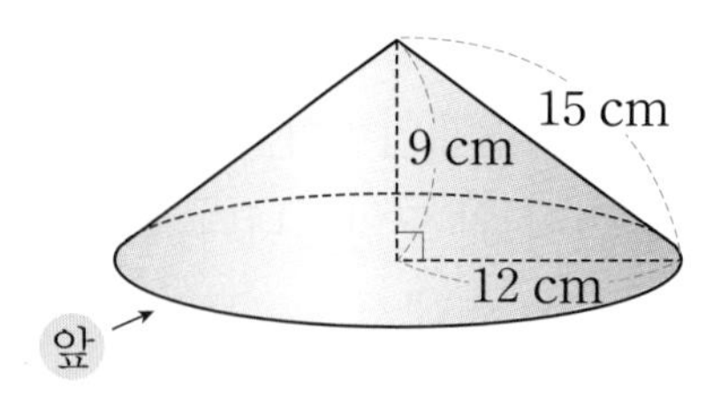

답 ________________

개념 피드백
① 원뿔을 앞에서 본 모양은 이등변삼각형입니다.
② (삼각형의 넓이)=(밑변의 길이)×(높이)÷2

3-1 원뿔을 위에서 본 모양의 넓이를 구해 보세요. (원주율: 3.1)

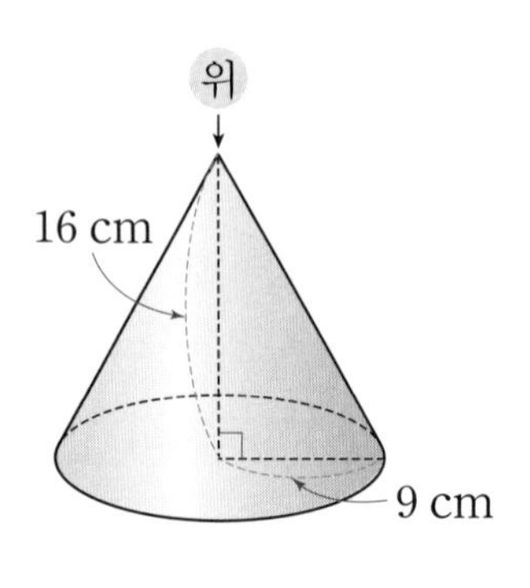

(　　　　　　　　　　)

3-2 다음과 같이 한 변을 기준으로 직각삼각형을 한 바퀴 돌려 만든 입체도형을 앞에서 본 모양은 삼각형입니다. 이 삼각형의 넓이를 구해 보세요. (원주율: 3.1)

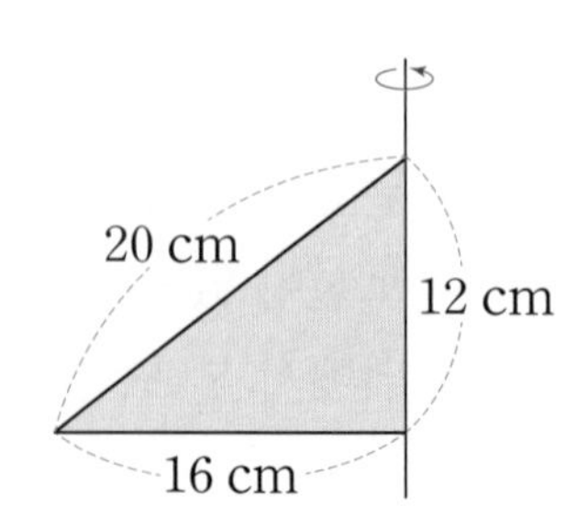

(　　　　　　　　　　)

원기둥을 펼쳤을 때 옆면의 가로와 세로 구하기

4 원기둥을 펼쳤을 때 원기둥의 전개도에서 옆면의 가로와 세로를 각각 구해 보세요. (원주율: 3.14)

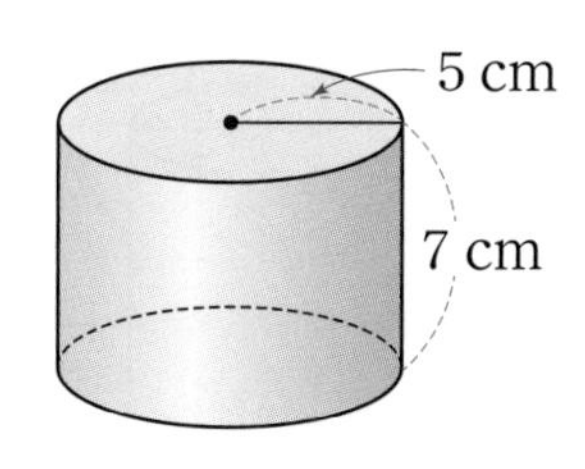

답 가로: , 세로:

개념 피드백
① (옆면의 가로)=(밑면의 둘레)=(밑면의 지름)×(원주율)
② (옆면의 세로)=(원기둥의 높이)

4-1 원기둥을 펼쳤을 때 옆면의 가로와 세로의 합은 몇 cm인지 구해 보세요. (원주율: 3)

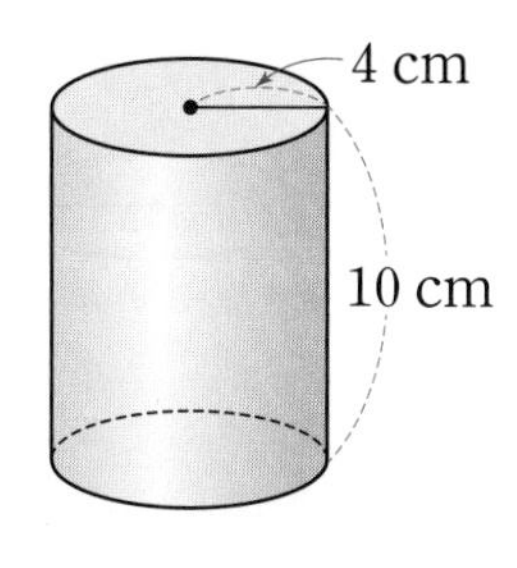

( )

4-2 원기둥을 펼쳤을 때 옆면의 가로와 세로의 차는 몇 cm인지 구해 보세요. (원주율: 3.1)

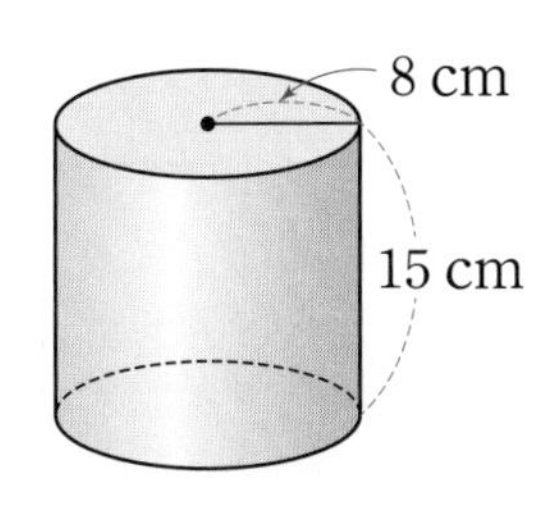

( )

3 단계 교과서 실력 다지기

★ 옆면의 넓이를 이용하여 원기둥의 높이 구하기

5 다음 원기둥을 펼쳤을 때 옆면의 넓이가 272.8 cm^2입니다. 원기둥의 높이는 몇 cm인지 구해 보세요. (원주율: 3.1)

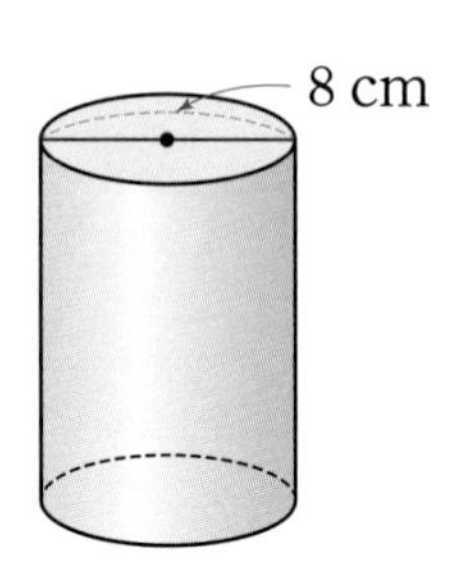

답 ______________

개념 피드백
① (옆면의 가로)=(밑면의 둘레)=(밑면의 지름)×(원주율)
② (원기둥의 높이)=(옆면의 세로)=(옆면의 넓이)÷(옆면의 가로)

5-1 다음 원기둥을 펼쳤을 때 옆면의 넓이가 540 cm^2입니다. 원기둥의 높이는 몇 cm인지 구해 보세요. (원주율: 3)

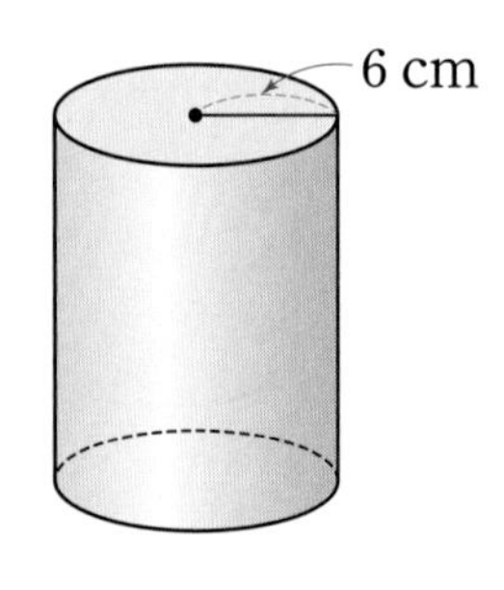

(　　　　　　　　)

5-2 다음 원기둥을 펼쳤을 때 옆면의 넓이가 967.12 cm^2입니다. 원기둥의 높이는 몇 cm인지 구해 보세요. (원주율: 3.14)

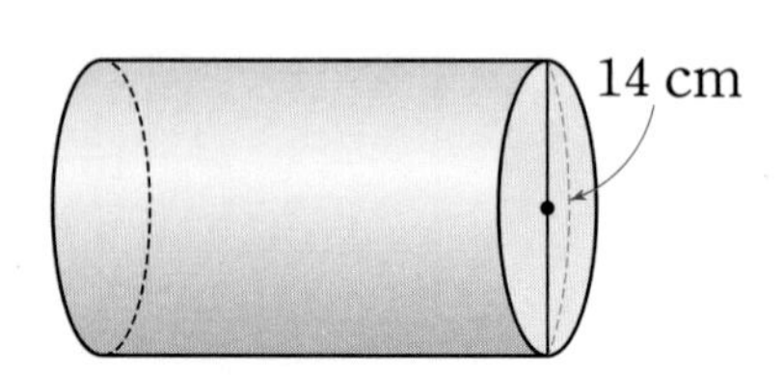

(　　　　　　　　)

3주 교과서

★ 평면도형을 돌려서 만든 입체도형을 보고 둘레 구하기

6 한 변을 기준으로 직사각형 모양의 종이를 돌려 만든 입체도형을 펼쳤을 때 옆면의 둘레는 몇 cm인지 구해 보세요. (원주율: 3.1)

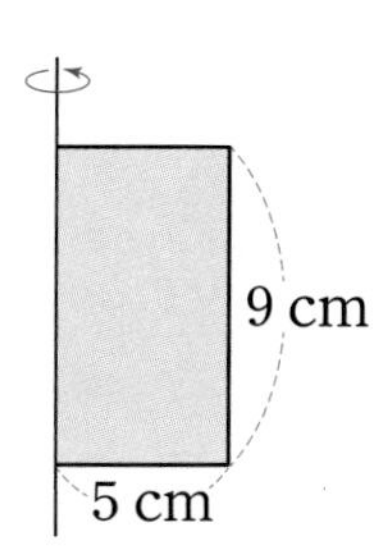

답 ________________

① 한 변을 기준으로 직사각형 모양의 종이를 돌리면 원기둥이 됩니다.
② (옆면의 가로)=(밑면의 둘레), (옆면의 세로)=(원기둥의 높이)
③ (옆면의 둘레)={(옆면의 가로)+(옆면의 세로)}×2

6-1 한 변을 기준으로 직사각형 모양의 종이를 돌려 만든 입체도형의 밑면의 둘레는 몇 cm인지 구해 보세요. (원주율: 3)

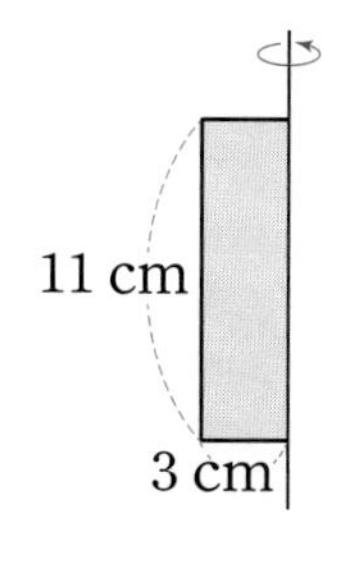

(   )

6-2 한 변을 기준으로 직각삼각형 모양의 종이를 돌려 만든 입체도형의 밑면의 둘레는 몇 cm인지 구해 보세요. (원주율: 3)

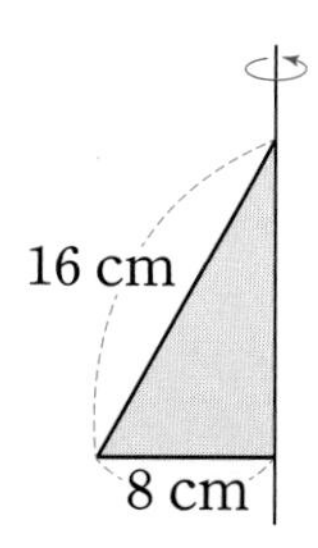

(   )

교과서 서술형 연습

1 원기둥과 원뿔이 있습니다. 두 입체도형의 높이의 차는 몇 cm인지 구해 보세요.

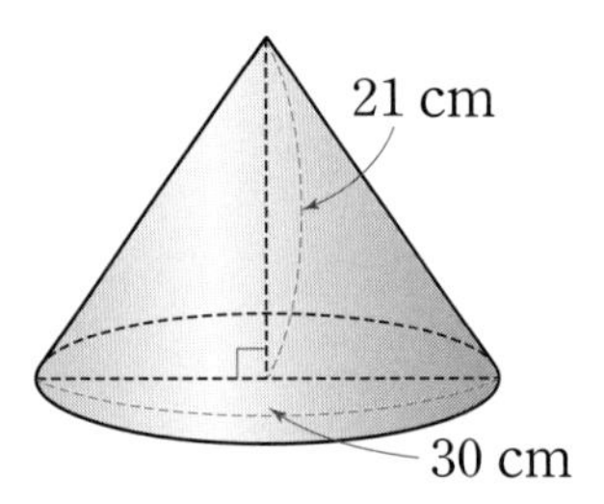

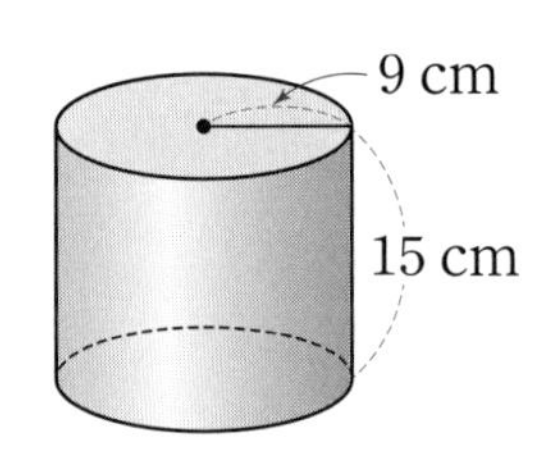

해결하기 원뿔의 높이는 ☐ cm이고, 원기둥의 높이는 ☐ cm입니다.

따라서 두 입체도형의 높이의 차는 ☐ - ☐ = ☐ (cm)입니다.

답 구하기 ☐

서술형 실전

2 원기둥과 원뿔이 있습니다. 두 입체도형의 높이의 합은 몇 cm인지 구해 보세요.

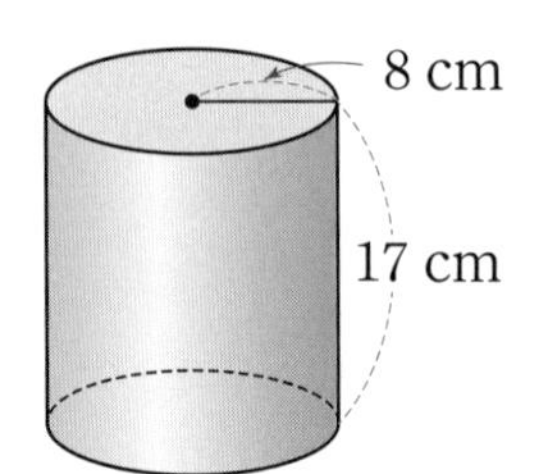

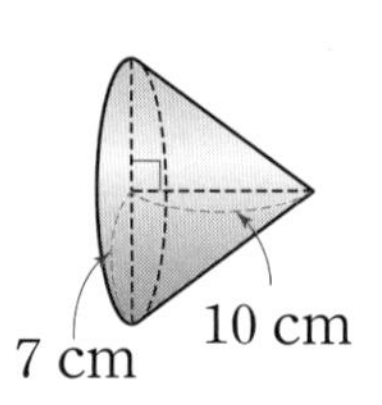

해결하기

답 구하기

정답과 풀이 p.19

3 다음은 한 변을 기준으로 직사각형 모양의 종이를 한 바퀴 돌려서 만든 원기둥입니다. 돌리기 전의 도형의 넓이는 몇 cm^2인지 구해 보세요.

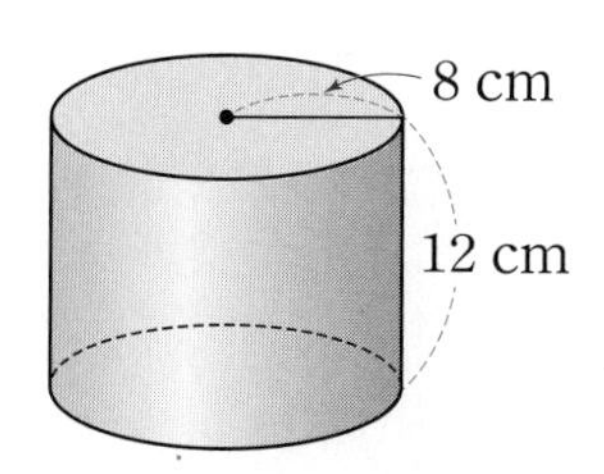

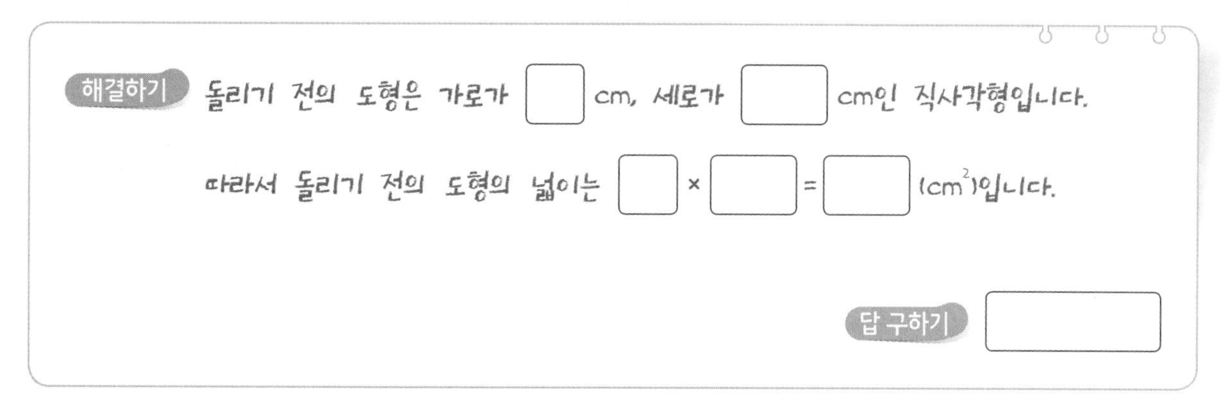

해결하기
돌리기 전의 도형은 가로가 □ cm, 세로가 □ cm인 직사각형입니다.
따라서 돌리기 전의 도형의 넓이는 □ × □ = □ (cm²)입니다.
답 구하기

4 다음은 한 변을 기준으로 직각삼각형 모양의 종이를 한 바퀴 돌려서 만든 원뿔입니다. 돌리기 전의 도형의 넓이는 몇 cm^2인지 구해 보세요.

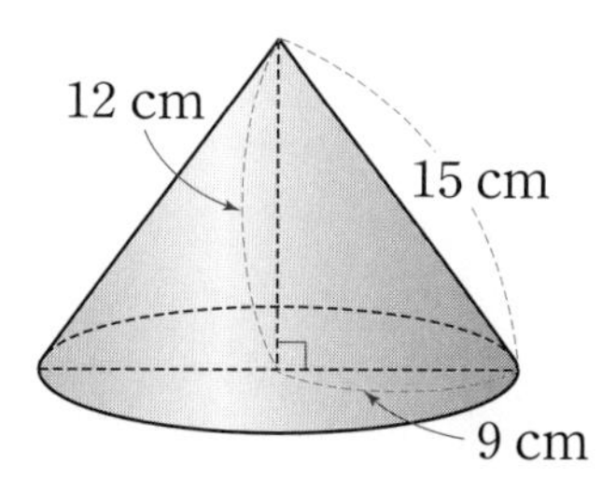

해결하기

답 구하기

PLAY 사고력 개념 스토리

과자 포장하기

준비물 붙임딱지

원기둥 모양의 과자 포장지가 펼쳐져 있습니다.
밑면의 지름과 반지름을 보고 알맞은 옆면의 가로가 써 있는 포장지 붙임딱지를 찾아 붙여 보세요.

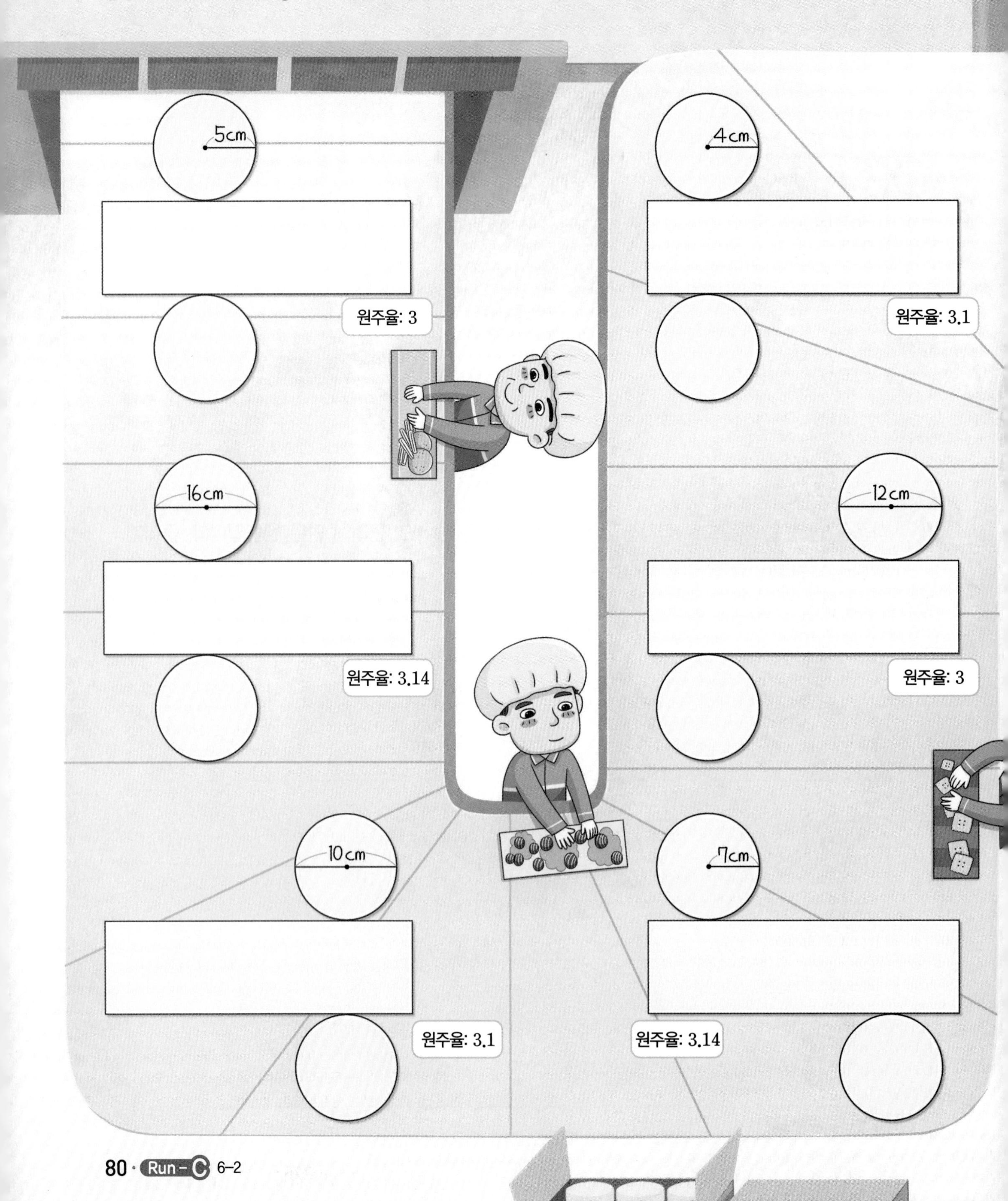

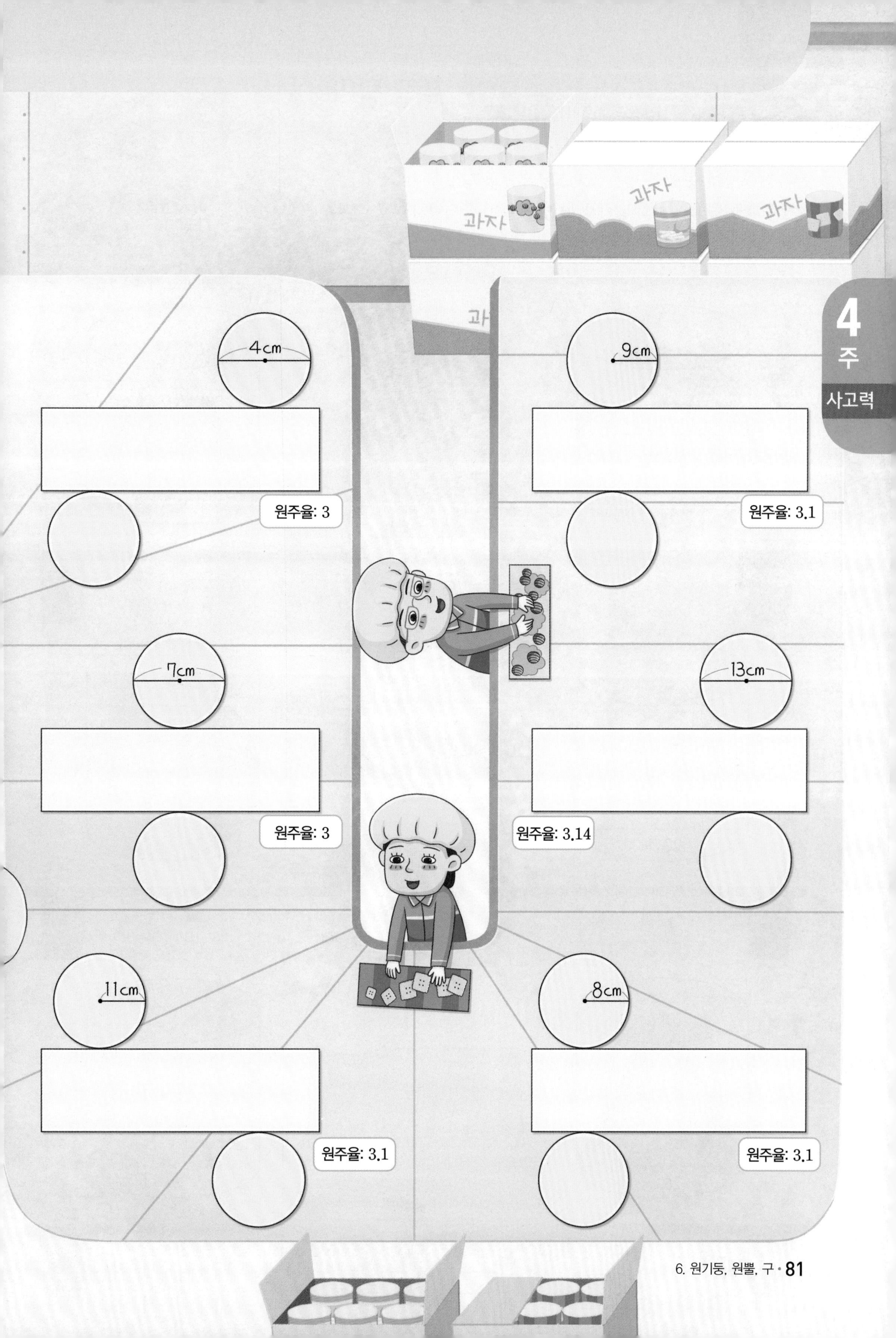
과자
과자
과자
과
4 주
사고력
4cm
원주율: 3
9cm
원주율: 3.1
7cm
원주율: 3
13cm
원주율: 3.14
11cm
원주율: 3.1
8cm
원주율: 3.1

PLAY 사고력 개념 스토리

뚜껑 닫기

준비물 붙임딱지

원기둥 모양의 통에 꼭 맞는 입체도형 물건을 담았습니다.
알맞은 원기둥의 밑면의 넓이가 써 있는 뚜껑 붙임딱지를 붙여 뚜껑을 닫아 보세요. (원주율: 3.1)

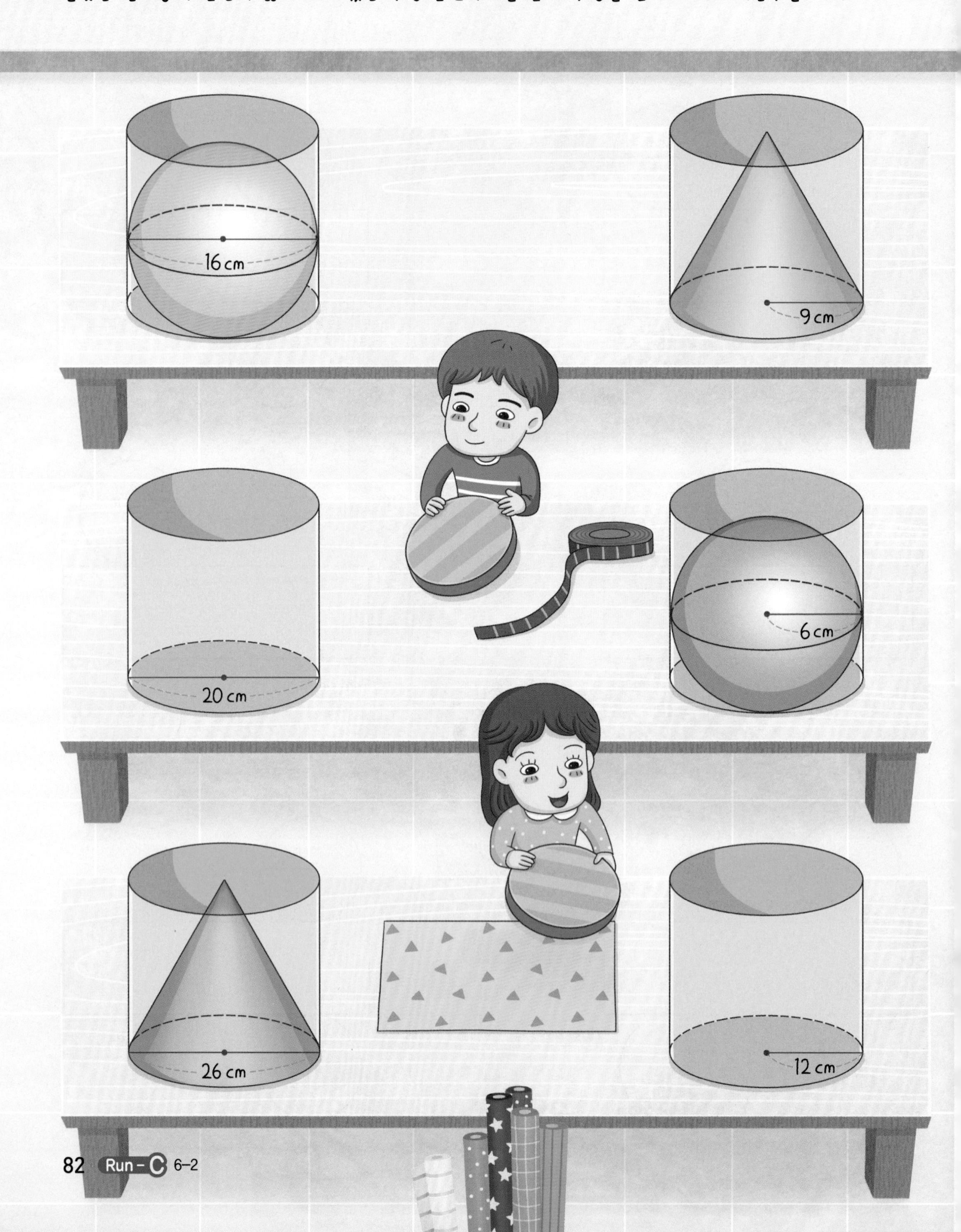

4 주
사고력

1단계 교과 사고력 잡기

1 **원기둥을 잘라서 펼쳤을 때 옆면의 넓이가 더 넓은 원기둥을 찾아 보세요. (원주율: 3)**

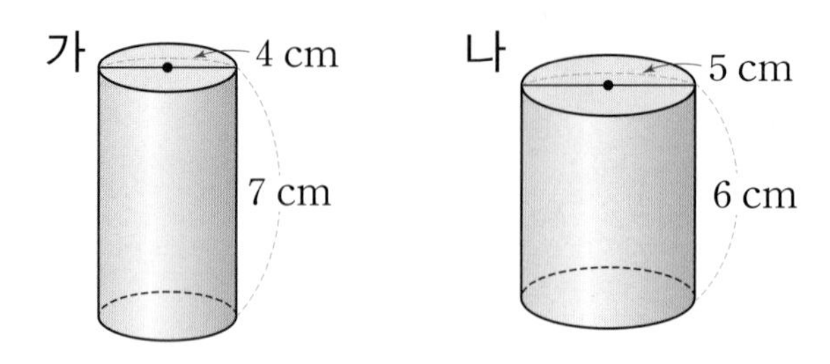

❶ □ 안에 알맞은 말을 써넣으세요.

원기둥의 전개도에서 옆면은 [　　　　] 모양입니다.

❷ 가를 잘라서 펼쳤을 때 옆면의 넓이를 구해 보세요.

(　　　　　　　　)

❸ 나를 잘라서 펼쳤을 때 옆면의 넓이를 구해 보세요.

(　　　　　　　　)

❹ 원기둥을 잘라서 펼쳤을 때 옆면의 넓이가 더 넓은 원기둥의 기호를 써 보세요.

(　　　　　　　　)

2 **구의 반지름이 6 cm인 구 3개를 이어 붙여 모양을 만들었습니다. 구 3개의 중심을 이어 그린 도형의 둘레는 몇 cm인지 구해 보세요.**

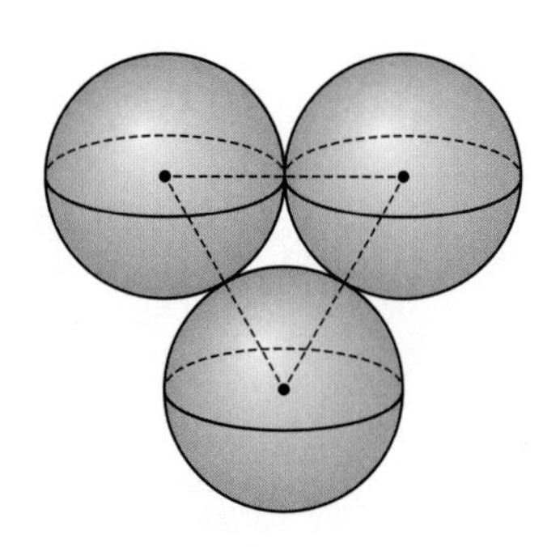

① □ 안에 알맞은 말을 써넣으세요.

구의 중심에서 구의 겉면의 한 점을 이은 선분을 [　　　　](이)라고 합니다.

② 구 3개의 중심을 이어 그린 도형의 이름을 써 보세요.

(　　　　　　　　)

③ 도형의 한 변의 길이를 구해 보세요.

(　　　　　　　　)

④ 도형의 둘레를 구해 보세요.

(　　　　　　　　)

3

다음과 같은 원기둥 모양의 롤러에 페인트를 묻혀서 똑바로 3바퀴를 굴렸습니다. 페인트가 칠해진 부분의 넓이를 구해 보세요. (원주율: 3)

1. 롤러의 옆면의 가로와 세로를 각각 구해 보세요.

가로 (　　　　　　　　)
세로 (　　　　　　　　)

2. 롤러의 옆면의 넓이를 구해 보세요.

(　　　　　　　　)

3. 롤러를 1바퀴 굴렸을 때 넓이를 구해 보세요.

(　　　　　　　　)

4. 롤러를 3바퀴 굴렸을 때 넓이를 구해 보세요.

(　　　　　　　　)

정답과 풀이 p.21

4

다음 그림과 같이 한 변을 기준으로 직사각형 모양의 종이를 돌렸을 때 만들어지는 입체도형 ㉠과 ㉡ 중 어느 도형의 밑면의 둘레가 몇 cm 더 긴지 구해 보세요. (원주율: 3)

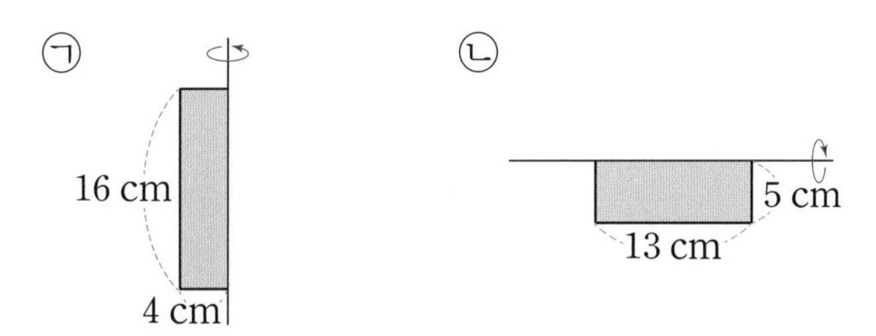

1 ㉠의 밑면의 지름은 몇 cm인지 구해 보세요.

( )

2 ㉠의 밑면의 둘레는 몇 cm인지 구해 보세요.

( )

3 ㉡의 밑면의 지름은 몇 cm인지 구해 보세요.

( )

4 ㉡의 밑면의 둘레는 몇 cm인지 구해 보세요.

( )

5 어느 도형의 밑면의 둘레가 몇 cm 더 긴지 차례로 구해 보세요.

( ), ( )

2단계 교과 사고력 확장

1 원기둥에 그림과 같이 점 ㄱ에서 점 ㄴ까지 일정한 각도를 유지하면서 선을 그었습니다. 원기둥의 전개도에 선이 지나간 자리를 그려 보세요. (단, 선분 ㄱㄴ은 원기둥의 높이입니다.)

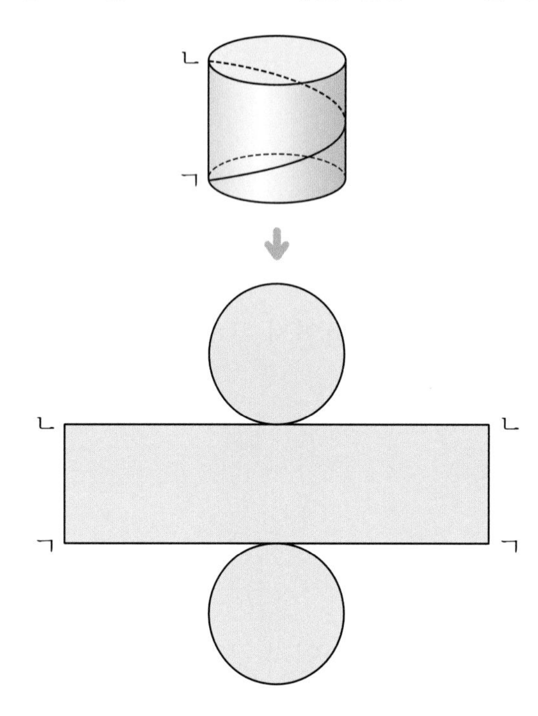

2 원기둥에 그림과 같이 점 ㄱ에서 점 ㄴ을 지나 점 ㄷ까지 일정한 각도를 유지하면서 선을 그었습니다. 원기둥의 전개도에 선이 지나간 자리를 그려 보세요. (단, 선분 ㄱㄷ은 원기둥의 높이입니다.)

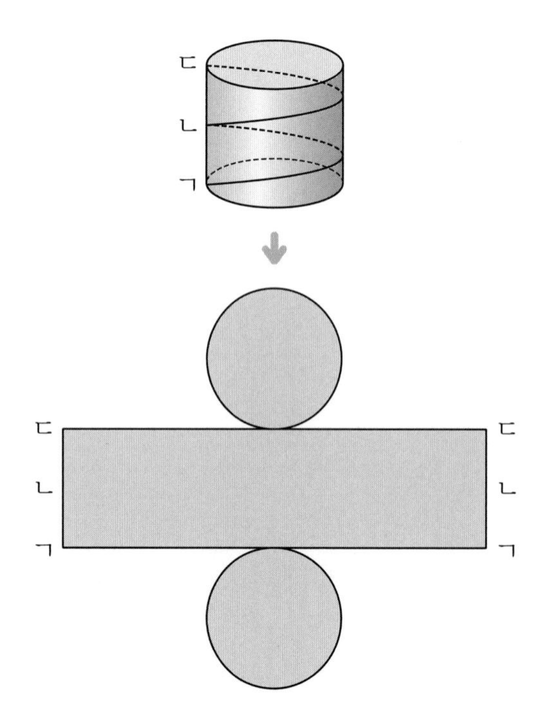

정답과 풀이 p.22

3 **원뿔과 원뿔을 앞에서 본 모양을 보고 ㉠과 ㉡에 알맞은 각도를 각각 구해 보세요.**

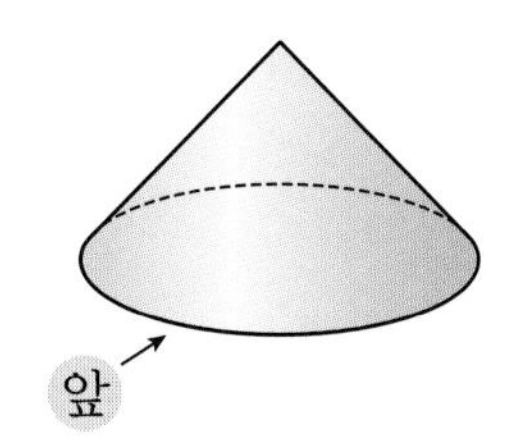

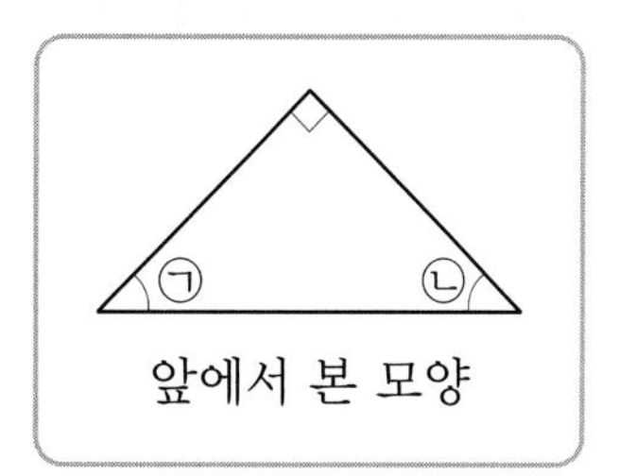

1. 원뿔을 앞에서 본 모양은 어떤 도형인지 이름을 써 보세요.

( )

2. ㉠+㉡의 값을 구해 보세요.

( )

3. ㉠과 ㉡에 알맞은 각도를 각각 구해 보세요.

㉠ ( )
㉡ ( )

4 **원뿔과 원뿔을 앞에서 본 모양을 보고 ㉠과 ㉡에 알맞은 각도를 각각 구해 보세요.**

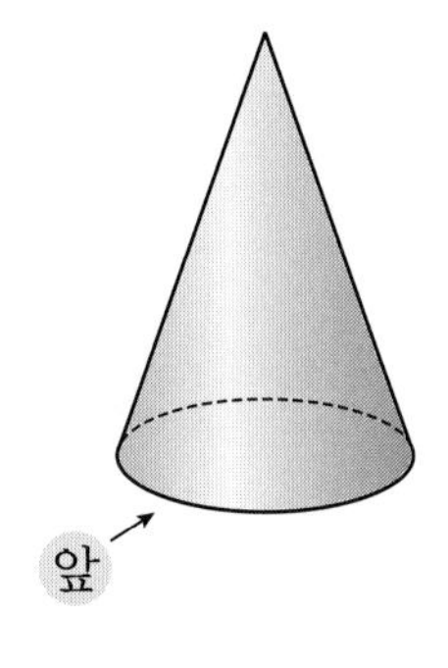

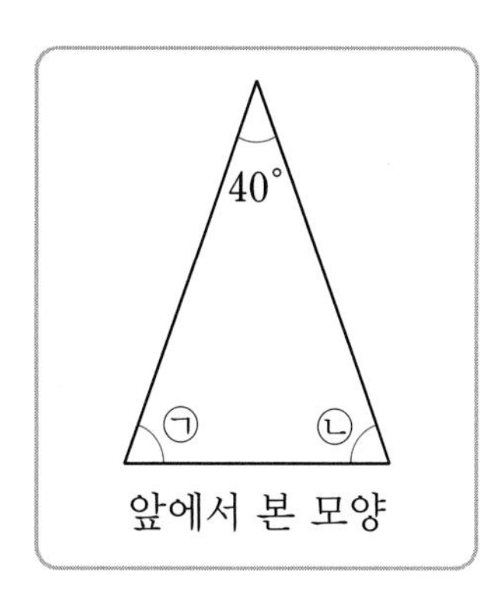

㉠ ( )
㉡ ( )

5 **두 입체도형을 앞에서 본 모양의 둘레는 같습니다. □ 안에 알맞은 수를 구해 보세요.**

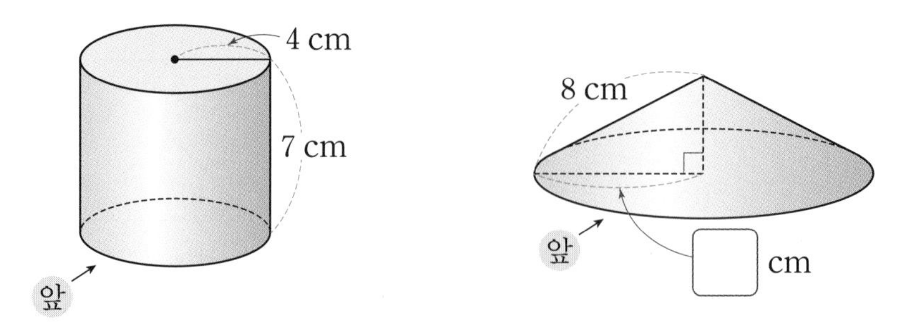

1 원기둥을 앞에서 본 모양의 둘레를 구해 보세요.

( )

2 □ 안에 알맞은 수를 구해 보세요.

( )

6 **두 입체도형을 앞에서 본 모양의 넓이는 같습니다. □ 안에 알맞은 수를 구해 보세요.**

(원주율: 3)

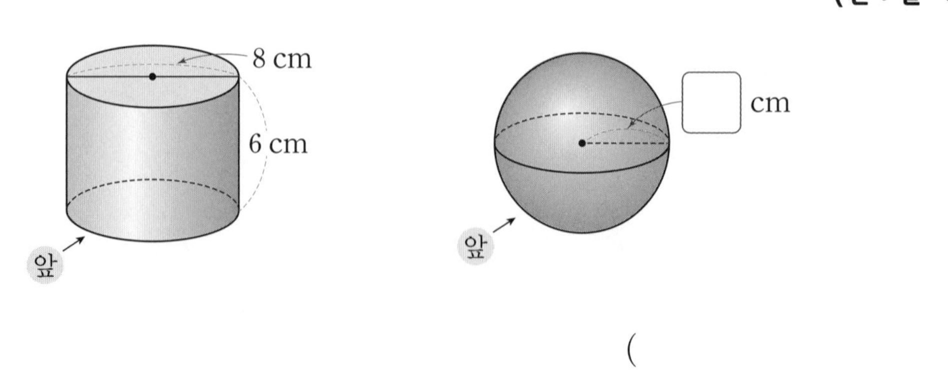

( )

정답과 풀이 p.22

7

정육면체 모양 상자 안에 꼭 맞는 원기둥이 있습니다. 이 원기둥을 펼쳤을 때 옆면의 넓이를 구해 보세요. (원주율: 3.1)

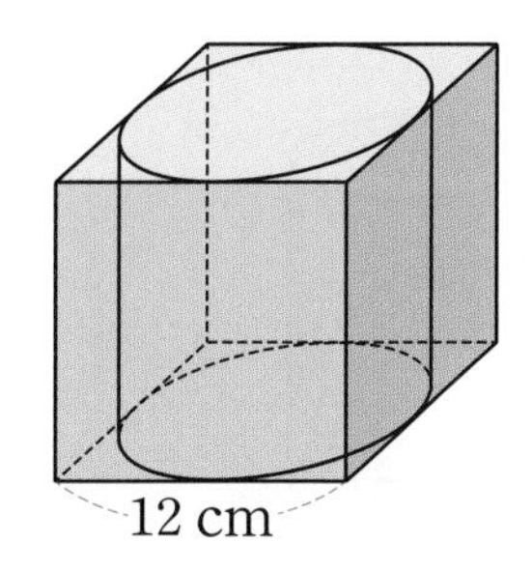

4주 사고력

❶ 원기둥의 밑면의 지름은 몇 cm인지 구해 보세요.

( )

❷ 원기둥의 높이는 몇 cm인지 구해 보세요.

( )

❸ 원기둥을 펼쳤을 때 옆면의 가로와 세로를 각각 구해 보세요.

가로 ( )

세로 ( )

❹ 원기둥을 펼쳤을 때 옆면의 넓이를 구해 보세요.

( )

3단계 교과 사고력 완성

평가 영역 □개념 이해력 ☑개념 응용력 □창의력 □문제 해결력

1 원기둥을 다음과 같이 잘랐습니다. 자른 도형을 앞에서 본 모양이 삼각형일 때 앞에서 본 모양의 넓이를 구해 보세요.

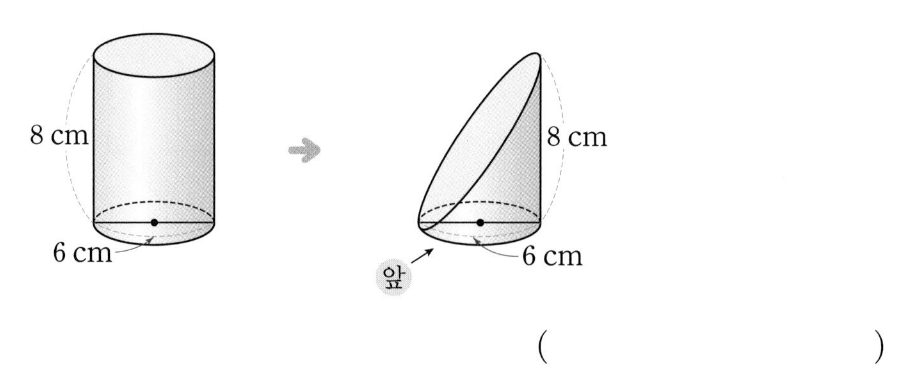

(　　　　　　　　)

평가 영역 □개념 이해력 □개념 응용력 □창의력 ☑문제 해결력

2 은혜는 한 변의 길이가 27.9 cm인 정사각형 모양의 도화지에 다음과 같이 저금통을 만들기 위해 원기둥의 전개도를 그렸습니다. 전개도를 따라 오려 붙였을 때 저금통의 높이는 몇 cm인지 구해 보세요. (원주율: 3.1)

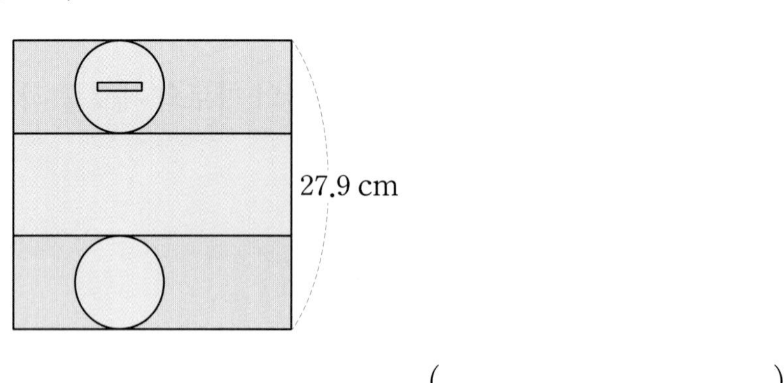

(　　　　　　　　)

평가 영역 □개념 이해력 ☑개념 응용력 □창의력 □문제 해결력

3 그림과 같이 원뿔의 꼭짓점인 점 ㅇ을 중심으로 원뿔을 3바퀴 굴렸더니 처음의 자리로 돌아왔습니다. 원뿔의 밑면의 반지름은 몇 cm인지 구해 보세요. (원주율: 3.1)

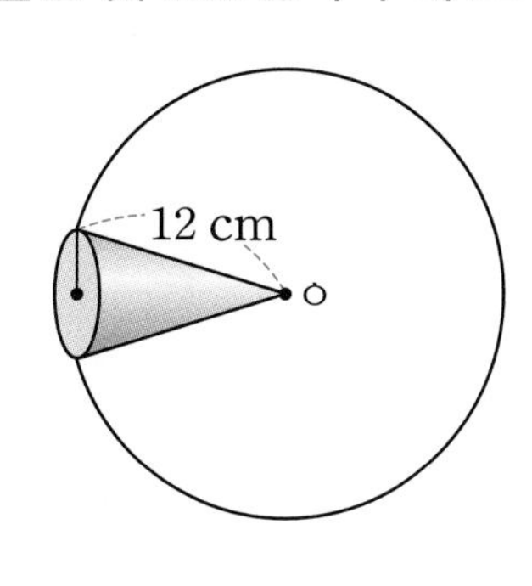

( )

평가 영역 □개념 이해력 □개념 응용력 □창의력 ☑문제 해결력

4 원뿔을 보고 나눈 대화입니다. 원뿔의 높이는 몇 cm인지 구해 보세요. (원주율: 3)

원뿔의 밑면의 둘레를 재었더니 24 cm이었어.
은주

한 변을 기준으로 돌리기 전의 평면도형의 넓이는 18 cm²이었어.
예지

( )

맞은 개수

1 원기둥, 원뿔, 구를 각각 찾아 기호를 써넣으세요.

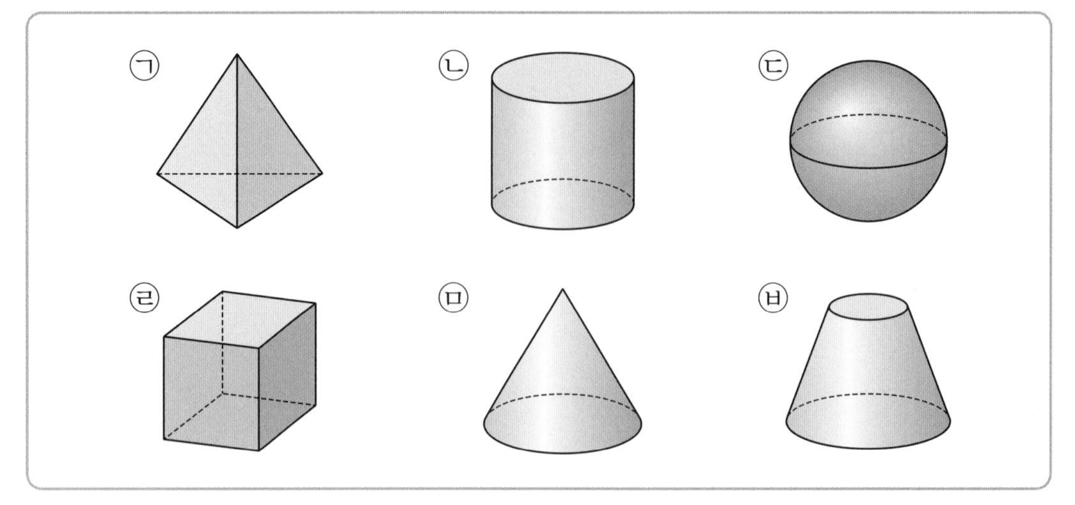

원기둥 (   )
원뿔 (   )
구 (   )

2 원기둥의 각 부분의 이름을 □ 안에 써넣으세요.

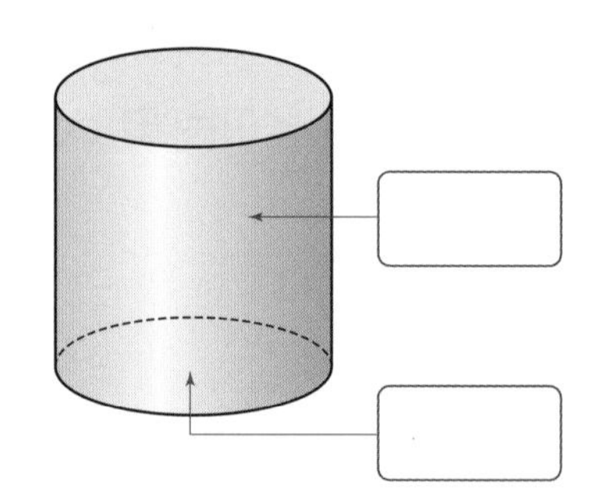

3 구의 반지름은 몇 cm인지 구해 보세요.

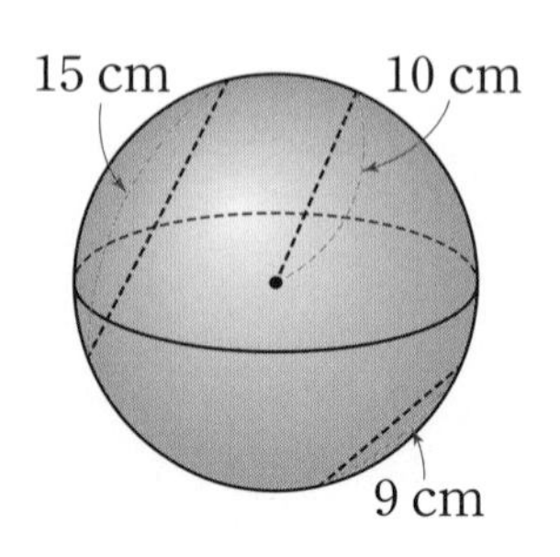

(   )

정답과 풀이 p.23

4 주 평가

4

다음은 원뿔의 무엇을 재는 것인지 써 보세요.

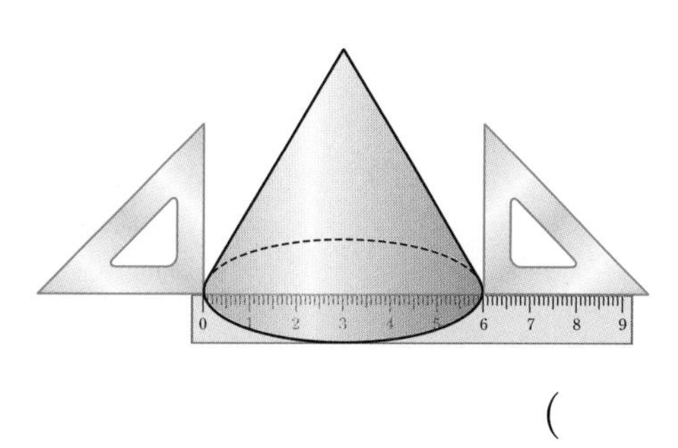

(   )

5

입체도형을 위, 앞, 옆에서 본 모양을 그려 보세요.

입체도형	위에서 본 모양	앞에서 본 모양	옆에서 본 모양

6

원기둥의 전개도를 찾아 기호를 써 보세요.

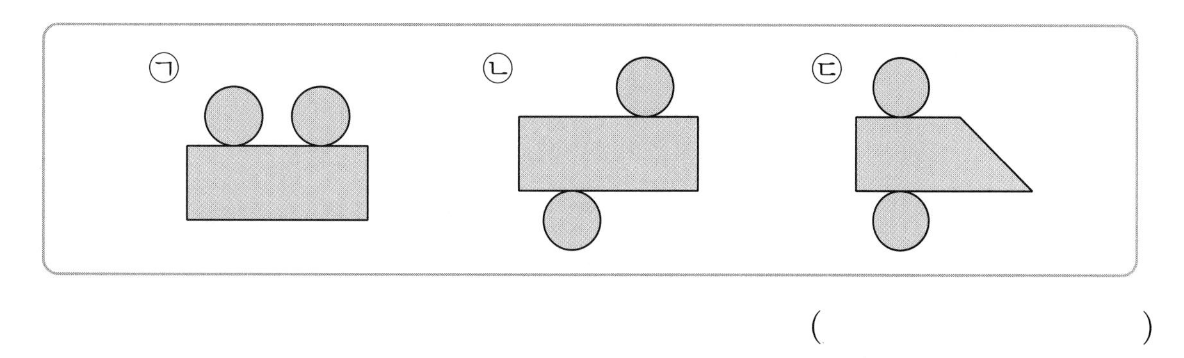

(   )

7 원기둥과 원뿔의 높이의 차를 구해 보세요.

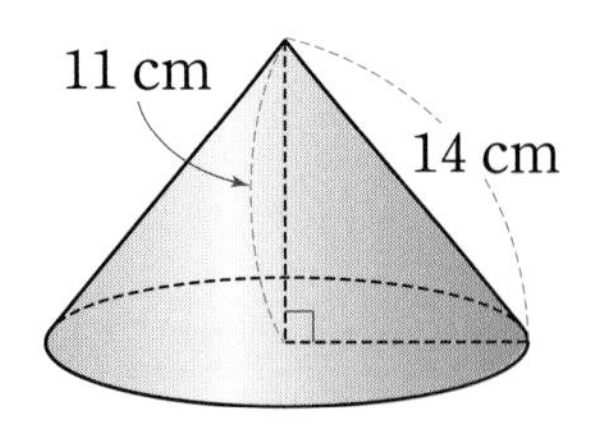

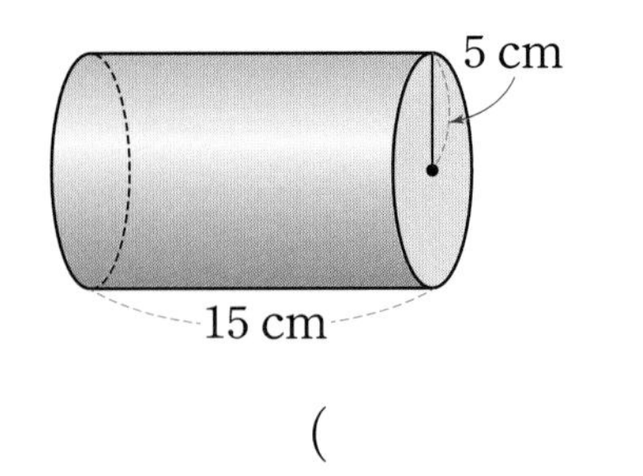

(　　　　　　　　　　)

8 지름을 기준으로 반원 모양의 종이를 한 바퀴 돌려 구를 만들었습니다. 구의 지름은 몇 cm인지 구해 보세요.

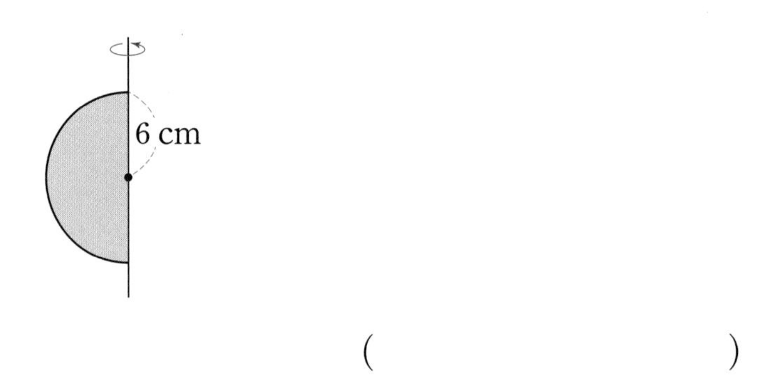

(　　　　　　　　　　)

9 설명이 잘못된 것을 찾아 기호를 써 보세요.

㉠ 원기둥의 옆면은 굽은 면입니다.
㉡ 원기둥과 원뿔은 밑면이 1개입니다.
㉢ 원기둥의 두 밑면은 합동입니다.
㉣ 원뿔의 꼭짓점은 1개입니다.

(　　　　　　　　　　)

10

□ 안에 알맞은 수를 써넣으세요. (원주율: 3.1)

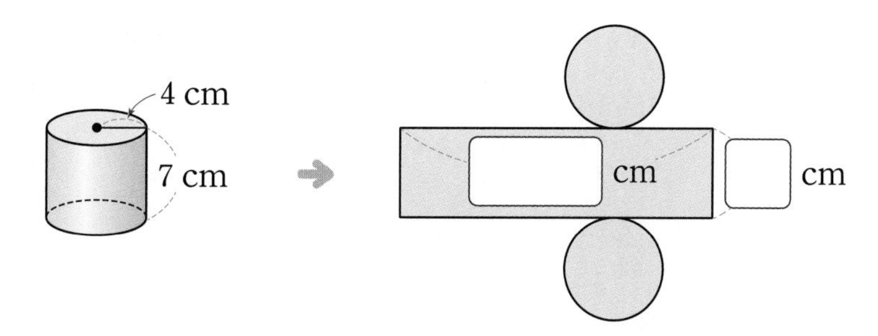

11

구를 위에서 본 모양의 둘레는 몇 cm인지 구해 보세요. (원주율: 3.14)

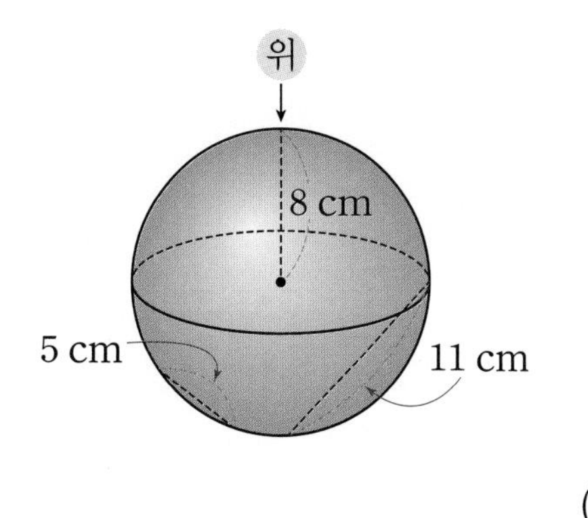

(　　　　　　　　)

12

원기둥의 전개도입니다. 밑면의 반지름은 몇 cm인지 구해 보세요. (원주율: 3)

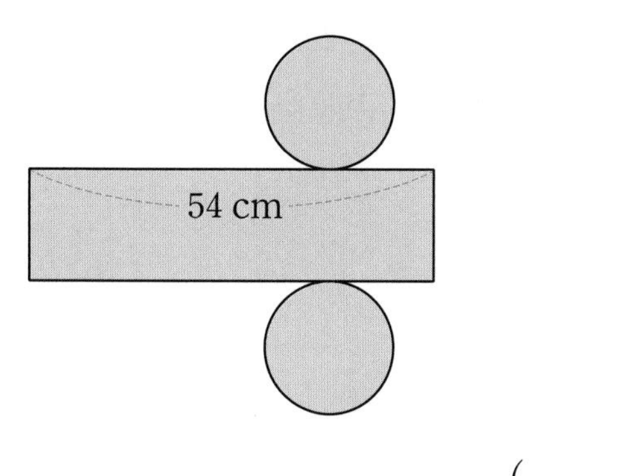

(　　　　　　　　)

13 두 입체도형을 앞에서 본 모양의 넓이는 같습니다. □ 안에 알맞은 수를 구해 보세요.

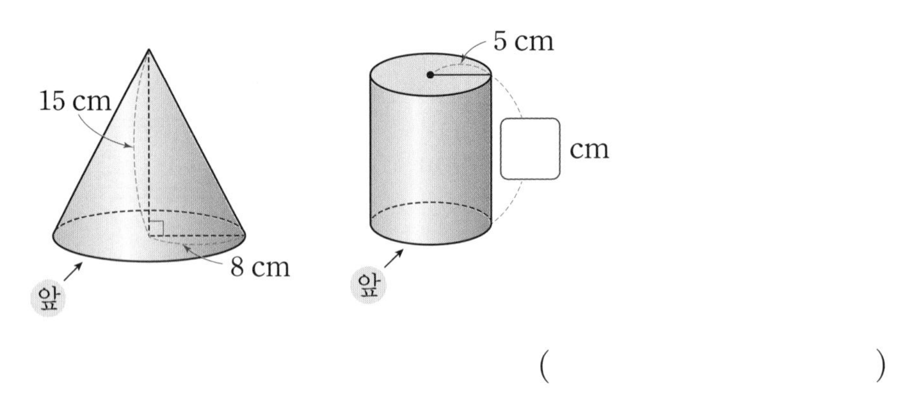

(　　　　　　　　)

14 원기둥과 원기둥의 전개도입니다. 전개도의 옆면의 둘레는 몇 cm인지 구해 보세요. (원주율: 3.14)

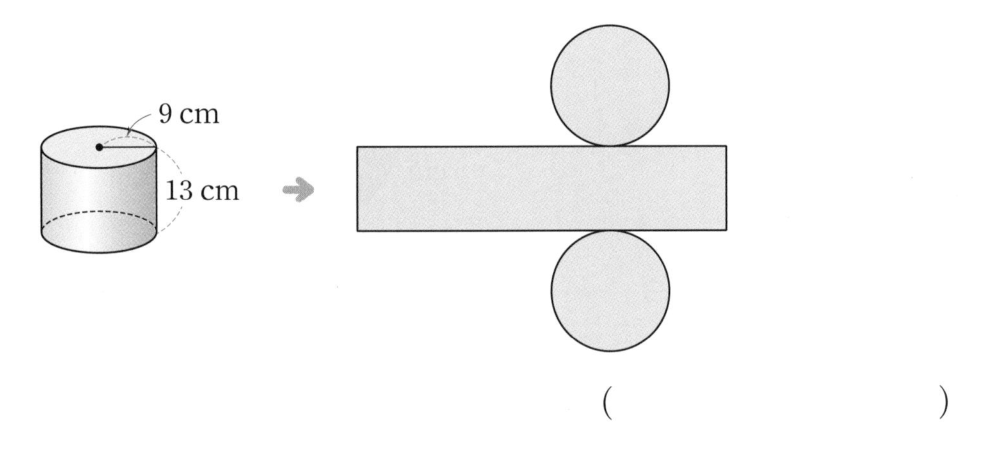

(　　　　　　　　)

15 그림과 같이 한 변을 기준으로 직사각형 모양의 종이를 돌려서 만든 입체도형을 펼쳤을 때 옆면의 넓이는 몇 cm^2인지 구해 보세요. (원주율: 3)

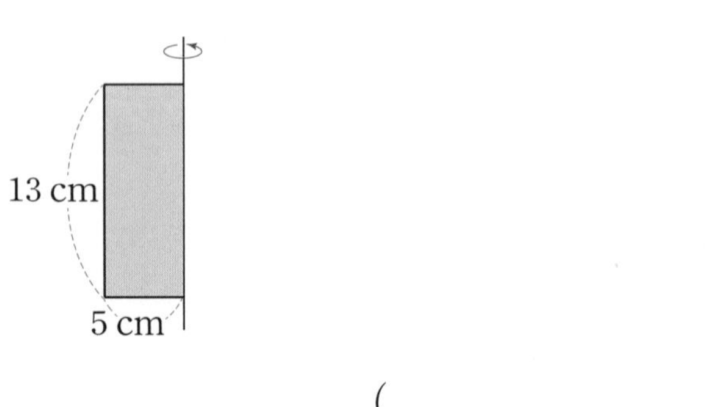

(　　　　　　　　)

특강 창의·융합 사고력

정답과 풀이 p.24

1 마트에서 밑면의 반지름이 3 cm인 원기둥 모양의 음료수 캔을 4개씩 끈으로 한 번 묶어서 판매하려고 합니다. 끈을 사용하여 묶는 두 가지 방법 중 끈을 더 적게 사용하는 방법으로 묶으려고 할 때 물음에 답하세요. (단, 묶은 매듭은 생각하지 않습니다.) (원주율: 3)

가

나

(1) 가에서 사용한 끈의 길이를 구해 보세요.

(   )

(2) 나에서 사용한 끈의 길이를 구해 보세요.

(   )

(3) 가와 나 중 끈을 더 적게 사용하는 방법의 기호를 써 보세요.

(   )

Memo

6-2 Run - C호 Play 붙임딱지

문제의 알맞은 곳에 붙임딱지를 붙여보세요.

14~15쪽

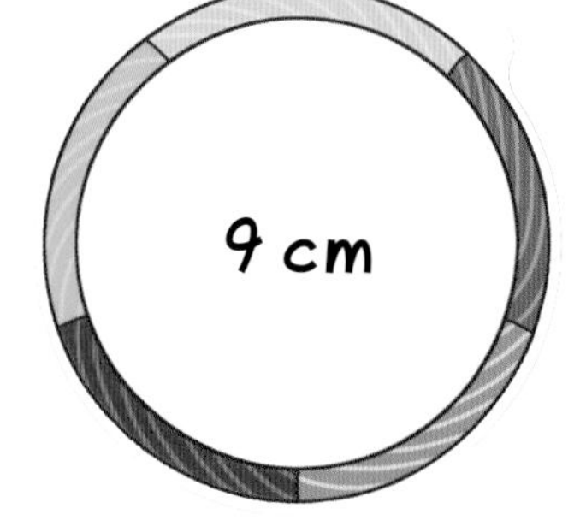

9 cm | 15 cm | 18 cm | 18.6 cm

24.8 cm | 31.4 cm | 32.9 cm | 37.68 cm

42 cm | 48 cm | 52.7 cm | 55.8 cm

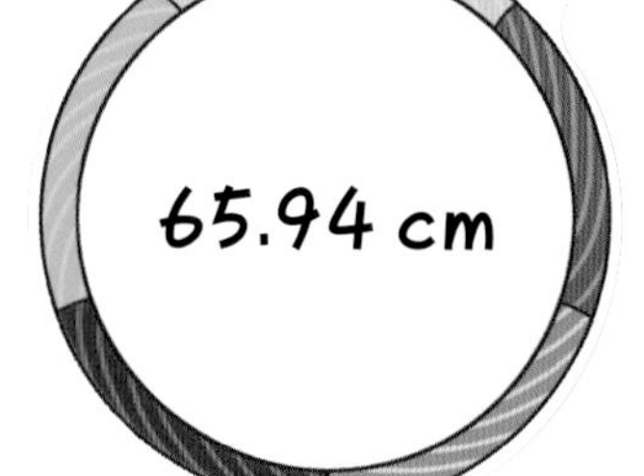

65.94 cm | 72 cm | 81.64 cm | 83.7 cm

94.2 cm | 96 cm | 117.8 cm | 157 cm

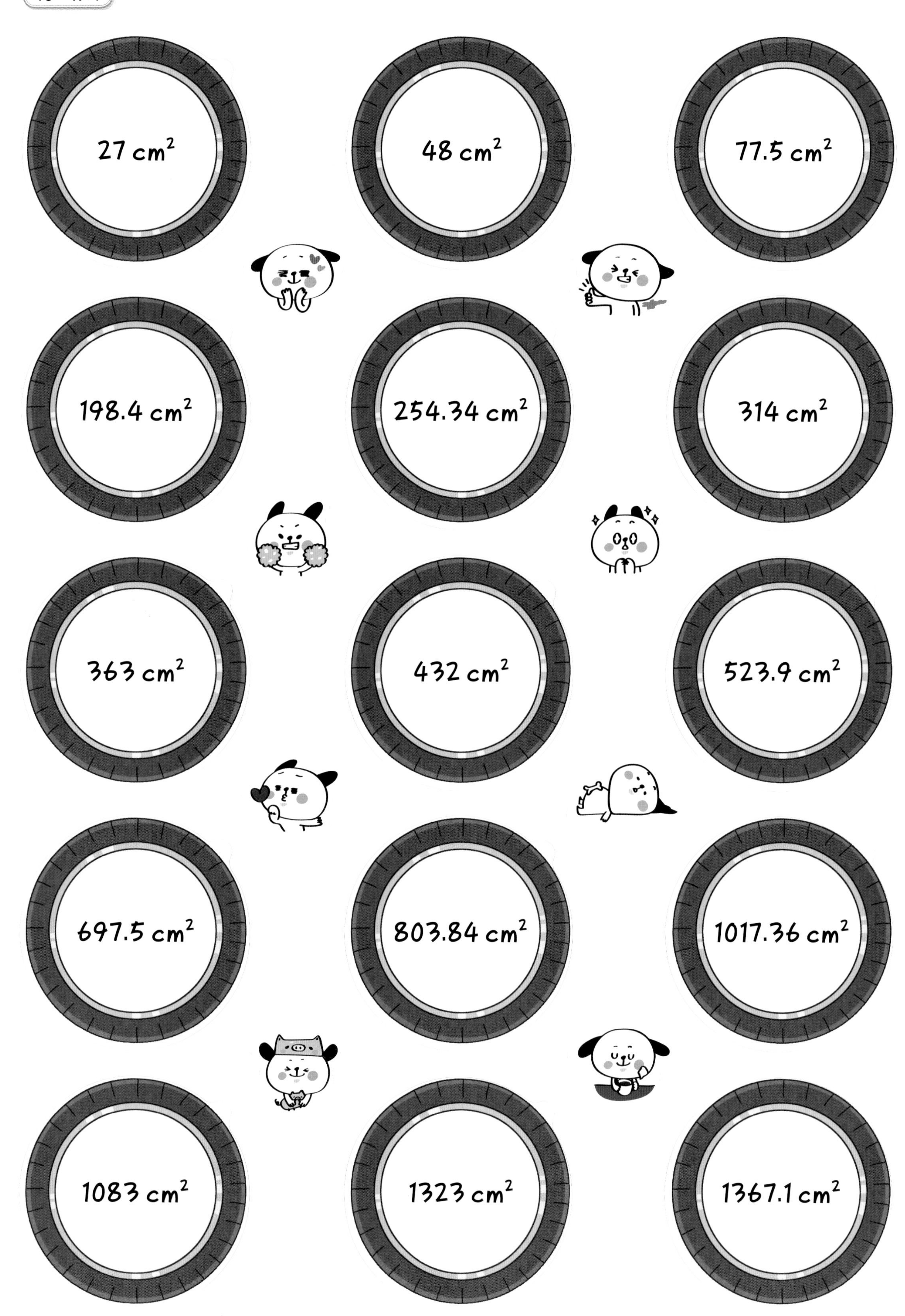
27 cm^2
48 cm^2
77.5 cm^2
198.4 cm^2
254.34 cm^2
314 cm^2
363 cm^2
432 cm^2
523.9 cm^2
697.5 cm^2
803.84 cm^2
1017.36 cm^2
1083 cm^2
1323 cm^2
1367.1 cm^2

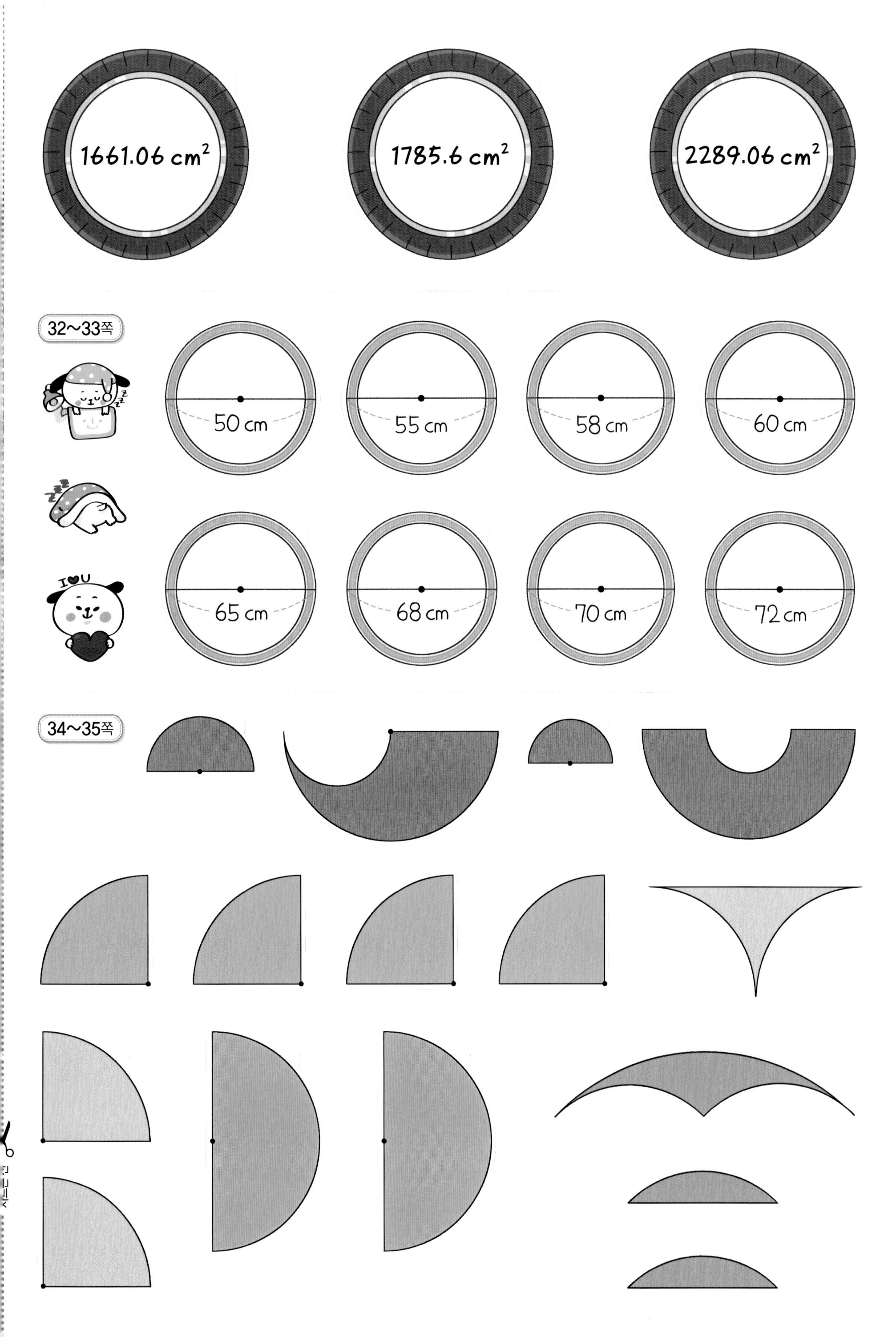

1661.06 cm²
1785.6 cm²
2289.06 cm²
32~33쪽
50 cm
55 cm
58 cm
60 cm
65 cm
68 cm
70 cm
72 cm
I U
34~35쪽

62~63쪽

64~65쪽

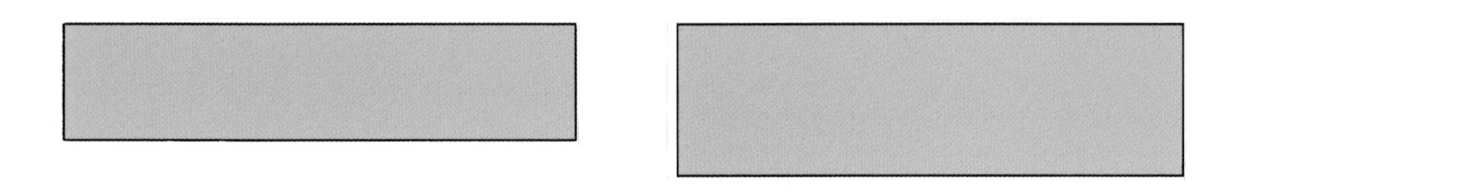

80~81쪽

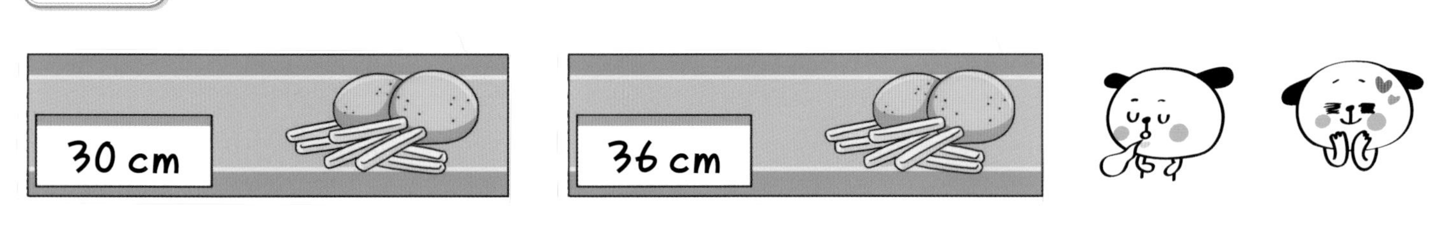

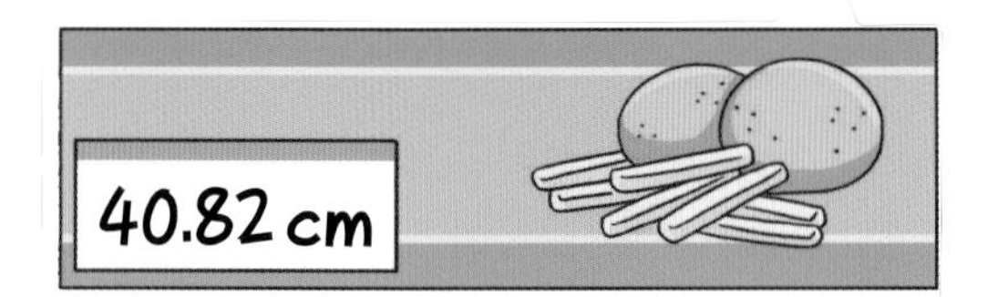

82~83쪽

12.4 cm^2 27.9 cm^2 49.6 cm^2 77.5 cm^2

100 cm^2 111.6 cm^2 151.9 cm^2 198.4 cm^2

251.1 cm^2 310 cm^2 375.1 cm^2 432 cm^2

446.4 cm^2 520.8 cm^2 523.9 cm^2 607.6 cm^2

697.5 cm^2 793.6 cm^2 895.9 cm^2 1240 cm^2

Go!
매쓰

사고력
중심

교과서 GO! 사고력 GO!

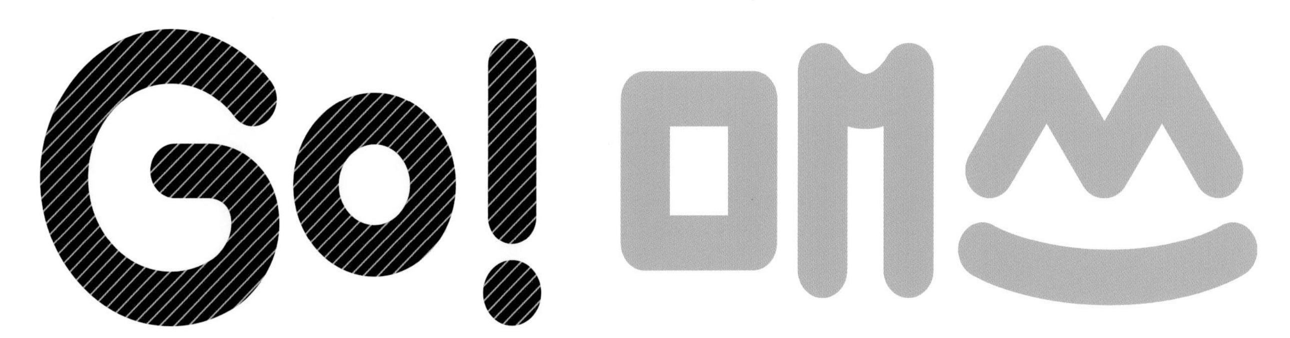

정답과 풀이

수학 6-2

열심히
풀었으니까,
한 번 맞춰 볼까?

4쪽 ~ 5쪽

5 원의 넓이

원의 넓이를 구하는 방법

미라와 윤호는 가격이 같은 두 가지 모양의 피자를 보고 고민에 빠졌습니다.
어느 피자를 사야 더 많이 먹을 수 있을지 고민이 되었기 때문입니다. 정사각형 모양의 피자의 넓이는 구할 수 있지만 원 모양의 피자의 넓이는 아직 구할 수 없기 때문입니다.
원의 넓이는 어떻게 구할 수 있는지 함께 알아볼까요?

원의 중심을 지나는 선분을 그어서, 원을 여러 개의 조각으로 똑같이 나누고, 다시 이어 붙이면 다음과 같습니다.

 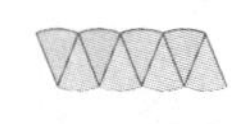
8등분

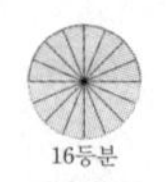 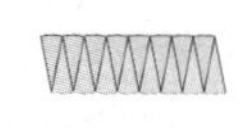
16등분

 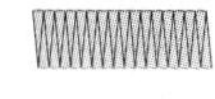
32등분

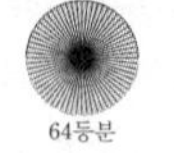 
64등분

위 그림을 보면 원을 자르는 횟수가 많아질수록 점점 직사각형에 가까워진다는 것을 알 수 있습니다. 원의 넓이는 직사각형의 넓이를 구하는 방법을 이용하여 구할 수 있습니다.
원의 넓이를 배우기 전에 먼저 원의 구성 요소와 성질에 대하여 복습해 봅시다.

□ 안에 알맞은 말을 써넣으세요.

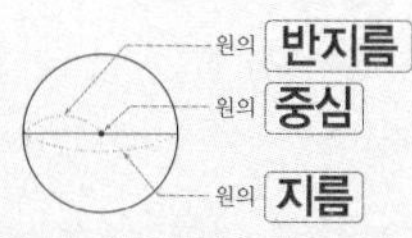

✤ • 원의 반지름: 원의 중심과 원 위의 한 점을 이은 선분
• 원의 중심: 원의 가장 안쪽에 있는 점
• 원의 지름: 원 위의 두 점을 이은 선분 중에서 원의 중심을 지나는 선분

알맞은 말에 ○표 하세요.

(1) 한 원에서 원의 중심은 (1개, 2개)입니다. → 1개

(2) 지름은 원을 똑같이 (둘로, 셋으로) 나눕니다. → 둘로

(3) 지름은 원 안에 그을 수 있는 가장 (짧은, 긴) 선분입니다. → 긴

(4) 한 원에서 지름은 반지름의 (2배, 3배)입니다. → 2배

원의 반지름과 지름을 각각 구해 보세요.

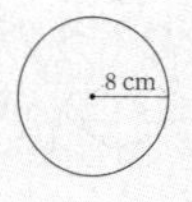

반지름 (8 cm)
지름 (16 cm)

✤ 원의 중심과 원 위의 한 점을 이은 선분이 8 cm이므로 반지름은 8 cm이고, 지름은 $8 \times 2 = 16$(cm)입니다.

6쪽 ~ 7쪽

1단계 교과서 개념 잡기

개념 1 원주와 지름의 관계 알아보기

• 원의 둘레를 원주라고 합니다.

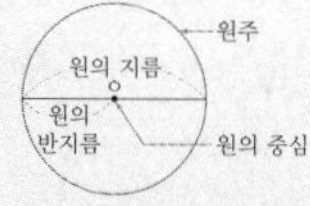

• 원의 지름이 길어지면 원주도 길어집니다.
• 원주가 길어지면 원의 지름도 길어집니다.

• 정육각형의 둘레와 원의 지름 비교하기

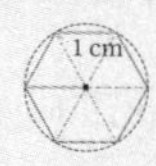

정육각형의 둘레는 원의 지름의 3배입니다. → (원주) > (정육각형의 둘레)

• 정사각형의 둘레와 원의 지름 비교하기

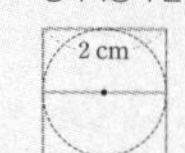

정사각형의 둘레는 원의 지름의 4배입니다. → (원주) < (정사각형의 둘레)

• 지름과 원주의 길이 비교하기
원주는 원의 지름의 3배보다 길고, 원의 지름의 4배보다 짧습니다.

개념 2 원주율 알아보기

• 원의 지름에 대한 원주의 비율을 원주율이라고 합니다.

(원주율) = (원주) ÷ (지름)

원의 크기와 상관없이 원주율은 일정합니다.

원주율을 소수로 나타내면 3.1415926535897932……와 같이 끝없이 계속됩니다.
원주율을 반올림하여 나타내면 다음과 같습니다.

	일의 자리까지	소수 첫째 자리까지	소수 둘째 자리까지
원주율	3	3.1	3.14

따라서 필요에 따라 3, 3.1, 3.14 등으로 어림하여 사용하기도 합니다.

개념 확인 문제

정답과 풀이 p.1

1-1 원의 지름과 원주를 표시해 보세요.

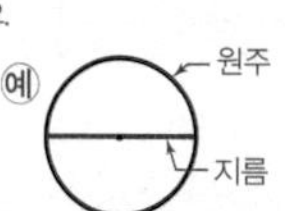

✤ • 원의 지름은 원 위의 두 점을 이은 선분 중에서 원의 중심을 지나는 선분입니다.
• 원주는 원의 둘레입니다.

1-2 정사각형, 원, 정육각형을 보고 ○ 안에 >, =, <를 알맞게 써넣고, □ 안에 알맞은 수를 써넣으세요.

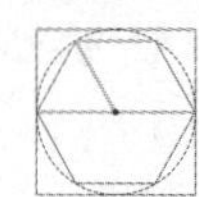

(1) (정육각형의 둘레) < (원주) < (정사각형의 둘레)

(2) 원주는 원의 지름의 3 배보다 길고, 원의 지름의 4 배보다 짧습니다.

✤ (1) 원주는 정육각형의 둘레보다 길고, 정사각형의 둘레보다 짧습니다.
(2) 원주는 원의 지름의 3배보다 길고, 원의 지름의 4배보다 짧습니다.

2 원 모양이 있는 여러 가지 물건들의 (원주)÷(지름)의 값을 비교하려고 합니다. 물음에 답하세요.

(1) 빈칸에 알맞은 수를 써넣으세요.

물건	원주(cm)	지름(cm)	(원주)÷(지름)
음료수 캔	18.84	6	3.14
시계	65.94	21	3.14

(2) 위 표를 보고 □ 안에 알맞은 수를 써넣으세요.

(원주)÷(지름)의 값을 비교해 보면 3.14(으)로 같습니다.

(3) 설명이 옳으면 ○표, 틀리면 ×표 하세요.

원의 크기와 상관없이 (원주)÷(지름)의 값은 일정합니다.

(○)

✤ (1) 음료수 캔: $18.84 \div 6 = 3.14$, 시계: $65.94 \div 21 = 3.14$
(3) 원의 크기와 상관없이 원주율은 일정합니다.

8쪽 ~ 9쪽

1단계 교과서 개념 잡기

개념 3 지름 또는 반지름을 알 때 원주 구하기

• 지름 또는 반지름을 알 때 원주 구하는 방법

(원주율)=(원주)÷(지름) → (원주)=(지름)×(원주율)
=(반지름)×2×(원주율)

예 지름이 5 cm인 원의 원주 구하기

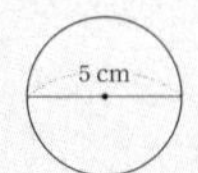

원주율: 3.14 → (원주)=5×3.14=15.7 (cm)

예 반지름이 4 cm인 원의 원주 구하기

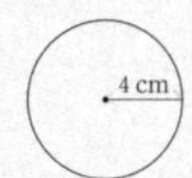

원주율: 3.14 → (원주)=4×2×3.14=25.12 (cm)

개념 4 원주를 알 때 지름과 반지름 구하기

• 원주를 알 때 지름과 반지름 구하는 방법

(원주율)=(원주)÷(지름) → (지름)=(원주)÷(원주율)
→ (반지름)=(원주)÷(원주율)÷2

예 원주가 18.84 cm인 원의 지름 구하기

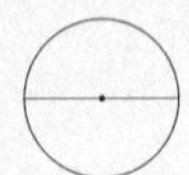

원주율: 3.14 → (지름)=18.84÷3.14=6 (cm)

예 원주가 31.4 cm인 원의 반지름 구하기

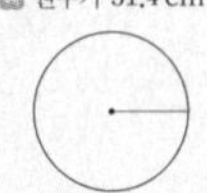

원주율: 3.14 → (반지름)=31.4÷3.14÷2=5 (cm)

개념 확인 문제

정답과 풀이 p.2

3-1 원주를 구하려고 합니다. □ 안에 알맞은 수를 써넣으세요.

(1)

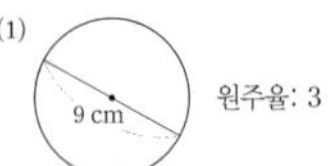

원주율: 3

(원주)=9×[3]=[27] (cm)

(2)

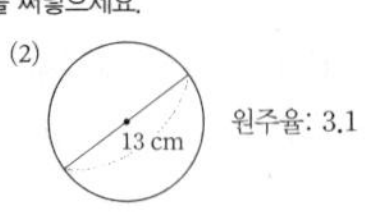

원주율: 3.1

(원주)=13×[3.1]=[40.3] (cm)

✤ (원주)=(지름)×(원주율)

3-2 원주를 구해 보세요.

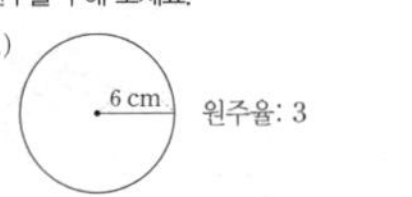

(1) 원주율: 3 (36 cm)

(2) 원주율: 3.14 (69.08 cm)

✤ (1) (원주)=(반지름)×2×(원주율)
=6×2×3=36 (cm)

(2) 11×2×3.14=69.08 (cm)

4-1 원주가 다음과 같을 때 □ 안에 알맞은 수를 써넣으세요.

(1)

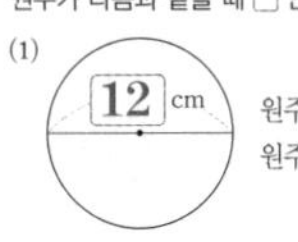

[12] cm 원주: 36 cm 원주율: 3

(지름)=36÷[3]=[12] (cm)

(2) [17] cm 원주: 52.7 cm 원주율: 3.1

(지름)=52.7÷[3.1]=[17] (cm)

✤ (지름)=(원주)÷(원주율)

4-2 원주가 56.52 cm인 원의 반지름을 구해 보세요. (원주율: 3.14)

(9 cm)

✤ (반지름)=(원주)÷(원주율)÷2
=56.52÷3.14÷2=9 (cm)

1주 교과서

10쪽 ~ 11쪽

1단계 교과서 개념 잡기

개념 5 정사각형으로 원의 넓이 어림하기

• 반지름이 10 cm인 원의 넓이 어림하기

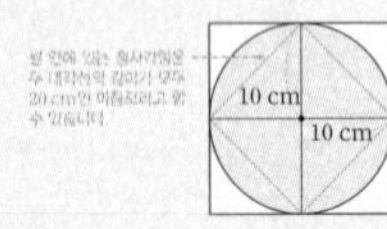

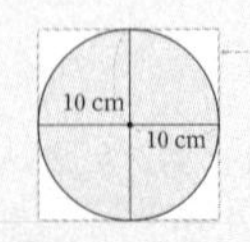

① (원 안에 있는 정사각형의 넓이)=20×20÷2=200 (cm²)

② (원 밖에 있는 정사각형의 넓이)=20×20=400 (cm²)

③ 원의 넓이는 원 안에 있는 정사각형의 넓이보다 넓고, 원 밖에 있는 정사각형의 넓이보다 좁습니다.

200 cm² < (반지름이 10 cm인 원의 넓이)
(반지름이 10 cm인 원의 넓이) < 400 cm²

→ 원의 넓이는 200 cm²와 400 cm² 사이의 값인 300 cm²라고 어림할 수 있습니다.

개념 6 모눈종이를 이용하여 원의 넓이 어림하기

• 반지름이 10 cm인 원의 넓이 어림하기

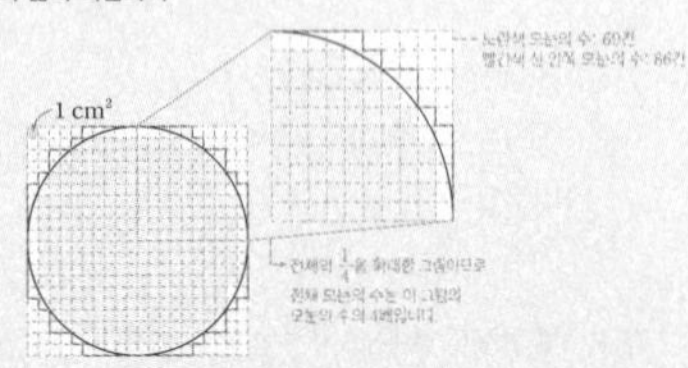

① 노란색 모눈의 수는 모두 69×4=276(칸)이므로 넓이는 276 cm²입니다.

② 빨간색 선 안쪽 모눈의 수는 모두 86×4=344(칸)이므로 넓이는 344 cm²입니다.

③ 원의 넓이는 노란색 모눈의 넓이보다 넓고, 빨간색 선 안쪽 모눈의 넓이보다 좁습니다.

276 cm² < (반지름이 10 cm인 원의 넓이)
(반지름이 10 cm인 원의 넓이) < 344 cm²

→ 원의 넓이는 276 cm²와 344 cm² 사이의 값인 310 cm²라고 어림할 수 있습니다.

개념 확인 문제

정답과 풀이 p.2

5 반지름이 15 cm인 원의 넓이를 어림하려고 합니다. □ 안에 알맞은 수를 써넣으세요.

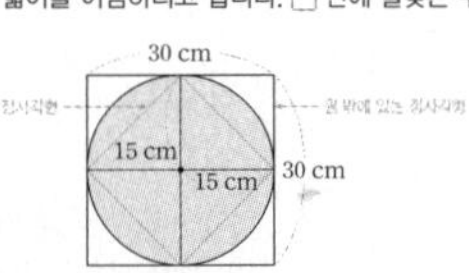

(1) 원의 넓이와 원 안에 있는 정사각형의 넓이를 비교해 보세요.

(정사각형의 넓이)=[450] cm² → [450] cm² < (원의 넓이)

✤ (정사각형의 넓이)=30×30÷2=450 (cm²)

(2) 원의 넓이와 원 밖에 있는 정사각형의 넓이를 비교해 보세요.

(정사각형의 넓이)=[900] cm² → (원의 넓이) < [900] cm²

✤ (정사각형의 넓이)=30×30=900 (cm²)

(3) 원의 넓이는 [450] cm²보다 넓고, [900] cm²보다 좁습니다.

✤ 원의 넓이는 원 안에 있는 정사각형의 넓이보다 넓고, 원 밖에 있는 정사각형의 넓이보다 좁습니다.

6 반지름이 6 cm인 원의 넓이를 어림하려고 합니다. □ 안에 알맞은 수를 써넣으세요.

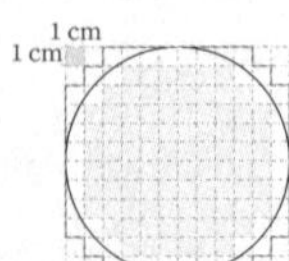

(1) 노란색 모눈의 넓이를 구해 보세요.

노란색 모눈의 수는 모두 [88] 칸이므로 노란색 모눈의 넓이는 [88] cm²입니다.

(2) 빨간색 선 안쪽 모눈의 넓이를 구해 보세요.

빨간색 선 안쪽 모눈의 수는 모두 [132] 칸이므로 빨간색 선 안쪽 모눈의 넓이는 [132] cm²입니다.

(3) 원의 넓이는 [88] cm²보다 넓고, [132] cm²보다 좁습니다.

✤ (1) 노란색 모눈의 수는 모두 88칸이고 모눈 한 칸의 넓이는 1 cm²이므로 노란색 모눈의 넓이는 88 cm²입니다.

(2) 빨간색 선 안쪽 모눈의 수는 모두 132칸이고 모눈 한 칸의 넓이는 1 cm²이므로 빨간색 선 안쪽 모눈의 넓이는 132 cm²입니다.

(3) 원의 넓이는 노란색 모눈의 넓이보다 넓고, 빨간색 선 안쪽 모눈의 넓이보다 좁습니다.

1주 교과서

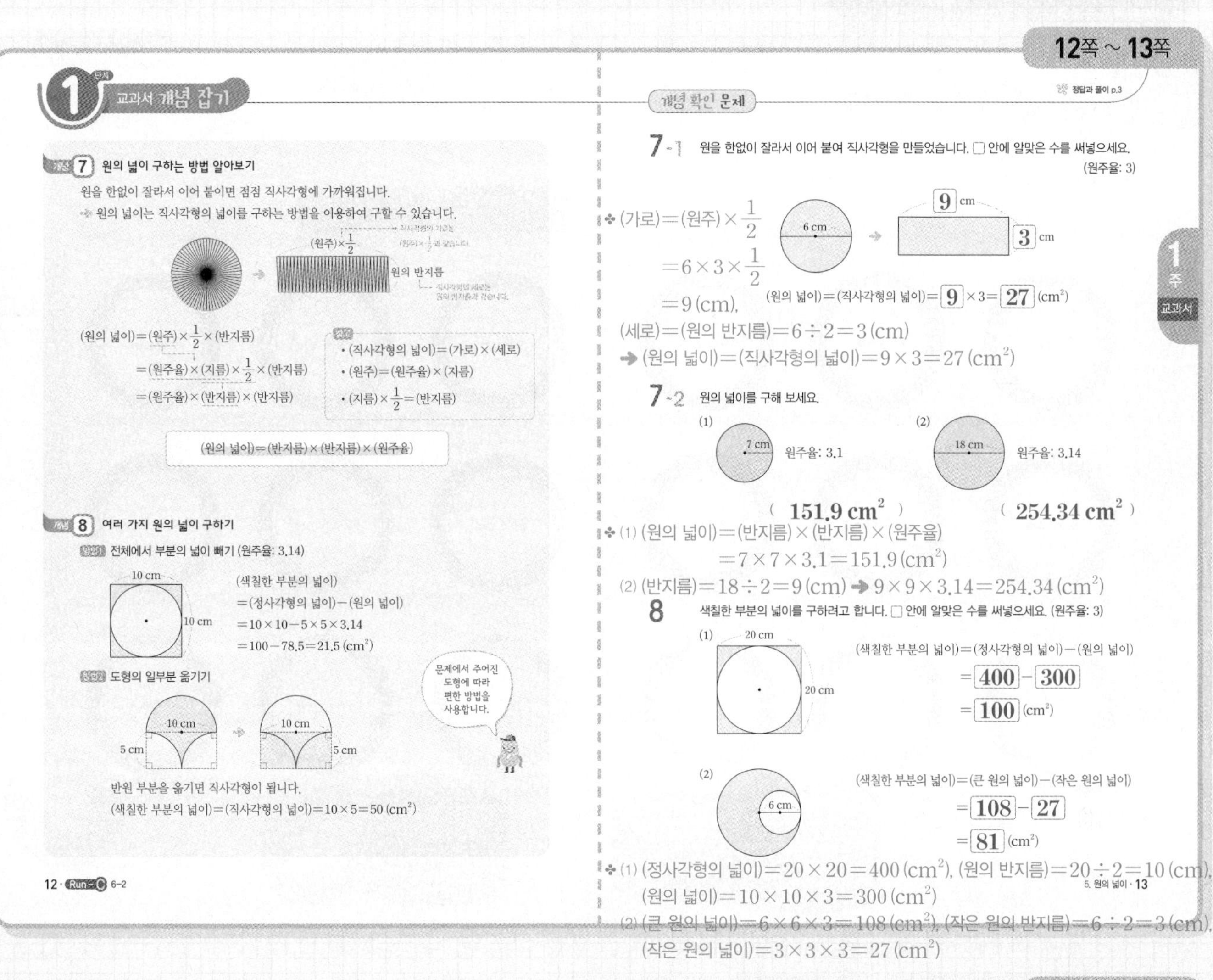

1단계 교과서 개념 잡기

개념 7 원의 넓이 구하는 방법 알아보기

원을 한없이 잘라서 이어 붙이면 점점 직사각형에 가까워집니다.
➔ 원의 넓이는 직사각형의 넓이를 구하는 방법을 이용하여 구할 수 있습니다.

(원의 넓이) $=$ (원주) $\times \frac{1}{2} \times$ (반지름)
$=$ (원주율) $\times$ (지름) $\times \frac{1}{2} \times$ (반지름)
$=$ (원주율) $\times$ (반지름) $\times$ (반지름)

참고
- (직사각형의 넓이) $=$ (가로) $\times$ (세로)
- (원주) $=$ (원주율) $\times$ (지름)
- (지름) $\times \frac{1}{2} =$ (반지름)

(원의 넓이) $=$ (반지름) $\times$ (반지름) $\times$ (원주율)

개념 8 여러 가지 원의 넓이 구하기

방법1 전체에서 부분의 넓이 빼기 (원주율: 3.14)

(색칠한 부분의 넓이)
$=$ (정사각형의 넓이) $-$ (원의 넓이)
$= 10 \times 10 - 5 \times 5 \times 3.14$
$= 100 - 78.5 = 21.5\,(cm^2)$

방법2 도형의 일부분 옮기기

반원 부분을 옮기면 직사각형이 됩니다.
(색칠한 부분의 넓이) $=$ (직사각형의 넓이) $= 10 \times 5 = 50\,(cm^2)$

문제에서 주어진 도형에 따라 편한 방법을 사용합니다.

개념 확인 문제

7-1 원을 한없이 잘라서 이어 붙여 직사각형을 만들었습니다. □ 안에 알맞은 수를 써넣으세요. (원주율: 3)

(원의 넓이) $=$ (직사각형의 넓이) $=$ [9] $\times 3 =$ [27] (cm^2)

❖ (가로) $=$ (원주) $\times \frac{1}{2} = 6 \times 3 \times \frac{1}{2} = 9\,(cm)$,
(세로) $=$ (원의 반지름) $= 6 \div 2 = 3\,(cm)$
➔ (원의 넓이) $=$ (직사각형의 넓이) $= 9 \times 3 = 27\,(cm^2)$

7-2 원의 넓이를 구해 보세요.

(1) 원주율: 3.1 ($151.9\,cm^2$)
(2) 원주율: 3.14 ($254.34\,cm^2$)

❖ (1) (원의 넓이) $=$ (반지름) $\times$ (반지름) $\times$ (원주율) $= 7 \times 7 \times 3.1 = 151.9\,(cm^2)$
(2) (반지름) $= 18 \div 2 = 9\,(cm)$ ➔ $9 \times 9 \times 3.14 = 254.34\,(cm^2)$

8 색칠한 부분의 넓이를 구하려고 합니다. □ 안에 알맞은 수를 써넣으세요. (원주율: 3)

(1) (색칠한 부분의 넓이) $=$ (정사각형의 넓이) $-$ (원의 넓이) $=$ [400] $-$ [300] $=$ [100] (cm^2)

(2) (색칠한 부분의 넓이) $=$ (큰 원의 넓이) $-$ (작은 원의 넓이) $=$ [108] $-$ [27] $=$ [81] (cm^2)

❖ (1) (정사각형의 넓이) $= 20 \times 20 = 400\,(cm^2)$, (원의 반지름) $= 20 \div 2 = 10\,(cm)$,
(원의 넓이) $= 10 \times 10 \times 3 = 300\,(cm^2)$
(2) (큰 원의 넓이) $= 6 \times 6 \times 3 = 108\,(cm^2)$, (작은 원의 반지름) $= 6 \div 2 = 3\,(cm)$,
(작은 원의 넓이) $= 3 \times 3 \times 3 = 27\,(cm^2)$

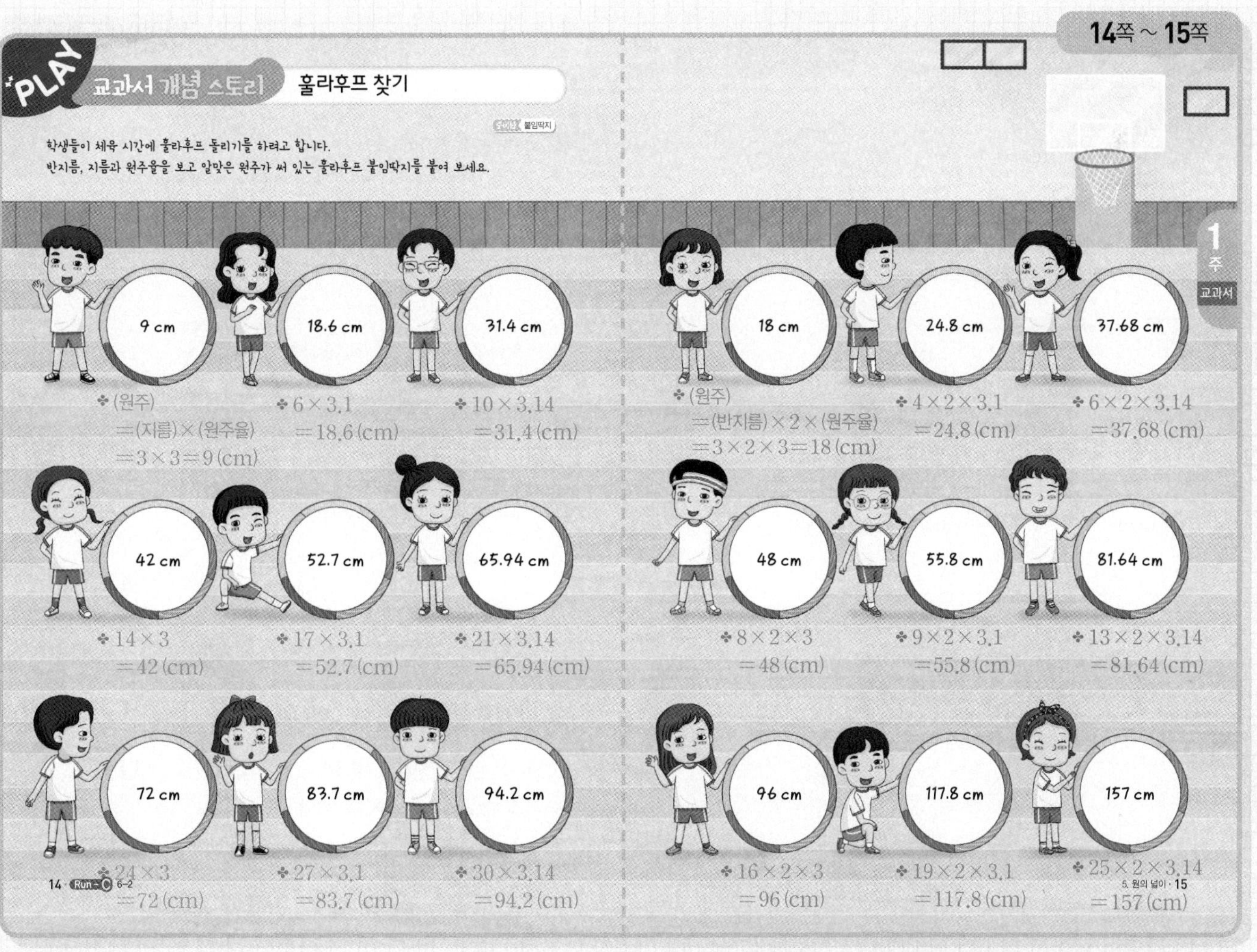

PLAY 교과서 개념 스토리 훌라후프 찾기

학생들이 체육 시간에 훌라후프 돌리기를 하려고 합니다.
반지름, 지름과 원주율을 보고 알맞은 원주가 써 있는 훌라후프 붙임딱지를 붙여 보세요.

❖ (원주) $=$ (지름) $\times$ (원주율) $= 3 \times 3 = 9\,(cm)$
❖ $6 \times 3.1 = 18.6\,(cm)$
❖ $10 \times 3.14 = 31.4\,(cm)$
❖ (원주) $=$ (반지름) $\times 2 \times$ (원주율) $= 3 \times 2 \times 3 = 18\,(cm)$
❖ $4 \times 2 \times 3.1 = 24.8\,(cm)$
❖ $6 \times 2 \times 3.14 = 37.68\,(cm)$
❖ $14 \times 3 = 42\,(cm)$
❖ $17 \times 3.1 = 52.7\,(cm)$
❖ $21 \times 3.14 = 65.94\,(cm)$
❖ $8 \times 2 \times 3 = 48\,(cm)$
❖ $9 \times 2 \times 3.1 = 55.8\,(cm)$
❖ $13 \times 2 \times 3.14 = 81.64\,(cm)$
❖ $24 \times 3 = 72\,(cm)$
❖ $27 \times 3.1 = 83.7\,(cm)$
❖ $30 \times 3.14 = 94.2\,(cm)$
❖ $16 \times 2 \times 3 = 96\,(cm)$
❖ $19 \times 2 \times 3.1 = 117.8\,(cm)$
❖ $25 \times 2 \times 3.14 = 157\,(cm)$

16쪽 ~ 17쪽

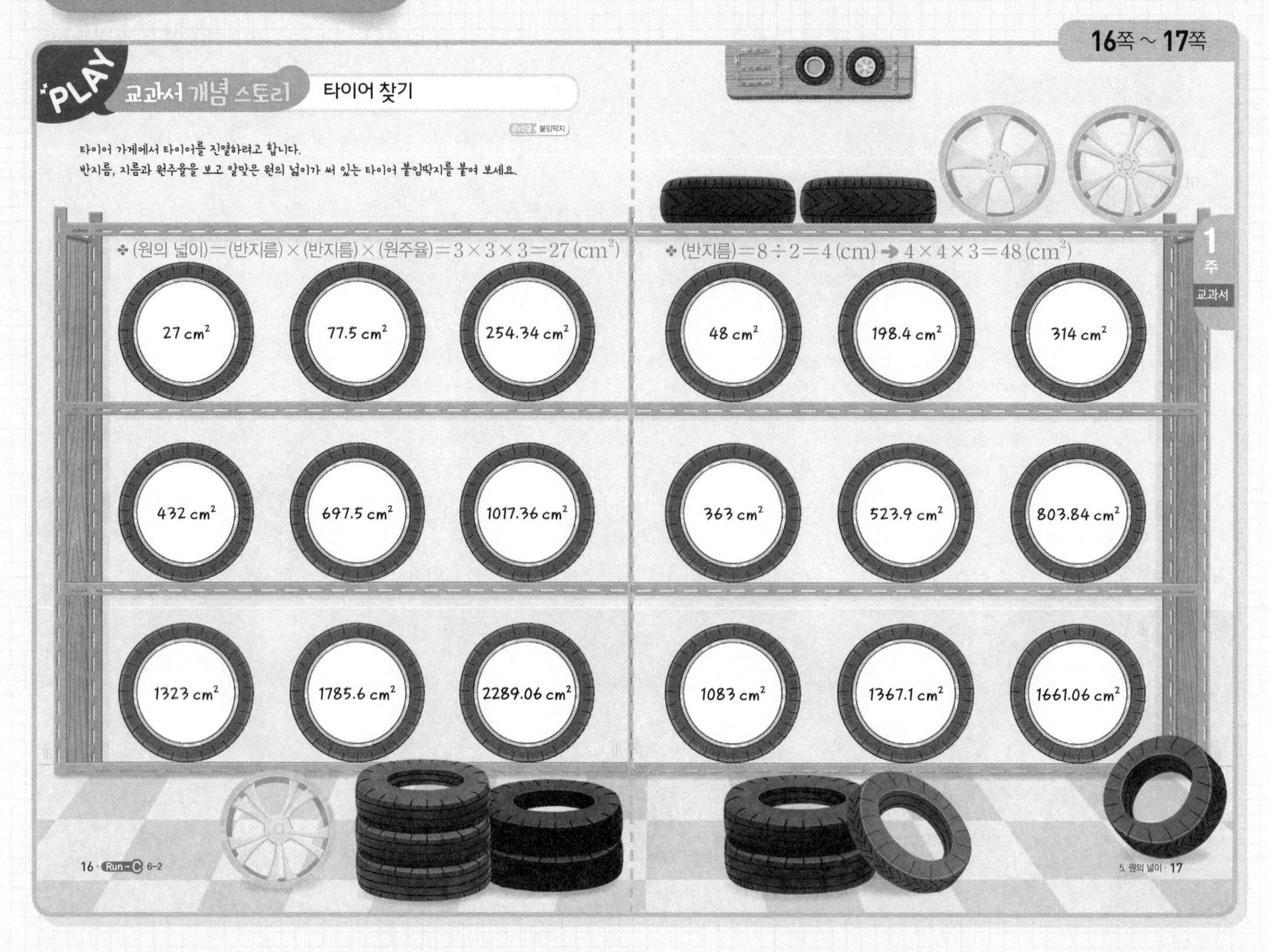
PLAY 교과서 개념 스토리 타이어 찾기

붙임딱지

타이어 가게에서 타이어를 진열하려고 합니다.
반지름, 지름과 원주율을 보고 알맞은 원의 넓이가 써 있는 타이어 붙임딱지를 붙여 보세요.

✤ (원의 넓이)=(반지름)×(반지름)×(원주율)=3×3×3=27 (cm^2)

✤ (반지름)=8÷2=4 (cm) ➔ 4×4×3=48 (cm^2)

16 · Run-C 6-2 　　　5. 원의 넓이 · 17

18쪽 ~ 19쪽

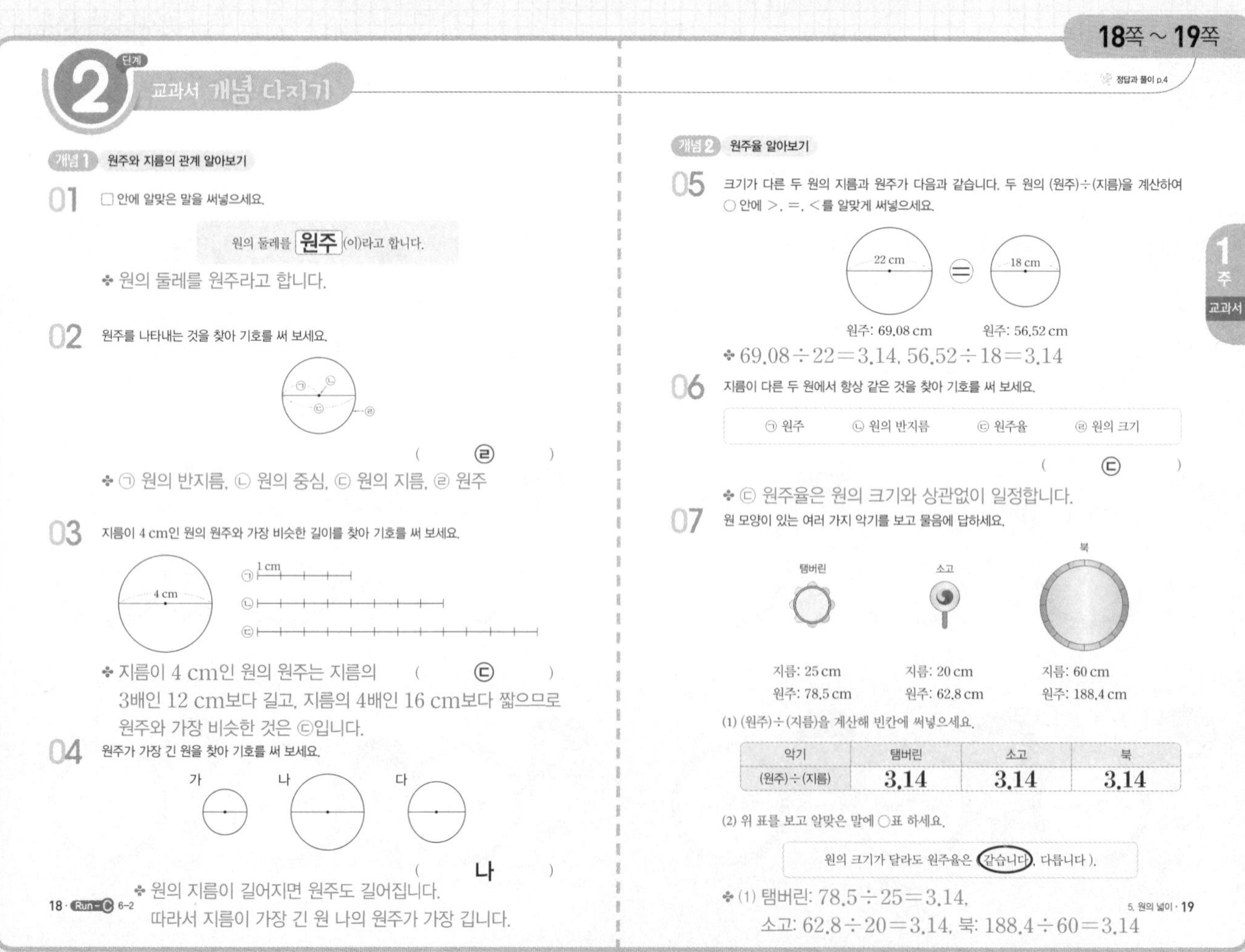
2단계 교과서 개념 다지기

정답과 풀이 p.4

개념 1 원주와 지름의 관계 알아보기

01 □ 안에 알맞은 말을 써넣으세요.

원의 둘레를 **원주** (이)라고 합니다.

✤ 원의 둘레를 원주라고 합니다.

02 원주를 나타내는 것을 찾아 기호를 써 보세요.

(㉣)

✤ ㉠ 원의 반지름, ㉡ 원의 중심, ㉢ 원의 지름, ㉣ 원주

03 지름이 4 cm인 원의 원주와 가장 비슷한 길이를 찾아 기호를 써 보세요.

(㉢)

✤ 지름이 4 cm인 원의 원주는 지름의 3배인 12 cm보다 길고, 지름의 4배인 16 cm보다 짧으므로 원주와 가장 비슷한 것은 ㉢입니다.

04 원주가 가장 긴 원을 찾아 기호를 써 보세요.

가 　 나 　 다

(나)

✤ 원의 지름이 길어지면 원주도 길어집니다. 따라서 지름이 가장 긴 원 나의 원주가 가장 깁니다.

개념 2 원주율 알아보기

05 크기가 다른 두 원의 지름과 원주가 다음과 같습니다. 두 원의 (원주)÷(지름)을 계산하여 ○ 안에 >, =, <를 알맞게 써넣으세요.

22 cm ⊜ 18 cm

원주: 69.08 cm 　 원주: 56.52 cm

✤ 69.08÷22=3.14, 56.52÷18=3.14

06 지름이 다른 두 원에서 항상 같은 것을 찾아 기호를 써 보세요.

㉠ 원주 　 ㉡ 원의 반지름 　 ㉢ 원주율 　 ㉣ 원의 크기

(㉢)

✤ ㉢ 원주율은 원의 크기와 상관없이 일정합니다.

07 원 모양이 있는 여러 가지 악기를 보고 물음에 답하세요.

탬버린: 지름: 25 cm, 원주: 78.5 cm
소고: 지름: 20 cm, 원주: 62.8 cm
북: 지름: 60 cm, 원주: 188.4 cm

(1) (원주)÷(지름)을 계산해 빈칸에 써넣으세요.

악기	탬버린	소고	북
(원주)÷(지름)	3.14	3.14	3.14

(2) 위 표를 보고 알맞은 말에 ○표 하세요.

원의 크기가 달라도 원주율은 (같습니다, 다릅니다).

✤ (1) 탬버린: 78.5÷25=3.14, 소고: 62.8÷20=3.14, 북: 188.4÷60=3.14

18 · Run-C 6-2 　　　5. 원의 넓이 · 19

정답과 풀이 p.5

개념 3 원주와 지름 구하기

08 프로펠러의 길이가 7 cm인 드론이 있습니다. 프로펠러가 돌 때 생기는 원의 원주를 구해 보세요. (원주율: 3)

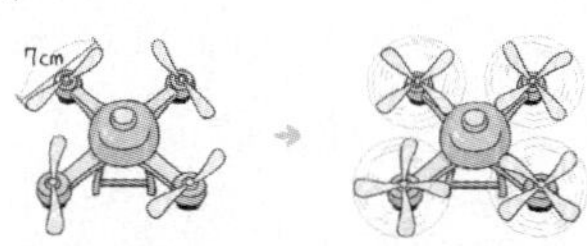

(21 cm)

✤ 원의 원주는 (지름) × (원주율)입니다.
프로펠러의 길이가 7 cm이므로 프로펠러가 돌 때 생기는 원의 원주는 $7 \times 3 = 21$(cm)입니다.

09 길이가 124 cm인 종이띠를 겹치지 않게 붙여서 원을 만들었습니다. 만들어진 원의 반지름을 구해 보세요. (원주율: 3.1)

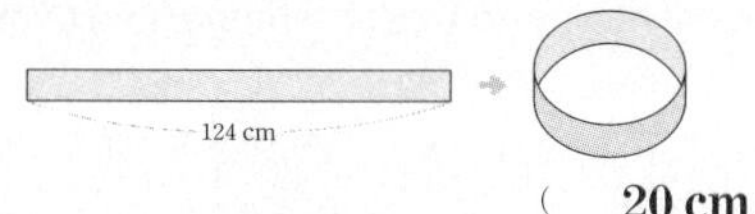

(20 cm)

✤ $124 \div 3.1 \div 2 = 20$ (cm)

10 미라와 윤호는 훌라후프를 돌리고 있습니다. 미라의 훌라후프는 바깥쪽 반지름이 50 cm이고, 윤호의 훌라후프는 바깥쪽 원주가 279 cm입니다. 훌라후프가 더 큰 사람은 누구일까요? (원주율: 3.1)

(미라)

✤ 반지름이 50 cm인 미라의 훌라후프는 바깥쪽 원주가 $50 \times 2 \times 3.1 = 310$ (cm)입니다.
윤호의 훌라후프는 바깥쪽 원주가 279 cm이므로 미라의 훌라후프가 더 큽니다.

개념 4 원의 넓이 어림하기

11 원 모양인 음료수 캔 윗면에 투명 모눈 판을 덮은 것입니다. 음료수 캔 윗면의 넓이는 몇 cm^2인지 어림해 보세요.

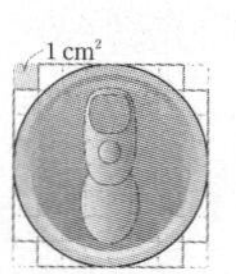

(예 $46\ cm^2$)

✤ (노란색 모눈의 넓이) $= 32\ cm^2$
(빨간색 선 안쪽 모눈의 넓이) $= 60\ cm^2$
➜ $32\ cm^2 <$ (음료수 캔 윗면의 넓이) $< 60\ cm^2$이므로 32보다 크고 60보다 작은 수를 써서 어림합니다.

12 원 안에 있는 정사각형의 넓이와 원 밖에 있는 정사각형의 넓이를 이용하여 원의 넓이가 몇 cm^2인지 어림해 보세요.

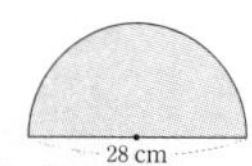

(예 $243\ cm^2$)

✤ 원 안에 있는 정사각형은 두 대각선의 길이가 모두 $9 \times 2 = 18$ (cm)인 마름모이므로 넓이는 $18 \times 18 \div 2 = 162$ (cm^2)입니다.
원 밖에 있는 정사각형은 한 변의 길이가 $9 \times 2 = 18$ (cm)이므로 넓이는 $18 \times 18 = 324$ (cm^2)입니다.
➜ $162\ cm^2 <$ (원의 넓이) $< 324\ cm^2$이므로 162보다 크고 324보다 작은 수를 써서 어림합니다.

13 정육각형의 넓이를 이용하여 원의 넓이를 어림하려고 합니다. 삼각형 ㄱㅇㄷ의 넓이가 $12\ cm^2$, 삼각형 ㄹㅇㅂ의 넓이가 $16\ cm^2$라면 원의 넓이는 몇 cm^2인지 어림해 보세요.

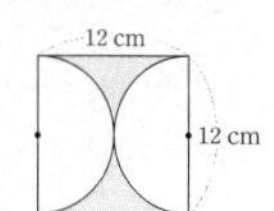

(예 $84\ cm^2$)

✤ 원 안에 있는 정육각형의 넓이는 삼각형 ㄱㅇㄷ 6개의 넓이와 같으므로 넓이는 $12 \times 6 = 72$ (cm^2)입니다.
원 밖에 있는 정육각형의 넓이는 삼각형 ㄹㅇㅂ 6개의 넓이와 같으므로 넓이는 $16 \times 6 = 96$ (cm^2)입니다.
➜ $72\ cm^2 <$ (원의 넓이) $< 96\ cm^2$이므로 72보다 크고 96보다 작은 수를 써서 어림합니다.

정답과 풀이 p.5

개념 5 원의 넓이 구하기

14 주어진 원의 지름을 이용하여 빈칸에 알맞게 써넣으세요. (원주율: 3.14)

지름 (cm)	반지름 (cm)	원의 넓이를 구하는 식	원의 넓이 (cm^2)
14	7	$7 \times 7 \times 3.14$	153.86
30	15	$15 \times 15 \times 3.14$	706.5

✤ (반지름) = (지름) ÷ 2, (원의 넓이) = (반지름) × (반지름) × (원주율)

15 원의 반지름을 구해 보세요. (원주율: 3)

(1) 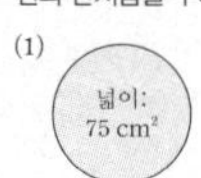
(2) 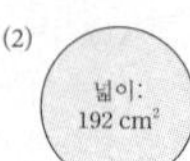

(5 cm) (8 cm)

✤ (1) (원의 넓이) ÷ (원주율) = (반지름) × (반지름) $= 75 \div 3 = 25$, $5 \times 5 = 25$이므로 (반지름) = 5 cm입니다.
(2) (원의 넓이) ÷ (원주율) = (반지름) × (반지름) $= 192 \div 3 = 64$, $8 \times 8 = 64$이므로 (반지름) = 8 cm입니다.

16 오른쪽 그림과 같이 컴퍼스를 벌려 원을 그렸습니다. 원의 넓이를 구해 보세요. (원주율: 3.14)

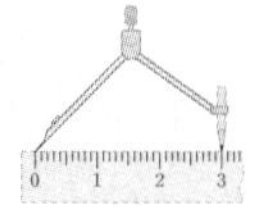

($28.26\ cm^2$)

✤ 반지름이 3 cm인 원이므로 원의 넓이는 $3 \times 3 \times 3.14 = 28.26$ (cm^2)입니다.

17 가장 큰 원의 넓이를 구해 보세요. (원주율: 3.1)

㉠ 반지름이 11 cm인 원 ㉡ 지름이 20 cm인 원 ㉢ 원주가 74.4 cm인 원

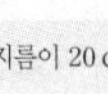

($446.4\ cm^2$)

✤ 지름이 길수록 큰 원이므로 지름을 비교해 봅니다.
㉠ $11 \times 2 = 22$ (cm), ㉡ 20 cm, ㉢ $74.4 \div 3.1 = 24$ (cm)
따라서 가장 큰 원은 ㉢이고 반지름이 $24 \div 2 = 12$ (cm)이므로 넓이는 $12 \times 12 \times 3.1 = 446.4$ (cm^2)입니다.

개념 6 여러 가지 원의 넓이 구하기

18 반원의 넓이를 구해 보세요. (원주율: 3)

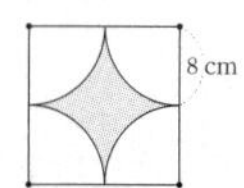

($294\ cm^2$)

✤ (반지름) $= 28 \div 2 = 14$ (cm)
➜ $14 \times 14 \times 3 \div 2 = 294$ (cm^2)

19 색칠한 부분의 넓이를 구해 보세요. (원주율: 3.1)

12 cm, 12 cm

($32.4\ cm^2$)

✤ (색칠한 부분의 넓이)
= (정사각형의 넓이) − (원의 넓이)
$= 12 \times 12 - 6 \times 6 \times 3.1 = 144 - 111.6 = 32.4$ (cm^2)

20 색칠한 부분의 넓이를 구해 보세요. (원주율: 3.1)

8 cm

($57.6\ cm^2$)

✤ (색칠한 부분의 넓이)
= (정사각형의 넓이) − (원의 넓이)
$= 16 \times 16 - 8 \times 8 \times 3.1 = 256 - 198.4 = 57.6$ (cm^2)

21 색칠한 부분의 넓이를 구해 보세요. (원주율: 3)

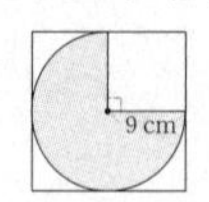
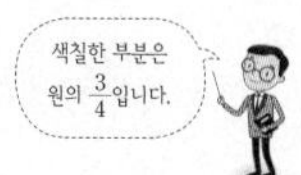

($182.25\ cm^2$)

✤ (색칠한 부분의 넓이)
= (반지름이 9 cm인 원의 넓이) $\times \frac{3}{4}$
$= 9 \times 9 \times 3 \times \frac{3}{4} = 182.25$ (cm^2)

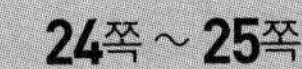

정답과 풀이 p.6

★ 바퀴 수 구하기

1 바깥쪽 지름이 30 cm인 굴렁쇠를 몇 바퀴 굴린 거리가 다음과 같습니다. 굴렁쇠를 몇 바퀴 굴린 것인지 구해 보세요. (원주율: 3.1)

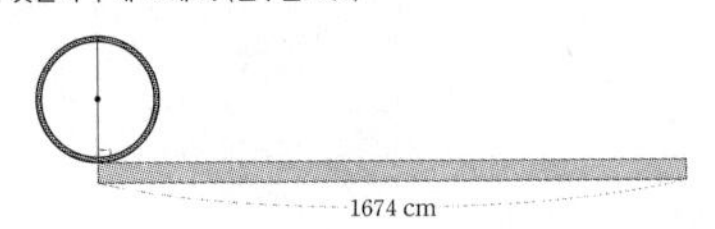

답 18바퀴

개념 짚드백
① (굴렁쇠가 한 바퀴 돈 거리)=(굴렁쇠의 원주)
② 전체 거리를 한 바퀴 돈 거리로 나누어 굴린 바퀴 수를 구합니다.

✤ (굴렁쇠가 한 바퀴 돈 거리)$=30\times3.1=93$ (cm)
따라서 굴렁쇠를 $1674\div93=18$(바퀴) 굴린 것입니다.

1-1 바깥쪽 지름이 50 cm인 굴렁쇠를 몇 바퀴 굴린 거리가 다음과 같습니다. 굴렁쇠를 몇 바퀴 굴린 것인지 구해 보세요. (원주율: 3.14)

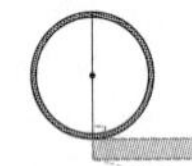

3140 cm

(20바퀴)

✤ (굴렁쇠가 한 바퀴 돈 거리)
$=50\times3.14=157$ (cm)
따라서 굴렁쇠를 $3140\div157=20$(바퀴) 굴린 것입니다.

1-2 굴렁쇠를 30바퀴 굴린 거리가 다음과 같습니다. 이 굴렁쇠의 바깥쪽 지름은 몇 cm인지 구해 보세요. (원주율: 3)

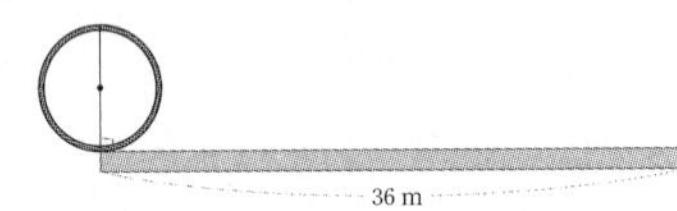

(40 cm)

✤ 1 m=100 cm이므로 36 m=3600 cm입니다.
(굴렁쇠가 한 바퀴 돈 거리)$=3600\div30=120$ (cm)
따라서 굴렁쇠의 바깥쪽 지름은 $120\div3=40$ (cm)입니다.

★ 가장 큰 원의 넓이 구하기

2 다음 정사각형 안에 들어갈 수 있는 가장 큰 원의 넓이는 몇 cm^2인지 구해 보세요. (원주율: 3)

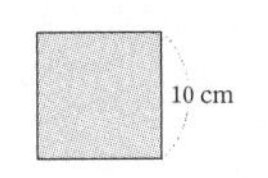

답 $75\ cm^2$

개념 짚드백
① 가장 큰 원의 지름은 정사각형의 한 변의 길이와 같습니다.
② 원의 반지름을 구한 후 원의 넓이를 구합니다.

✤ 가장 큰 원의 지름은 정사각형의 한 변의 길이와 같으므로 10 cm이고, 반지름은 $10\div2=5$ (cm)입니다.
➔ $5\times5\times3=75\ (cm^2)$

2-1 다음 정사각형 안에 들어갈 수 있는 가장 큰 원의 넓이는 몇 cm^2인지 구해 보세요. (원주율: 3.1)

둘레: 64 cm

($198.4\ cm^2$)

✤ 가장 큰 원의 지름은 정사각형 한 변의 길이와 같으므로 $64\div4=16$ (cm)이고, 반지름은 $16\div2=8$ (cm)입니다.
➔ $8\times8\times3.1=198.4\ (cm^2)$

2-2 다음 직사각형 안에 들어갈 수 있는 가장 큰 원의 넓이는 몇 cm^2인지 구해 보세요. (원주율: 3.14)

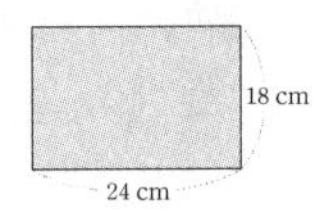

($254.34\ cm^2$)

✤ 가장 큰 원의 지름은 직사각형의 가로와 세로 중 더 짧은 것과 길이가 같으므로 18 cm이고, 반지름은 $18\div2=9$ (cm)입니다.
➔ $9\times9\times3.14=254.34\ (cm^2)$

1 주 교과서

26쪽 ~ 27쪽

정답과 풀이 p.6

3 단계 교과서 실력 다지기

★ 원의 넓이를 이용하여 원주 구하기

3 원의 원주를 구해 보세요. (원주율: 3)

답 72 cm

개념 짚드백
① 원의 넓이를 이용하여 지름을 구합니다.
② 원주를 구합니다.

✤ (원의 넓이)÷(원주율)=(반지름)×(반지름)$=432\div3=144$, $12\times12=144$이므로 반지름은 12 cm이고 지름은 $12\times2=24$ (cm)입니다.
➔ $24\times3=72$ (cm)

3-1 원의 원주를 구해 보세요. (원주율: 3.1)

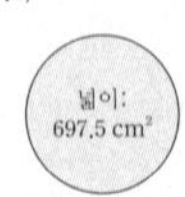

(93 cm)

✤ (원의 넓이)÷(원주율)=(반지름)×(반지름)$=697.5\div3.1=225$, $15\times15=225$이므로 반지름은 15 cm이고 지름은 $15\times2=30$ (cm)입니다.
➔ $30\times3.1=93$ (cm)

3-2 두 원의 원주의 차를 구해 보세요. (원주율: 3)

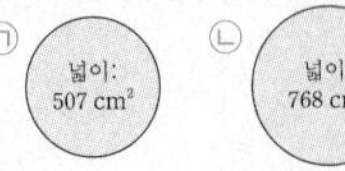

(18 cm)

✤ ㉠ $507\div3=169$, $13\times13=169$이므로 반지름은 13 cm이고 지름은 $13\times2=26$ (cm)입니다. ➔ $26\times3=78$ (cm)
㉡ $768\div3=256$, $16\times16=256$이므로 반지름은 16 cm이고 지름은 $16\times2=32$ (cm)입니다. ➔ $32\times3=96$ (cm)
따라서 두 원의 원주의 차는 $96-78=18$ (cm)입니다.

★ 색칠한 부분의 둘레 구하기

4 색칠한 부분의 둘레를 구해 보세요. (원주율: 3)

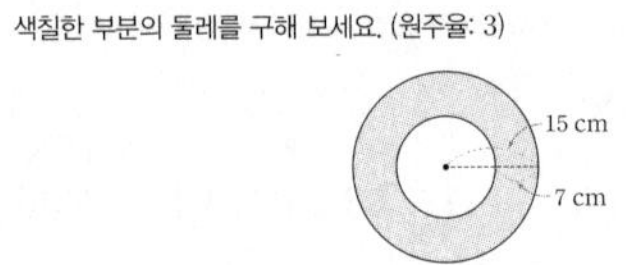

답 138 cm

개념 짚드백
① 큰 원과 작은 원의 원주를 각각 구합니다.
② 색칠한 부분의 둘레는 ①에서 구한 두 원의 원주의 합과 같습니다.

✤ 큰 원의 원주는 $15\times2\times3=90$ (cm)입니다. 작은 원의 반지름은 $15-7=8$ (cm)이므로 작은 원의 원주는 $8\times2\times3=48$ (cm)입니다.
➔ $90+48=138$ (cm)

4-1 색칠한 부분의 둘레를 구해 보세요. (원주율: 3.1)

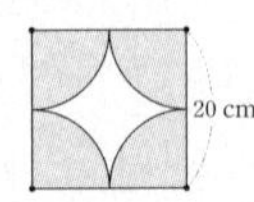

(142 cm)

✤ (색칠한 부분의 둘레)
=(한 변의 길이가 20 cm인 정사각형의 둘레)+(지름이 20 cm인 원의 원주)
$=20\times4+20\times3.1=80+62=142$ (cm)

4-2 색칠한 부분의 둘레를 구해 보세요. (원주율: 3.14)

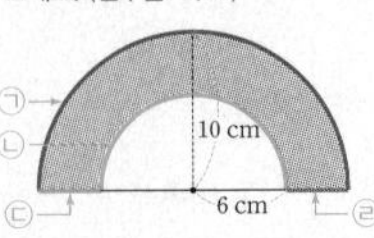

(58.24 cm)

✤ ㉠$=10\times2\times3.14\div2=31.4$ (cm),
㉡$=6\times2\times3.14\div2=18.84$ (cm), ㉢+㉣$=(10-6)\times2=8$ (cm)
➔ (색칠한 부분의 둘레)=㉠+㉡+㉢+㉣
$=31.4+18.84+8=58.24$ (cm)

1 주 교과서

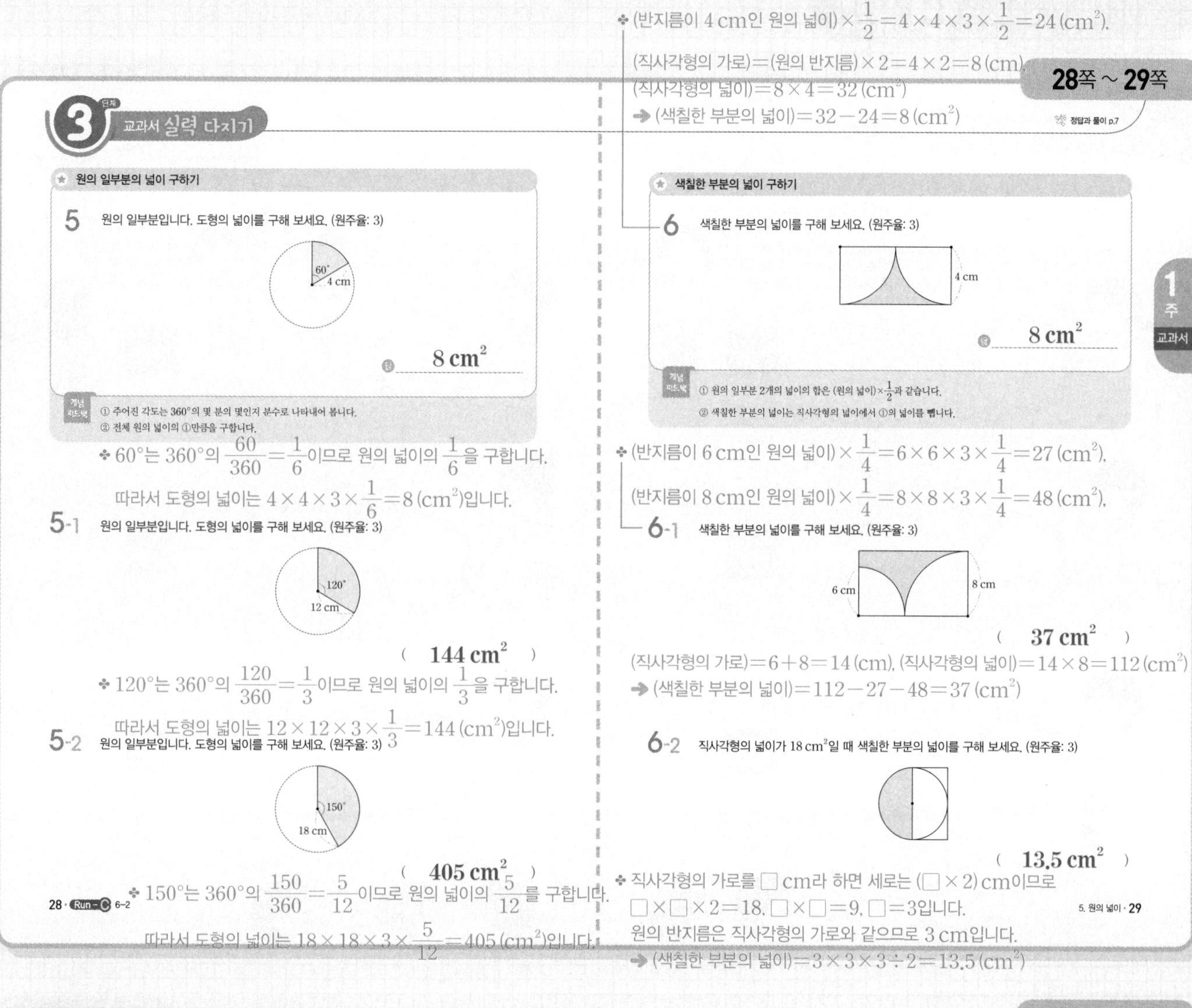

28쪽 ~ 29쪽

정답과 풀이 p.7

3단계 교과서 실력 다지기

원의 일부분의 넓이 구하기

5 원의 일부분입니다. 도형의 넓이를 구해 보세요. (원주율: 3)

60°, 4 cm

답 8 cm^2

개념 리드북 ① 주어진 각도는 360°의 몇 분의 몇인지 분수로 나타내어 봅니다. ② 전체 원의 넓이의 ①만큼을 구합니다.

✤ 60°는 360°의 $\frac{60}{360}=\frac{1}{6}$이므로 원의 넓이의 $\frac{1}{6}$을 구합니다.
따라서 도형의 넓이는 $4\times4\times3\times\frac{1}{6}=8\,(cm^2)$입니다.

5-1 원의 일부분입니다. 도형의 넓이를 구해 보세요. (원주율: 3)

120°, 12 cm

(144 cm^2)

✤ 120°는 360°의 $\frac{120}{360}=\frac{1}{3}$이므로 원의 넓이의 $\frac{1}{3}$을 구합니다.
따라서 도형의 넓이는 $12\times12\times3\times\frac{1}{3}=144\,(cm^2)$입니다.

5-2 원의 일부분입니다. 도형의 넓이를 구해 보세요. (원주율: 3)

150°, 18 cm

(405 cm^2)

✤ 150°는 360°의 $\frac{150}{360}=\frac{5}{12}$이므로 원의 넓이의 $\frac{5}{12}$를 구합니다.
따라서 도형의 넓이는 $18\times18\times3\times\frac{5}{12}=405\,(cm^2)$입니다.

색칠한 부분의 넓이 구하기

6 색칠한 부분의 넓이를 구해 보세요. (원주율: 3)

4 cm

답 8 cm^2

개념 리드북 ① 원의 일부분 2개의 넓이의 합은 (원의 넓이)$\times\frac{1}{2}$과 같습니다. ② 색칠한 부분의 넓이는 직사각형의 넓이에서 ①의 넓이를 뺍니다.

✤ (반지름이 4 cm인 원의 넓이)$\times\frac{1}{2}=4\times4\times3\times\frac{1}{2}=24\,(cm^2)$,
(직사각형의 가로)=(원의 반지름)$\times2=4\times2=8$ (cm),
(직사각형의 넓이)$=8\times4=32\,(cm^2)$
➡ (색칠한 부분의 넓이)$=32-24=8\,(cm^2)$

6-1 색칠한 부분의 넓이를 구해 보세요. (원주율: 3)

6 cm, 8 cm

(37 cm^2)

✤ (반지름이 6 cm인 원의 넓이)$\times\frac{1}{4}=6\times6\times3\times\frac{1}{4}=27\,(cm^2)$,
(반지름이 8 cm인 원의 넓이)$\times\frac{1}{4}=8\times8\times3\times\frac{1}{4}=48\,(cm^2)$,
(직사각형의 가로)$=6+8=14$ (cm), (직사각형의 넓이)$=14\times8=112\,(cm^2)$
➡ (색칠한 부분의 넓이)$=112-27-48=37\,(cm^2)$

6-2 직사각형의 넓이가 18 cm^2일 때 색칠한 부분의 넓이를 구해 보세요. (원주율: 3)

(13.5 cm^2)

✤ 직사각형의 가로를 □ cm라 하면 세로는 (□×2) cm이므로
□×□×2=18, □×□=9, □=3입니다.
원의 반지름은 직사각형의 가로와 같으므로 3 cm입니다.
➡ (색칠한 부분의 넓이)$=3\times3\times3\div2=13.5\,(cm^2)$

28 · Run-C 6-2   5. 원의 넓이 · 29

1주 교과서

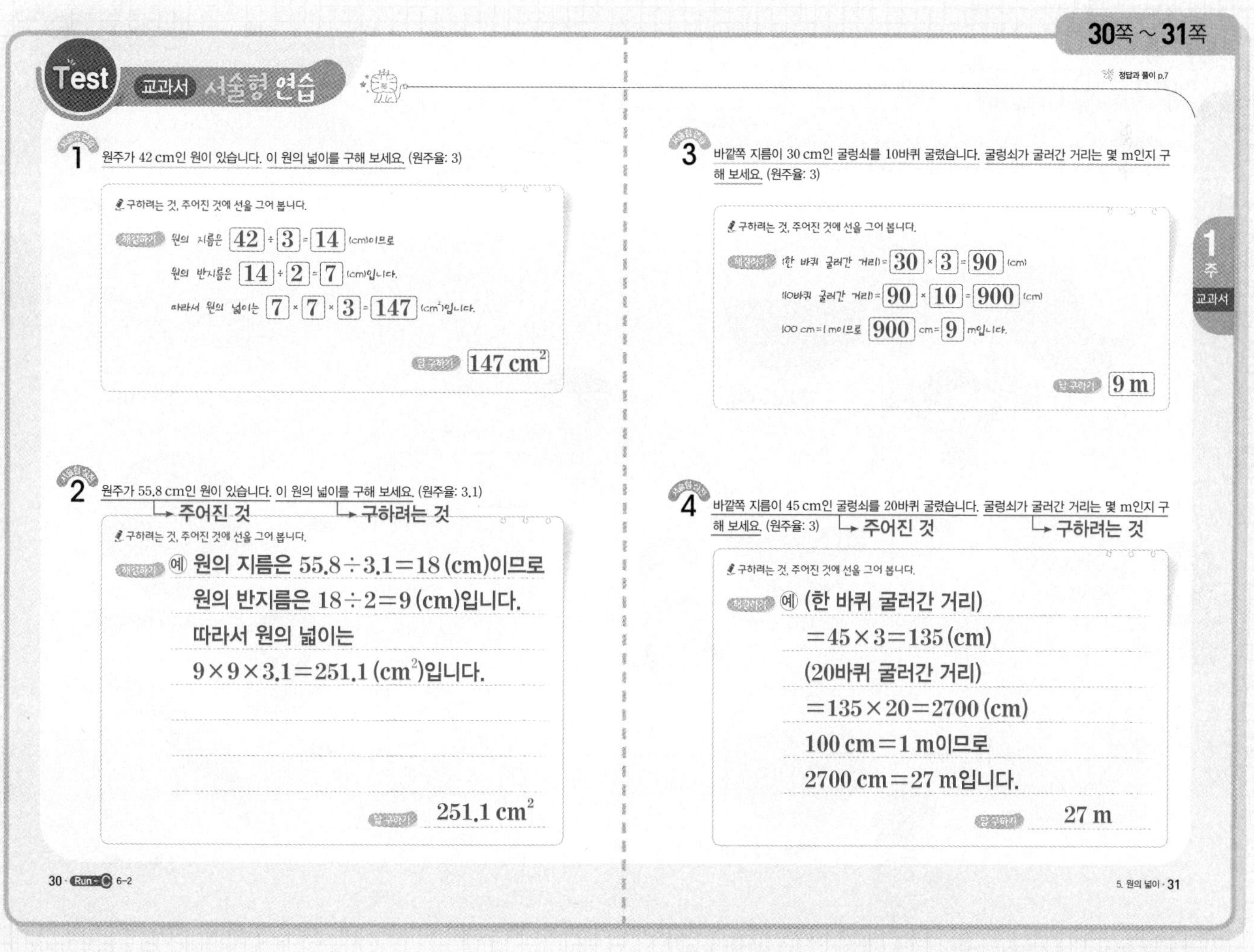

30쪽 ~ 31쪽

정답과 풀이 p.7

Test 교과서 서술형 연습

1 원주가 42 cm인 원이 있습니다. 이 원의 넓이를 구해 보세요. (원주율: 3)

구하려는 것, 주어진 것에 선을 그어 봅니다.

해결하기 원의 지름은 42 ÷ 3 = 14 (cm)이므로
원의 반지름은 14 ÷ 2 = 7 (cm)입니다.
따라서 원의 넓이는 7 × 7 × 3 = 147 (cm^2)입니다.

답 구하기 147 cm^2

2 원주가 55.8 cm인 원이 있습니다. 이 원의 넓이를 구해 보세요. (원주율: 3.1)
→ 주어진 것 → 구하려는 것

구하려는 것, 주어진 것에 선을 그어 봅니다.

해결하기 예 원의 지름은 $55.8\div3.1=18$ (cm)이므로
원의 반지름은 $18\div2=9$ (cm)입니다.
따라서 원의 넓이는
$9\times9\times3.1=251.1\,(cm^2)$입니다.

답 구하기 251.1 cm^2

3 바깥쪽 지름이 30 cm인 굴렁쇠를 10바퀴 굴렸습니다. 굴렁쇠가 굴러간 거리는 몇 m인지 구해 보세요. (원주율: 3)

구하려는 것, 주어진 것에 선을 그어 봅니다.

해결하기 (한 바퀴 굴러간 거리) = 30 × 3 = 90 (cm)
(10바퀴 굴러간 거리) = 90 × 10 = 900 (cm)
100 cm = 1 m이므로 900 cm = 9 m입니다.

답 구하기 9 m

4 바깥쪽 지름이 45 cm인 굴렁쇠를 20바퀴 굴렸습니다. 굴렁쇠가 굴러간 거리는 몇 m인지 구해 보세요. (원주율: 3)
→ 주어진 것 → 구하려는 것

구하려는 것, 주어진 것에 선을 그어 봅니다.

해결하기 예 (한 바퀴 굴러간 거리)
$=45\times3=135$ (cm)
(20바퀴 굴러간 거리)
$=135\times20=2700$ (cm)
100 cm=1 m이므로
2700 cm=27 m입니다.

답 구하기 27 m

30 · Run-C 6-2   5. 원의 넓이 · 31

1주 교과서

32쪽 ~ 33쪽

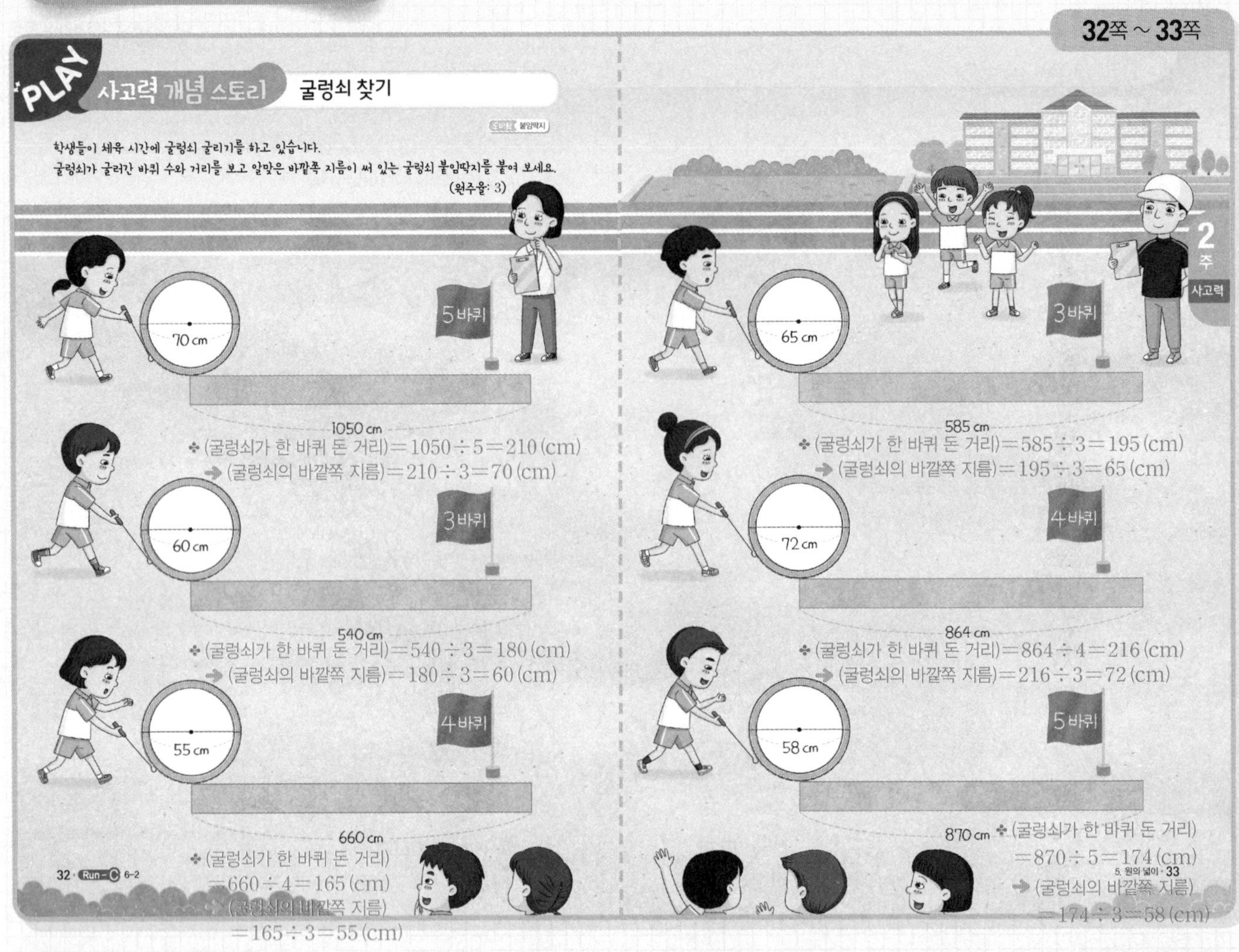

✤ (굴렁쇠가 한 바퀴 돈 거리)$=1050\div5=210$ (cm)
➜ (굴렁쇠의 바깥쪽 지름)$=210\div3=70$ (cm)

✤ (굴렁쇠가 한 바퀴 돈 거리)$=540\div3=180$ (cm)
➜ (굴렁쇠의 바깥쪽 지름)$=180\div3=60$ (cm)

✤ (굴렁쇠가 한 바퀴 돈 거리)
$=660\div4=165$ (cm)
➜ (굴렁쇠의 바깥쪽 지름)
$=165\div3=55$ (cm)

✤ (굴렁쇠가 한 바퀴 돈 거리)$=585\div3=195$ (cm)
➜ (굴렁쇠의 바깥쪽 지름)$=195\div3=65$ (cm)

✤ (굴렁쇠가 한 바퀴 돈 거리)$=864\div4=216$ (cm)
➜ (굴렁쇠의 바깥쪽 지름)$=216\div3=72$ (cm)

✤ (굴렁쇠가 한 바퀴 돈 거리)
$=870\div5=174$ (cm)
➜ (굴렁쇠의 바깥쪽 지름)
$=174\div3=58$ (cm)

34쪽 ~ 35쪽

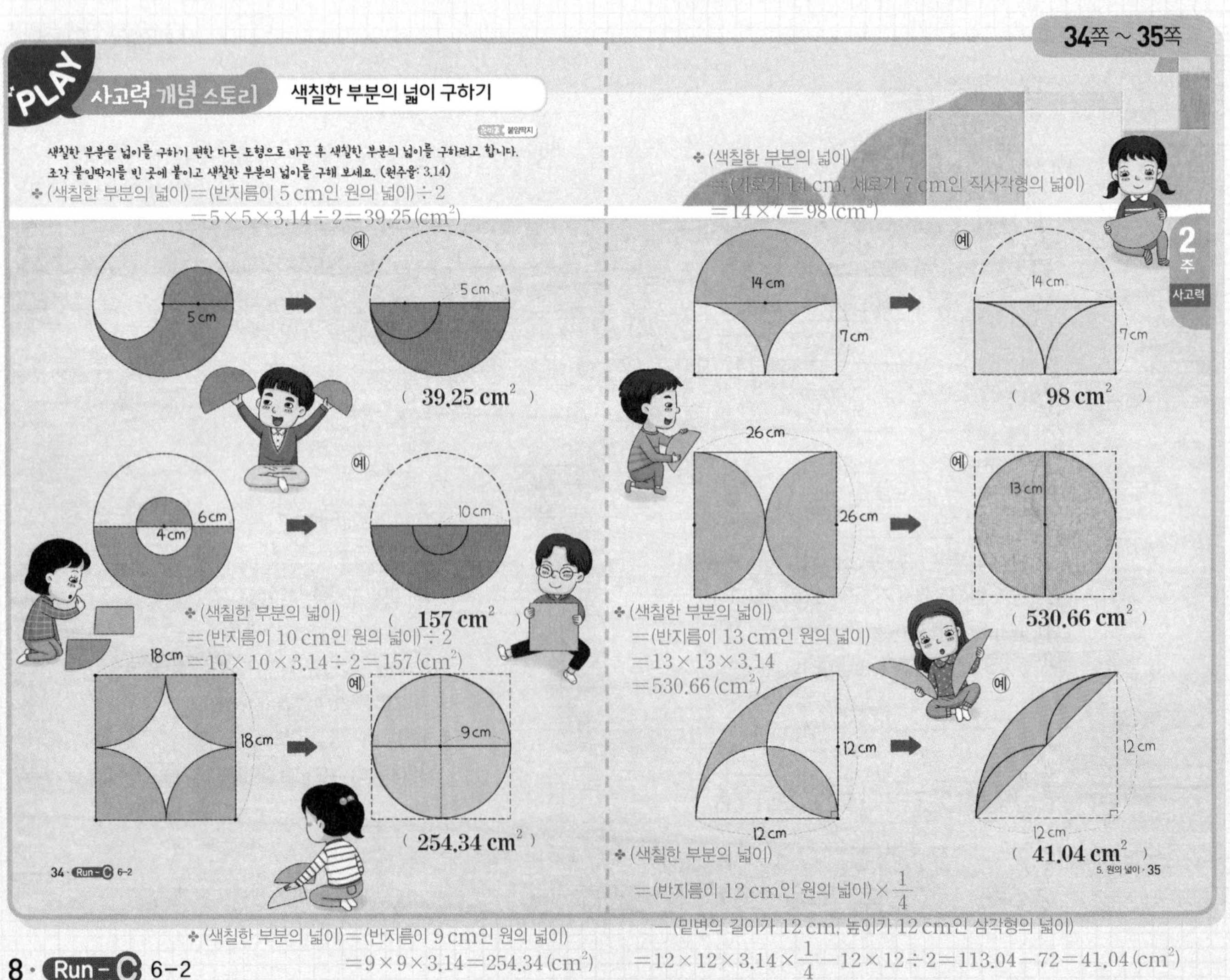

✤ (색칠한 부분의 넓이)=(반지름이 5 cm인 원의 넓이)$\div2$
$=5\times5\times3.14\div2=39.25$ (cm^2)

✤ (색칠한 부분의 넓이)
=(반지름이 10 cm인 원의 넓이)$\div2$
$=10\times10\times3.14\div2=157$ (cm^2)

✤ (색칠한 부분의 넓이)=(반지름이 9 cm인 원의 넓이)
$=9\times9\times3.14=254.34$ (cm^2)

✤ (색칠한 부분의 넓이)
=(가로가 14 cm, 세로가 7 cm인 직사각형의 넓이)
$=14\times7=98$ (cm^2)

✤ (색칠한 부분의 넓이)
=(반지름이 13 cm인 원의 넓이)
$=13\times13\times3.14$
$=530.66$ (cm^2)

✤ (색칠한 부분의 넓이)
=(반지름이 12 cm인 원의 넓이)$\times\frac{1}{4}$
−(밑변의 길이가 12 cm, 높이가 12 cm인 삼각형의 넓이)
$=12\times12\times3.14\times\frac{1}{4}-12\times12\div2=113.04-72=41.04$ (cm^2)

1단계 교과 사고력 잡기

1 벨트로 연결된 두 바퀴가 있습니다. 큰 바퀴가 1바퀴 돌 때 작은 바퀴는 2바퀴 돈다고 합니다. 큰 바퀴의 바깥쪽 지름이 28 cm일 때 작은 바퀴의 바깥쪽 원주는 몇 cm인지 구해 보세요. (원주율: 3.14)

① 알맞은 말에 ○표 하세요.

두 바퀴가 돌아갈 때 지나간 벨트의 길이는 서로 (같습니다, 다릅니다).
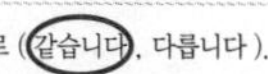

✤ 바퀴가 한 바퀴 돌아갈 때 바퀴의 바깥쪽 원주만큼 벨트가 돌아가므로 (바퀴의 바깥쪽 원주)=(지나간 벨트의 길이)입니다.

② 큰 바퀴의 바깥쪽 원주는 작은 바퀴의 바깥쪽 원주의 몇 배인지 구해 보세요.

(2배)

따라서 큰 바퀴가 1바퀴 돌 때 작은 바퀴는 2바퀴 돌았으므로 (큰 바퀴의 바깥쪽 원주)=(작은 바퀴의 바깥쪽 원주)×2입니다.

③ 큰 바퀴의 바깥쪽 원주는 몇 cm인지 구해 보세요.

(87.92 cm)

✤ $28\times3.14=87.92$ (cm)

④ 작은 바퀴의 바깥쪽 원주는 몇 cm인지 구해 보세요.

(43.96 cm)

✤ (큰 바퀴의 바깥쪽 원주)=(작은 바퀴의 바깥쪽 원주)×2이므로 87.92=(작은 바퀴의 바깥쪽 원주)×2입니다.
따라서 (작은 바퀴의 바깥쪽 원주)$=87.92\div2=43.96$ (cm)입니다.

2 가장 작은 원의 지름은 12 cm이고, 반지름이 3 cm씩 커지도록 과녁판을 만들었습니다. 8점을 얻을 수 있는 부분의 넓이는 몇 cm^2인지 구해 보세요. (원주율: 3.1)

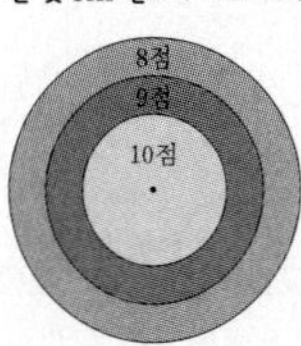

① 노란색 원의 넓이는 몇 cm^2인지 구해 보세요.

($111.6\ cm^2$)

✤ (반지름)$=12\div2=6$ (cm)
➔ $6\times6\times3.1=111.6\ (cm^2)$

② 노란색과 빨간색을 합한 원의 넓이는 몇 cm^2인지 구해 보세요.

($251.1\ cm^2$)

✤ 반지름이 3 cm씩 커지므로 (반지름)$=6+3=9$ (cm)입니다.
➔ $9\times9\times3.1=251.1\ (cm^2)$

③ 노란색, 빨간색, 파란색을 합한 원의 넓이는 몇 cm^2인지 구해 보세요.

($446.4\ cm^2$)

✤ 반지름이 3 cm씩 커지므로 (반지름)$=9+3=12$ (cm)입니다.
➔ $12\times12\times3.1=446.4\ (cm^2)$

④ 8점을 얻을 수 있는 부분의 넓이는 몇 cm^2인지 구해 보세요.

($195.3\ cm^2$)

✤ (8점을 얻을 수 있는 부분의 넓이)
=(노란색, 빨간색, 파란색을 합한 원의 넓이)
−(노란색과 빨간색을 합한 원의 넓이)
$=446.4-251.1=195.3\ (cm^2)$

1단계 교과 사고력 잡기

3 원주가 96 cm인 원 모양의 피자를 똑같이 나누어 먹었습니다. 먹은 피자의 넓이는 몇 cm^2인지 구해 보세요. (원주율: 3)

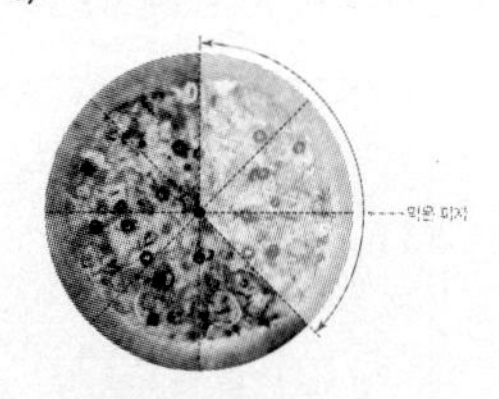

① 피자의 반지름은 몇 cm인지 구해 보세요.

(16 cm)

✤ (피자의 반지름)=(원주)÷(원주율)÷2
$=96\div3\div2=16$ (cm)

② 피자 전체의 넓이는 몇 cm^2인지 구해 보세요.

($768\ cm^2$)

✤ (피자 전체의 넓이)=(반지름)×(반지름)×(원주율)
$=16\times16\times3=768\ (cm^2)$

③ 먹은 피자는 전체 피자의 몇 분의 몇인지 분수로 나타내어 보세요.

($\frac{3}{8}$)

✤ 먹은 피자는 전체를 똑같이 8로 나눈 것 중 3이므로 $\frac{3}{8}$입니다.

④ 먹은 피자의 넓이는 몇 cm^2인지 구해 보세요.

($288\ cm^2$)

✤ (먹은 피자의 넓이)$=768\times\frac{3}{8}=288\ (cm^2)$

4 밑면의 모양이 왼쪽과 같은 고깔을 원의 중심 ㅇ에 고정 시킨 후 원주를 따라 굴리고 있습니다. 고깔이 출발한 자리로 돌아오려면 고깔을 적어도 몇 바퀴 굴려야 하는지 구해 보세요. (원주율: 3.14)

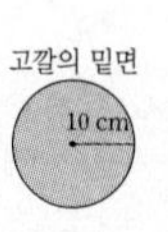

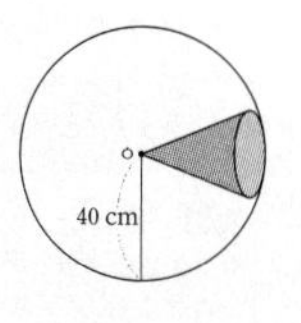

① 고깔의 밑면의 원주는 몇 cm인지 구해 보세요.

(62.8 cm)

✤ $10\times2\times3.14=62.8$ (cm)

② 고깔을 굴린 큰 원의 원주는 몇 cm인지 구해 보세요.

(251.2 cm)

✤ $40\times2\times3.14=251.2$ (cm)

③ 알맞은 말에 ○표 하세요.

고깔이 출발한 자리로 돌아오려면 큰 원의 (원주, 지름)만큼 돌아야 합니다.

④ 고깔을 적어도 몇 바퀴 굴려야 하는지 구해 보세요.

(4바퀴)

✤ $251.2\div62.8=4$ (바퀴)

2단계 교과 사고력 확장

정답과 풀이 p.10

1 굴렁쇠 ㉠이 7바퀴 굴러간 자리에서 굴렁쇠 ㉡을 몇 바퀴 굴렸습니다. 두 굴렁쇠가 굴러간 거리가 총 1980 cm라면 굴렁쇠 ㉡을 몇 바퀴 굴린 것인지 구해 보세요. (원주율: 3)

① 굴렁쇠 ㉠이 7바퀴 굴러간 거리는 몇 cm인지 구해 보세요.
(630 cm)
✤ $30 \times 3 \times 7 = 630$ (cm)

② 굴렁쇠 ㉡이 굴러간 거리는 몇 cm인지 구해 보세요.
(1350 cm)
✤ $1980 - 630 = 1350$ (cm)

③ 굴렁쇠 ㉡이 한 바퀴 굴러간 거리는 몇 cm인지 구해 보세요.
(150 cm)
✤ $50 \times 3 = 150$ (cm)

④ 굴렁쇠 ㉡을 몇 바퀴 굴린 것인지 구해 보세요.
(9바퀴)
✤ $1350 \div 150 = 9$(바퀴)

2 원 모양의 호수 둘레에 4.65 m의 간격으로 의자가 80개 놓여 있습니다. 이 호수의 넓이는 몇 m^2인지 구해 보세요. (원주율: 3.1) (단, 의자의 길이는 생각하지 않습니다.)

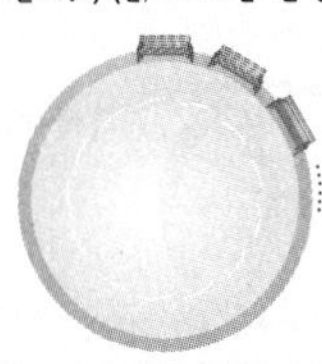

① 알맞은 말을 한 사람을 찾아 이름을 써 보세요.

강호: 의자의 수는 간격의 수보다 1만큼 커.

서희: 의자의 수와 간격의 수는 서로 같아.

(서희)
✤ 원 모양의 호수의 둘레에 같은 간격으로 의자를 놓으면 의자의 수와 간격의 수는 서로 같습니다.

② 호수의 둘레는 몇 m인지 구해 보세요.
(372 m)
✤ $4.65 \times 80 = 372$ (m)

③ 호수의 반지름은 몇 m인지 구해 보세요.
(60 m)
✤ $372 \div 3.1 \div 2 = 60$ (m)

④ 호수의 넓이는 몇 m^2인지 구해 보세요.
(11160 m^2)
✤ $60 \times 60 \times 3.1 = 11160$ (m^2)

2단계 교과 사고력 확장

정답과 풀이 p.10

3 다음 조건을 만족하는 운동장의 넓이는 몇 m^2인지 구해 보세요. (원주율: 3)

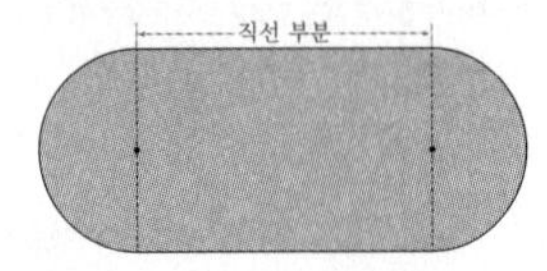

조건
- 운동장 한 바퀴는 480 m입니다.
- 운동장에서 직선 부분의 거리의 합은 240 m입니다.
- 운동장 양 끝은 반원 모양입니다.
- 운동장 가운데는 직사각형 모양입니다.

① 반원의 반지름은 몇 m인지 구해 보세요.
(40 m)
✤ (반원 부분의 거리의 합)$= 480 - 240 = 240$ (m)
➜ $240 \div 3 \div 2 = 40$ (m)

② 운동장에서 반원 부분의 넓이의 합은 몇 m^2인지 구해 보세요.
(4800 m^2)
✤ 반원 부분의 넓이의 합은 반지름이 40 m인 원의 넓이와 같습니다.
➜ $40 \times 40 \times 3 = 4800$ (m^2)

③ 운동장에서 직사각형 부분의 넓이는 몇 m^2인지 구해 보세요.
(9600 m^2)
✤ 직사각형의 가로는 $240 \div 2 = 120$ (m)이고, 세로는 $40 \times 2 = 80$ (m)입니다.
➜ $120 \times 80 = 9600$ (m^2)

④ 운동장의 넓이는 몇 m^2인지 구해 보세요.
(14400 m^2)
✤ $4800 + 9600 = 14400$ (m^2)

4 크기가 같은 원 모양의 음료수 캔 15개를 그림과 같이 끈으로 한 번 묶었습니다. 매듭으로 사용한 끈의 길이가 10 cm일 때, 사용한 끈의 길이는 몇 cm인지 구해 보세요. (원주율: 3.14)

반지름이 10 cm인 원의 원주의 $\frac{1}{4}$

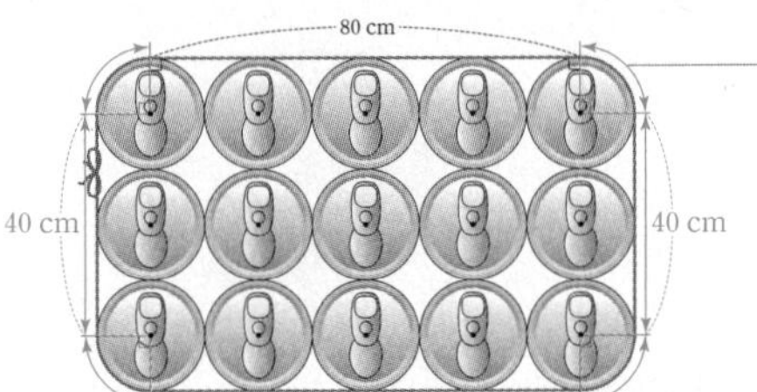

① 음료수 캔의 반지름은 몇 cm인지 구해 보세요.
(10 cm)
✤ $80 \div 8 = 10$ (cm)

② 곡선 부분의 길이의 합은 몇 cm인지 구해 보세요.
(62.8 cm)
✤ (곡선 부분의 길이의 합)=(반지름이 10 cm인 원의 원주)
$= 10 \times 2 \times 3.14 = 62.8$ (cm)

③ 직선 부분의 길이의 합은 몇 cm인지 구해 보세요.
(240 cm)
✤ (직선 부분의 길이의 합)$= 80 \times 2 + 40 \times 2$
$= 160 + 80 = 240$ (cm)

④ 사용한 끈의 길이는 몇 cm인지 구해 보세요.
(312.8 cm)
✤ $62.8 + 240 + 10 = 312.8$ (cm)

3 단계 교과 사고력 완성

정답과 풀이 p.11

평가 영역 □개념 이해력 ☑개념 응용력 □창의력 □문제 해결력

1 레인의 폭이 1 m인 트랙의 안쪽과 바깥쪽 둘레를 따라 민기와 예지가 같은 방향으로 달렸습니다. 출발 지점에서 도착 지점까지 두 사람이 달린 거리가 같을 때 예지는 민기보다 몇 m 앞에서 출발한 것인지 구해 보세요. (원주율: 3.14)

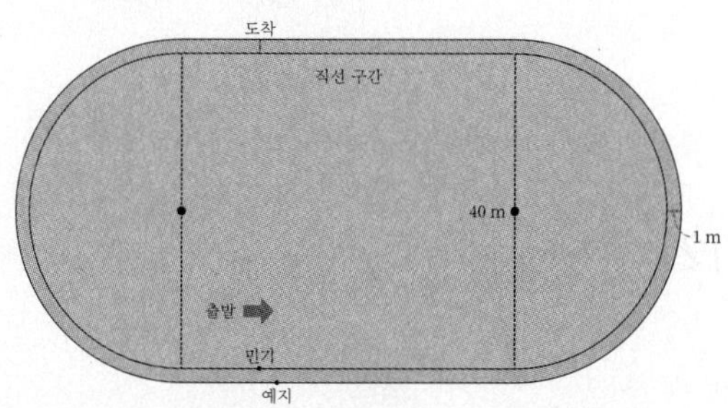

① 알맞은 말에 ○표 하세요.

두 사람이 트랙의 둘레를 따라 달릴 때 직선 구간의 거리는 (같고 , 다르고) 곡선 구간의 거리는 (같습니다 , 다릅니다).

② 예지가 달린 곡선 구간 반원의 지름을 구해 보세요.

(**42 m**)

❖ 레인의 폭이 1 m이므로 반원의 지름은 2 m 차이 납니다.
➔ $40+2=42$ (m)

③ 민기와 예지가 달린 곡선 구간의 거리는 각각 몇 m인지 구해 보세요.

민기 (**62.8 m**), 예지 (**65.94 m**)

❖ 민기: $40\times3.14\div2=62.8$ (m),
예지: $42\times3.14\div2=65.94$ (m)

④ 예지는 민기보다 몇 m 앞에서 출발한 것인지 구해 보세요.

(**3.14 m**)

❖ 곡선 구간의 거리가 예지가 민기보다 $65.94-62.8=3.14$ (m) 더 길므로 3.14 m 앞에서 출발한 것입니다.

평가 영역 □개념 이해력 □개념 응용력 □창의력 ☑문제 해결력

2 한 변의 길이가 4 cm인 정사각형의 둘레에 크기가 다른 원의 $\frac{1}{4}$인 모양을 붙여서 만든 것입니다. 색칠한 부분의 넓이는 몇 cm^2인지 구해 보세요. (원주율: 3)

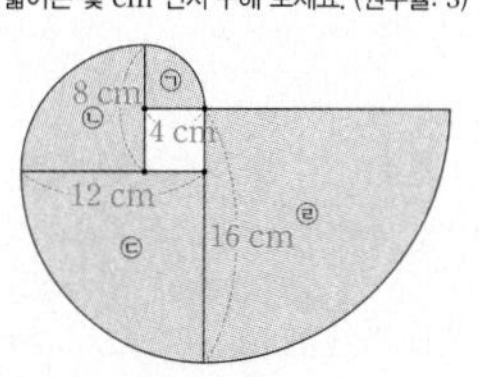

① ㉠의 넓이는 몇 cm^2인지 구해 보세요.

(**12 cm^2**)

❖ (㉠의 넓이)=(반지름이 4 cm인 원의 넓이)$\times\frac{1}{4}$
$=4\times4\times3\times\frac{1}{4}=12$ (cm^2)

② ㉡의 넓이는 몇 cm^2인지 구해 보세요.

(**48 cm^2**)

❖ (㉡의 넓이)=(반지름이 8 cm인 원의 넓이)$\times\frac{1}{4}$
$=8\times8\times3\times\frac{1}{4}=48$ (cm^2)

③ ㉢의 넓이는 몇 cm^2인지 구해 보세요.

(**108 cm^2**)

❖ (㉢의 넓이)=(반지름이 12 cm인 원의 넓이)$\times\frac{1}{4}$
$=12\times12\times3\times\frac{1}{4}=108$ (cm^2)

④ ㉣의 넓이는 몇 cm^2인지 구해 보세요.

(**192 cm^2**)

❖ (㉣의 넓이)=(반지름이 16 cm인 원의 넓이)$\times\frac{1}{4}$
$=16\times16\times3\times\frac{1}{4}=192$ (cm^2)

⑤ 색칠한 부분의 넓이는 몇 cm^2인지 구해 보세요.

(**360 cm^2**)

❖ $12+48+108+192=360$ (cm^2)

Test 종합평가 5. 원의 넓이

맞은 개수

정답과 풀이 p.11

1 원을 한없이 잘라서 이어 붙여 직사각형을 만들었습니다. □ 안에 알맞은 말을 써넣으세요.

❖ 직사각형의 가로는 (원주)$\times\frac{1}{2}$과 같고, 세로는 원의 반지름과 같습니다.

2 원에 대한 설명으로 잘못된 것을 찾아 기호를 써 보세요.

㉠ 원의 둘레를 원주라고 합니다.
㉡ 원의 지름이 길어지면 원주도 길어집니다.
㉢ 원주는 원의 지름의 약 3배입니다.
㉣ 원의 크기가 커지면 원주율도 커집니다.

(**㉣**)

❖ ㉣ 원주율은 원의 크기와 상관없이 일정합니다.

3 원주를 구해 보세요.

(**46.5 cm**) (**75.36 cm**)

❖ (1) $15\times3.1=46.5$ (cm)
(2) $12\times2\times3.14=75.36$ (cm)

4 원의 넓이를 구해 보세요.

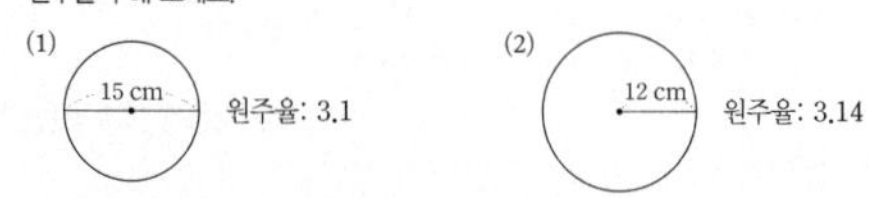

(**867 cm^2**) (**615.44 cm^2**)

❖ (1) $17\times17\times3=867$ (cm^2)
(2) (원의 반지름)$=28\div2=14$ (cm)
➔ $14\times14\times3.14=615.44$ (cm^2)

5 원의 반지름을 구해 보세요.

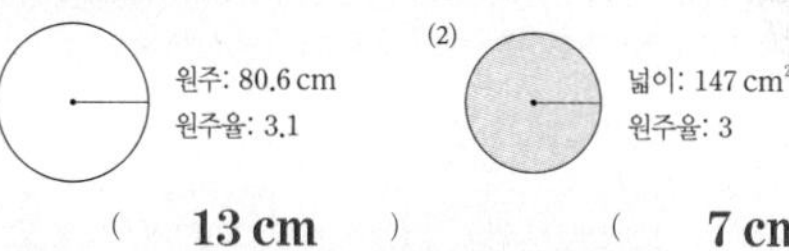

(**13 cm**) (**7 cm**)

❖ (1) $80.6\div3.1\div2=13$ (cm)
(2) (원의 넓이)÷(원주율)=(반지름)×(반지름)$=147\div3=49$,
$7\times7=49$이므로 (반지름)=7 cm입니다.

6 두 원을 이어 붙여서 만든 도형입니다. 큰 원의 원주를 구해 보세요. (원주율: 3.1)

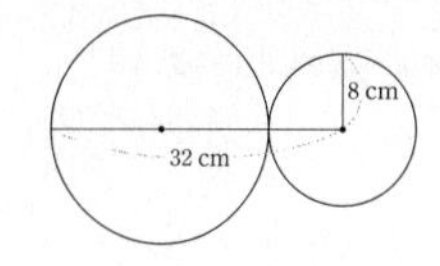

(**74.4 cm**)

❖ (큰 원의 지름)$=32-8=24$ (cm)
➔ $24\times3.1=74.4$ (cm)

7 다음 직사각형 안에 들어갈 수 있는 가장 큰 원의 넓이는 몇 cm^2인지 구해 보세요. (원주율: 3.14)

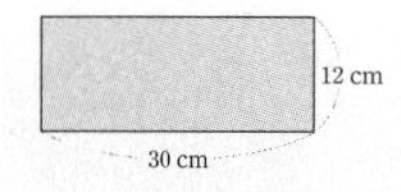

(**113.04 cm^2**)

❖ 가장 큰 원의 지름은 직사각형의 가로와 세로 중 더 짧은 것과 길이가 같으므로 12 cm이고, 반지름은 $12\div2=6$ (cm)입니다.
➔ $6\times6\times3.14=113.04$ (cm^2)

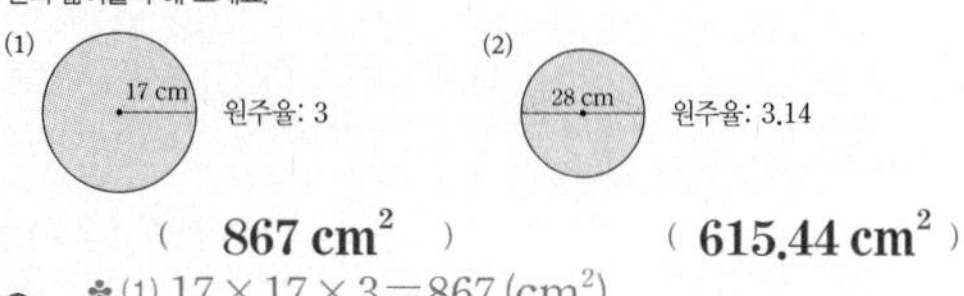

48쪽 ~ 49쪽

Test 종합평가 5. 원의 넓이

정답과 풀이 p.12

8 큰 원부터 순서대로 기호를 써 보세요. (원주율: 3)

㉠ 반지름이 12 cm인 원 ㉡ 지름이 36 cm인 원
㉢ 원주가 60 cm인 원 ㉣ 넓이가 675 cm^2인 원

(㉡, ㉣, ㉠, ㉢)

✤ 반지름이 길수록 큰 원이므로 반지름을 구해 비교해 봅니다.
㉠ 12 cm, ㉡ $36 \div 2 = 18$ (cm), ㉢ $60 \div 3 \div 2 = 10$ (cm),
㉣ $675 \div 3 = 225$, $15 \times 15 = 225$이므로 15 cm입니다.
➔ $18 > 15 > 12 > 10$이므로 ㉡, ㉣, ㉠, ㉢입니다.

9 색칠한 부분의 둘레는 몇 cm인지 구해 보세요. (원주율: 3.14)

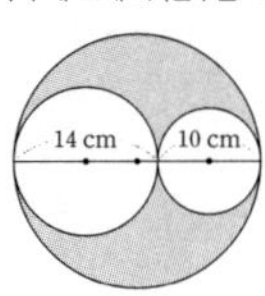

(**150.72 cm**)

✤ (색칠한 부분의 둘레)
=(지름이 24 cm인 원의 원주)
+(지름이 14 cm인 원의 원주)+(지름이 10 cm인 원의 원주)
$= 24 \times 3.14 + 14 \times 3.14 + 10 \times 3.14$
$= 75.36 + 43.96 + 31.4 = 150.72$ (cm)

10 직사각형과 원의 넓이가 같습니다. 원의 원주는 몇 cm인지 구해 보세요. (원주율: 3)

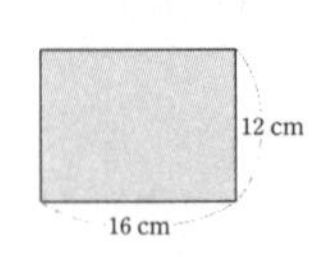

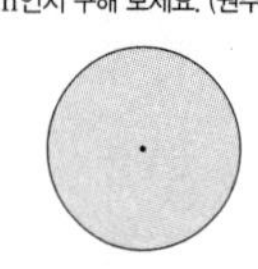

(**48 cm**)

✤ (직사각형의 넓이)$= 16 \times 12 = 192$ (cm^2)
(반지름)×(반지름)$= 192 \div 3 = 64$, $8 \times 8 = 64$이므로
(반지름)$= 8$ cm입니다.
➔ (원주)$= 8 \times 2 \times 3 = 48$ (cm)

11 원의 일부분입니다. 도형의 둘레는 몇 cm인지 구해 보세요. (원주율: 3)

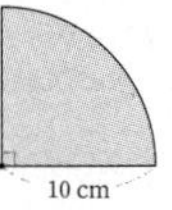

✤ 90°는 360°의 $\frac{90}{360} = \frac{1}{4}$이므로
도형은 반지름이 10 cm인 원의 $\frac{1}{4}$입니다.
➔ (둘레)=(반지름이 10 cm인 원의 원주)$\times \frac{1}{4} + 10 \times 2$
$= 10 \times 2 \times 3 \times \frac{1}{4} + 20 = 15 + 20 = 35$ (cm)

(**35 cm**)

12 원주가 108 cm인 원 모양의 피자를 똑같이 나누어 먹었습니다. 먹은 피자의 넓이는 몇 cm^2인지 구해 보세요. (원주율: 3)

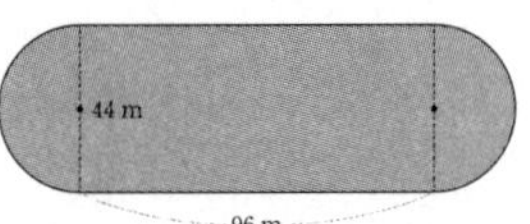

✤ (피자의 반지름)
$= 108 \div 3 \div 2 = 18$ (cm)
(피자 전체의 넓이)
$= 18 \times 18 \times 3 = 972$ (cm^2)
먹은 피자는 전체를 똑같이 12로 나눈 것 중 7이므로 $\frac{7}{12}$입니다.
➔ (먹은 피자의 넓이)$= 972 \times \frac{7}{12} = 567$ (cm^2)입니다.

(**567 cm^2**)

13 진호는 다음과 같은 운동장의 둘레를 따라 3바퀴 달렸습니다. 진호가 달린 거리는 몇 m인지 구해 보세요. (원주율: 3)

✤ (운동장의 둘레)
=(직선 부분의 거리의 합)+(곡선 부분의 거리의 합)
$= 96 \times 2 + 44 \times 3 = 192 + 132 = 324$ (m)
➔ (진호가 달린 거리)$= 324 \times 3 = 972$ (m)

(**972 m**)

2주 평가

50쪽 ~ 51쪽

Test 종합평가 5. 원의 넓이

정답과 풀이 p.12

14 지름을 1 cm씩 늘여가며 원을 그리고 있습니다. 첫 번째 원의 지름이 4 cm일 때 원의 넓이가 첫 번째 원의 16배가 되는 것은 몇 번째 원인지 구해 보세요.

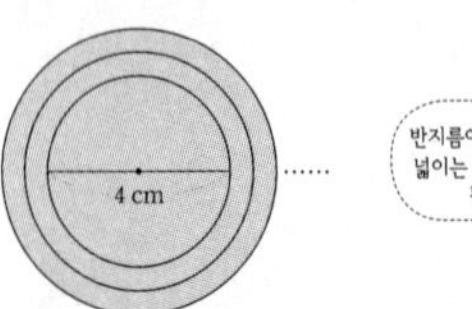

4 cm
반지름이 ■배가 되면 넓이는 (■×■)배가 됩니다.

(**13번째**)

✤ 원의 넓이가 16배가 되려면 반지름이 4배가 되어야 합니다.
첫 번째 원의 반지름이 $4 \div 2 = 2$ (cm)이므로 4배는
$2 \times 4 = 8$ (cm)이고 이때 지름은 $8 \times 2 = 16$ (cm)입니다.
따라서 지름이 16 cm인 원을 찾으면 $4 + 1 \times 12 = 16$이므로 13번째 원입니다.

15 색칠한 부분의 넓이를 구해 보세요. (원주율: 3.1)

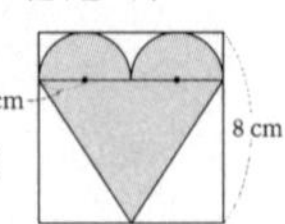

✤ (반원의 넓이)
$= 2 \times 2 \times 3.1 \div 2 = 6.2$ (cm^2)
(삼각형의 밑변의 길이)
$= 2 \times 4 = 8$ (cm),
(삼각형의 높이)$= 8 - 2 = 6$ (cm), (삼각형의 넓이)$= 8 \times 6 \div 2 = 24$ (cm^2)
➔ (색칠한 부분의 넓이)$= 6.2 + 6.2 + 24 = 36.4$ (cm^2)

(**36.4 cm^2**)

16 직사각형 안에 크기가 다른 원의 $\frac{1}{4}$인 모양을 3개 그린 것입니다. 색칠한 부분의 둘레는 몇 cm인지 구해 보세요. (원주율: 3)

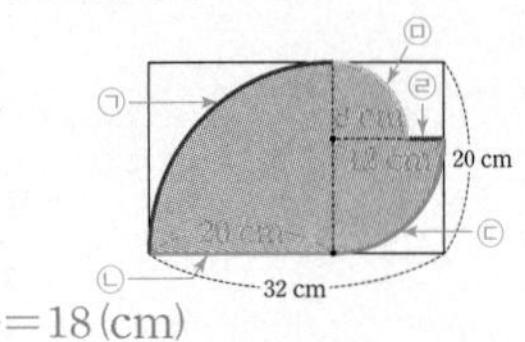

✤ ㉠ $20 \times 2 \times 3 \times \frac{1}{4} = 30$ (cm)
㉡ 20 cm
㉢ $12 \times 2 \times 3 \times \frac{1}{4} = 18$ (cm)
㉣ $12 - 8 = 4$ (cm)
㉤ $8 \times 2 \times 3 \times \frac{1}{4} = 12$ (cm)
➔ (색칠한 부분의 둘레)=㉠+㉡+㉢+㉣+㉤
$= 30 + 20 + 18 + 4 + 12 = 84$ (cm)

(**84 cm**)

특강 창의·융합 사고력

정답과 풀이 p.12

1 태극기는 흰색 바탕에 태극 문양과 네 모서리의 건곤감리 4괘로 구성되어 있습니다. 태극 문양의 지름은 태극기 세로의 $\frac{1}{2}$입니다. 태극 문양의 파란색 부분의 넓이는 몇 cm^2인지 구해 보세요. (원주율: 3.14)

(1) 태극 문양의 반지름은 몇 cm인지 구해 보세요.

(**9 cm**)

✤ (태극 문양의 지름)=(태극기의 세로)$\times \frac{1}{2} = 36 \times \frac{1}{2} = 18$ (cm)
➔ (태극 문양의 반지름)$= 18 \div 2 = 9$ (cm)

(2) 태극 문양의 전체 넓이는 몇 cm^2인지 구해 보세요.

(**254.34 cm^2**)

✤ $9 \times 9 \times 3.14 = 254.34$ (cm^2)

(3) 알맞은 말에 ○표 하세요.

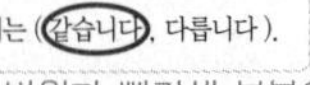

태극 문양에서 빨간색 부분의 넓이와 파란색 부분의 넓이는 (같습니다, 다릅니다).

✤ 태극 문양에서 파란색 부분의 가장 작은 반원과 빨간색 부분의 가장 작은 반원의 넓이는 같습니다. 따라서 태극 문양은 지름을 기준으로 빨간색 부분과 파란색 부분으로 나뉘므로 넓이가 같습니다.

(4) 태극 문양의 파란색 부분의 넓이는 몇 cm^2인지 구해 보세요.

(**127.17 cm^2**)

✤ 태극 문양에서 빨간색 부분의 넓이와 파란색 부분의 넓이가 같으므로
(파란색 부분의 넓이)=(태극 문양의 전체 넓이)$\div 2$
$= 254.34 \div 2 = 127.17$ (cm^2)입니다.

2주 평가

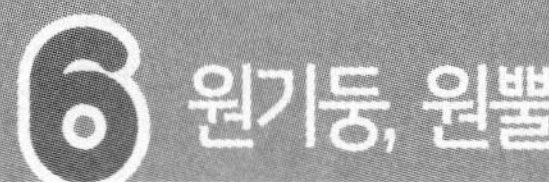
6 원기둥, 원뿔, 구

입체도형

우리 주위에는 다양한 모양의 입체도형을 볼 수 있습니다. 마트에 진열되어 있는 물건을 보고 어떤 입체도형을 찾을 수 있는지 함께 알아볼까요?

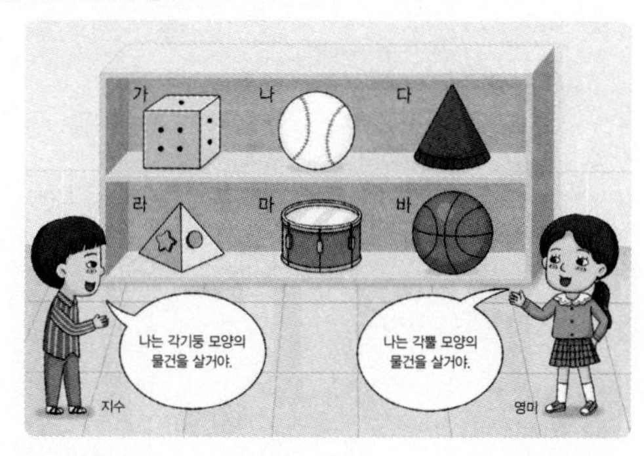

지수가 사려는 물건을 찾아 기호를 써 보세요.

(가)

영미가 사려는 물건을 찾아 기호를 써 보세요.

(라)

지수와 영미가 사지 않은 물건과 같은 모양의 입체도형은 어떤 이름과 특징을 가지고 있는지 알아보도록 할까요?

각기둥의 이름을 써 보세요.

❶ (사각기둥) ❷ (육각기둥)

✤ 밑면의 모양이 ■각형이면 ■각기둥입니다.

각뿔의 이름을 써 보세요.

❶ (삼각뿔) ❷ (오각뿔)

✤ 밑면의 모양이 ▲각형이면 ▲각뿔입니다.

관계있는 것끼리 선으로 이어 보세요.

1단계 교과서 개념 잡기

개념 1 원기둥 알아보기

(1) 원기둥: 등과 같은 입체도형

(2) 원기둥의 특징 알아보기
- 두 면은 평평한 원입니다.
- 두 면은 서로 평행하고 합동입니다.
- 옆을 둘러싼 면은 굽은 면입니다.
- 굴리면 잘 굴러갑니다.

(3) 원기둥의 구성 요소 알아보기
- 밑면: 서로 평행하고 합동인 두 면
- 옆면: 두 밑면과 만나는 면
- 높이: 두 밑면에 수직인 선분의 길이

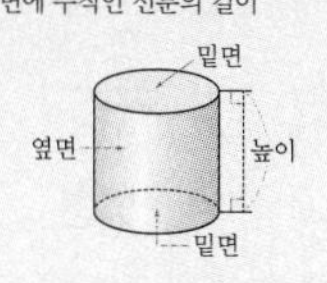

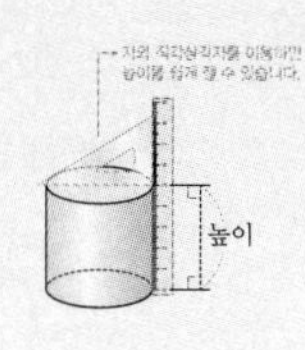

(4) 원기둥 만들기

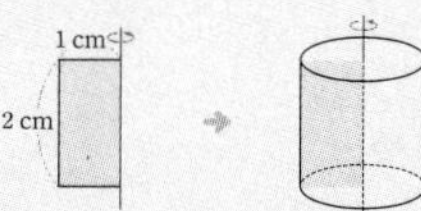

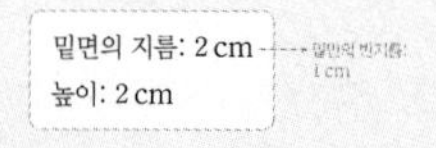

➔ 한 변을 기준으로 직사각형 모양의 종이를 돌리면 원기둥이 만들어집니다.

참고
- 원기둥과 각기둥 비교하기

원기둥	각기둥
• 꼭짓점이 없습니다. • 밑면이 원입니다. • 옆면이 굽은 면입니다.	• 꼭짓점이 있습니다. • 밑면이 다각형입니다. • 옆면이 평평한 면입니다.

개념 확인 문제

정답과 풀이 p.13

1-1 원기둥을 찾아 기호를 써 보세요.

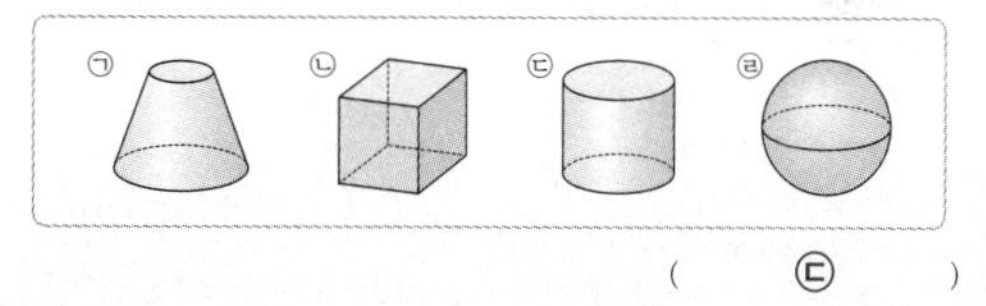

(㉢)

1-2 원기둥에서 밑면을 찾아 색칠해 보세요.

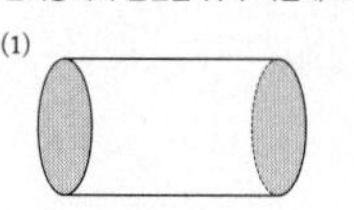

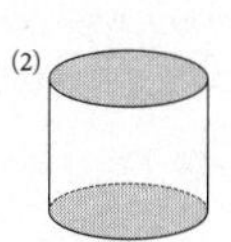

✤ 서로 평행하고 합동인 두 면을 찾습니다.

1-3 □ 안에 알맞은 말을 보기에서 찾아 써넣으세요.

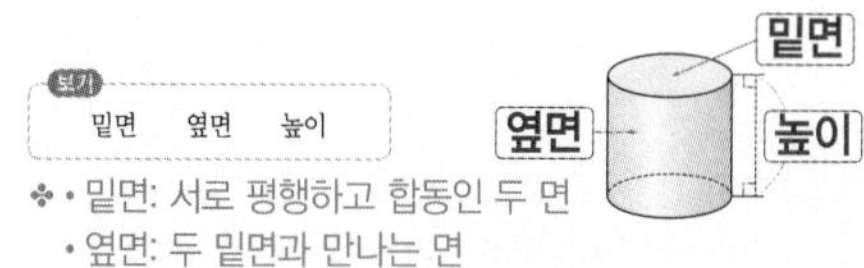

✤ • 밑면: 서로 평행하고 합동인 두 면
• 옆면: 두 밑면과 만나는 면
• 높이: 두 밑면에 수직인 선분의 길이

1-4 원기둥의 높이를 구해 보세요.

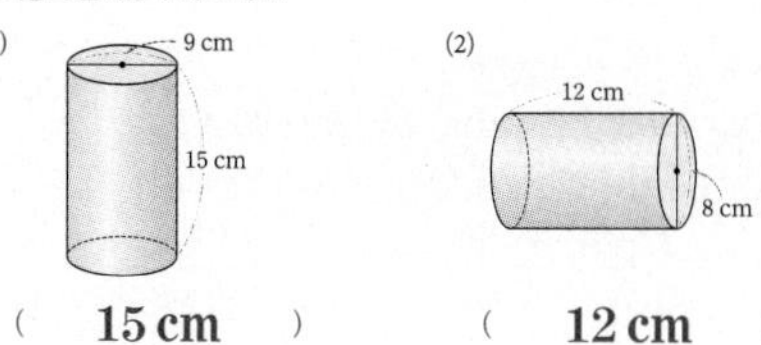

(15 cm) (12 cm)

✤ 두 밑면에 수직인 선분의 길이가 높이입니다.

3주 교과서

56쪽 ~ 57쪽

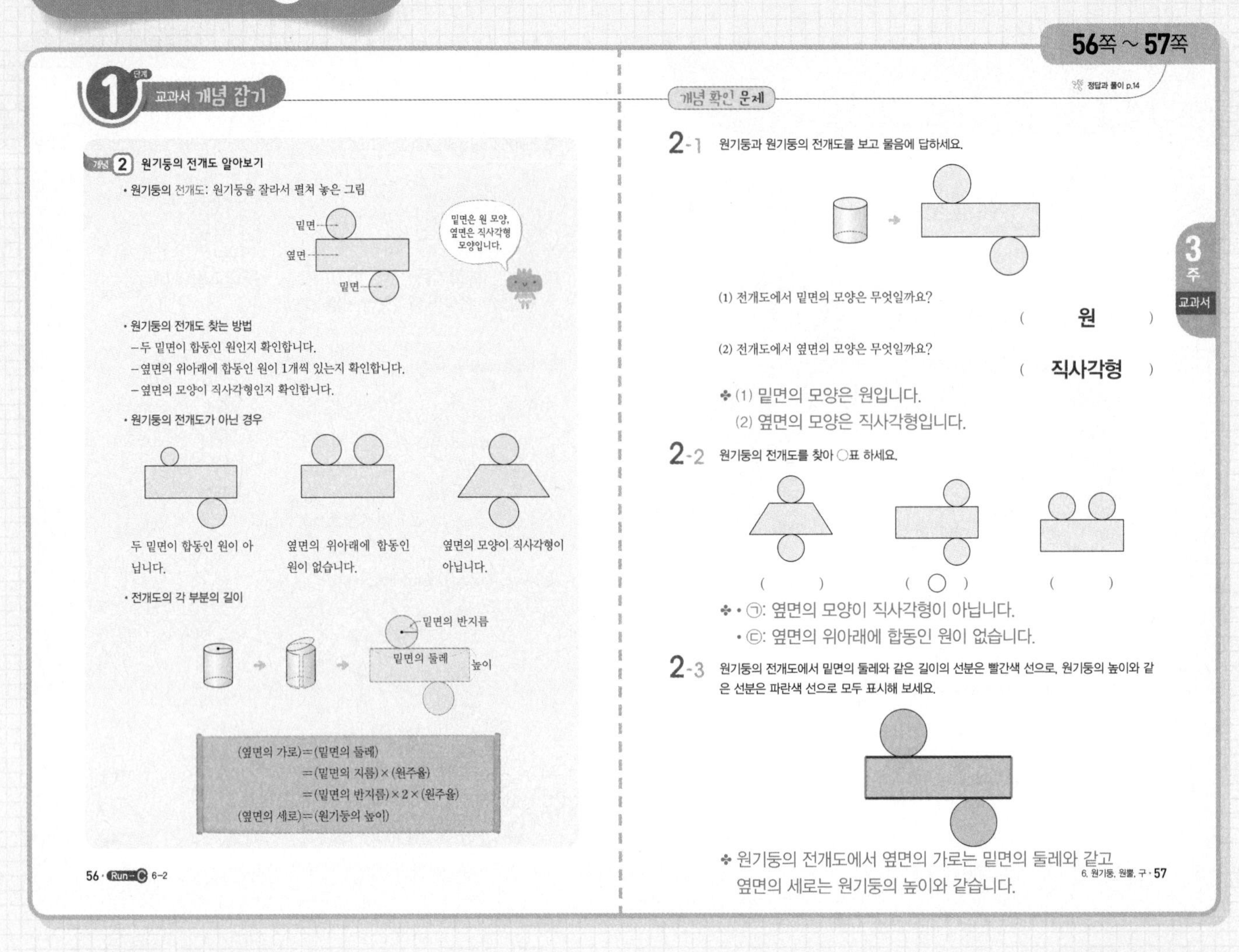

1단계 교과서 개념 잡기

개념 2 원기둥의 전개도 알아보기

• 원기둥의 전개도: 원기둥을 잘라서 펼쳐 놓은 그림

• 원기둥의 전개도 찾는 방법
– 두 밑면이 합동인 원인지 확인합니다.
– 옆면의 위아래에 합동인 원이 1개씩 있는지 확인합니다.
– 옆면의 모양이 직사각형인지 확인합니다.

• 원기둥의 전개도가 아닌 경우

두 밑면이 합동인 원이 아닙니다. / 옆면의 위아래에 합동인 원이 없습니다. / 옆면의 모양이 직사각형이 아닙니다.

• 전개도의 각 부분의 길이

(옆면의 가로)=(밑면의 둘레)
=(밑면의 지름)×(원주율)
=(밑면의 반지름)×2×(원주율)
(옆면의 세로)=(원기둥의 높이)

56 · Run-C 6-2

개념 확인 문제

정답과 풀이 p.14

2-1 원기둥과 원기둥의 전개도를 보고 물음에 답하세요.

(1) 전개도에서 밑면의 모양은 무엇일까요?
(원)

(2) 전개도에서 옆면의 모양은 무엇일까요?
(직사각형)

✤ (1) 밑면의 모양은 원입니다.
(2) 옆면의 모양은 직사각형입니다.

2-2 원기둥의 전개도를 찾아 ○표 하세요.

( ) (○) ( )

✤ • ㉠: 옆면의 모양이 직사각형이 아닙니다.
• ㉢: 옆면의 위아래에 합동인 원이 없습니다.

2-3 원기둥의 전개도에서 밑면의 둘레와 같은 길이의 선분은 빨간색 선으로, 원기둥의 높이와 같은 선분은 파란색 선으로 모두 표시해 보세요.

✤ 원기둥의 전개도에서 옆면의 가로는 밑면의 둘레와 같고 옆면의 세로는 원기둥의 높이와 같습니다.

6. 원기둥, 원뿔, 구 · 57

3주 교과서

58쪽 ~ 59쪽

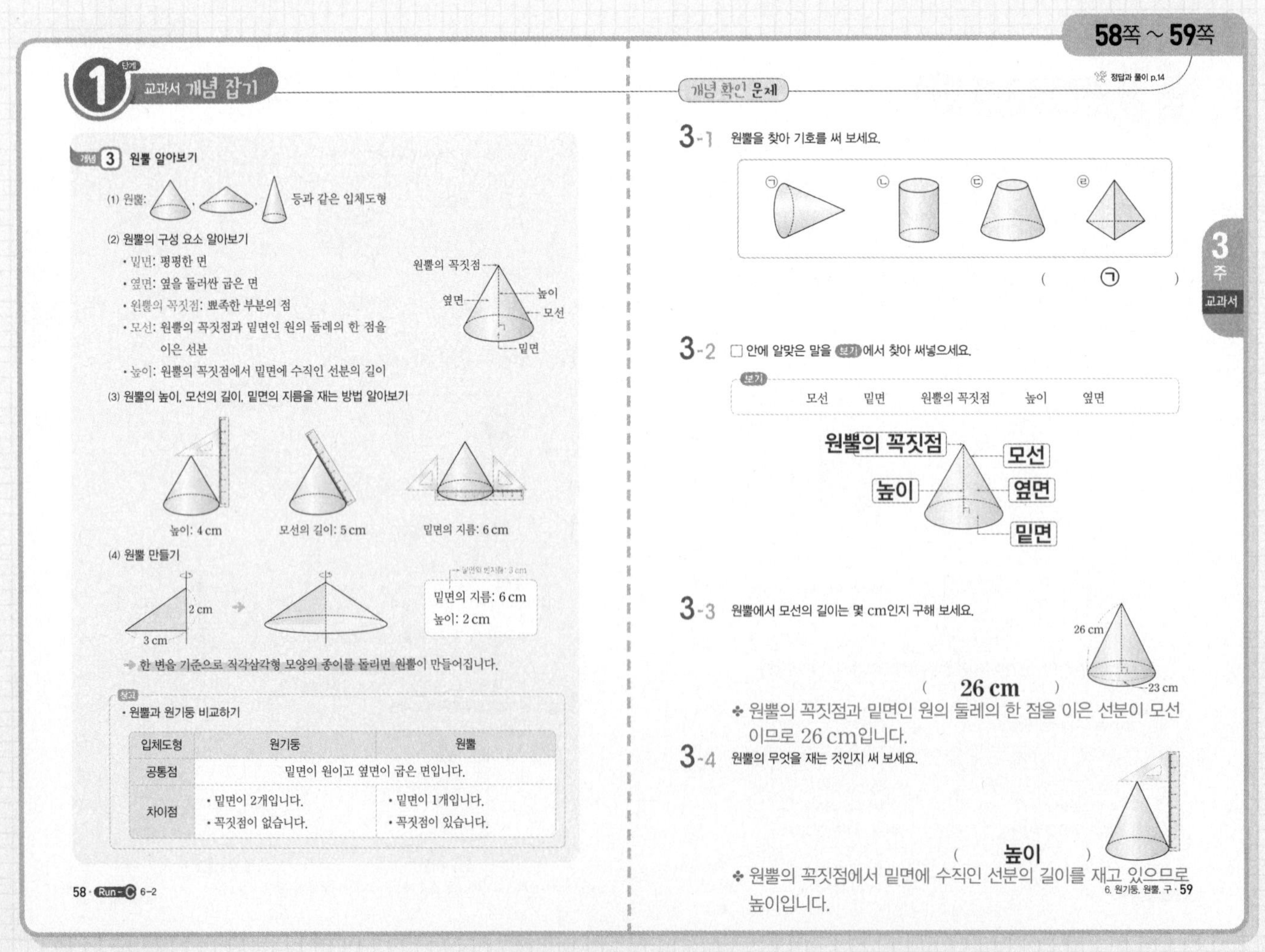

1단계 교과서 개념 잡기

개념 3 원뿔 알아보기

(1) 원뿔: 등과 같은 입체도형

(2) 원뿔의 구성 요소 알아보기
• 밑면: 평평한 면
• 옆면: 옆을 둘러싼 굽은 면
• 원뿔의 꼭짓점: 뾰족한 부분의 점
• 모선: 원뿔의 꼭짓점과 밑면인 원의 둘레의 한 점을 이은 선분
• 높이: 원뿔의 꼭짓점에서 밑면에 수직인 선분의 길이

(3) 원뿔의 높이, 모선의 길이, 밑면의 지름을 재는 방법 알아보기

(4) 원뿔 만들기

→ 한 변을 기준으로 직각삼각형 모양의 종이를 돌리면 원뿔이 만들어집니다.

참고
• 원뿔과 원기둥 비교하기

입체도형	원기둥	원뿔
공통점	밑면이 원이고 옆면이 굽은 면입니다.	
차이점	• 밑면이 2개입니다. • 꼭짓점이 없습니다.	• 밑면이 1개입니다. • 꼭짓점이 있습니다.

58 · Run-C 6-2

개념 확인 문제

정답과 풀이 p.14

3-1 원뿔을 찾아 기호를 써 보세요.

㉠ ㉡ ㉢ ㉣

(㉠)

3-2 □ 안에 알맞은 말을 보기에서 찾아 써넣으세요.

보기: 모선 밑면 원뿔의 꼭짓점 높이 옆면

3-3 원뿔에서 모선의 길이는 몇 cm인지 구해 보세요.

(26 cm)

✤ 원뿔의 꼭짓점과 밑면인 원의 둘레의 한 점을 이은 선분이 모선이므로 26 cm입니다.

3-4 원뿔의 무엇을 재는 것인지 써 보세요.

(높이)

✤ 원뿔의 꼭짓점에서 밑면에 수직인 선분의 길이를 재고 있으므로 높이입니다.

6. 원기둥, 원뿔, 구 · 59

3주 교과서

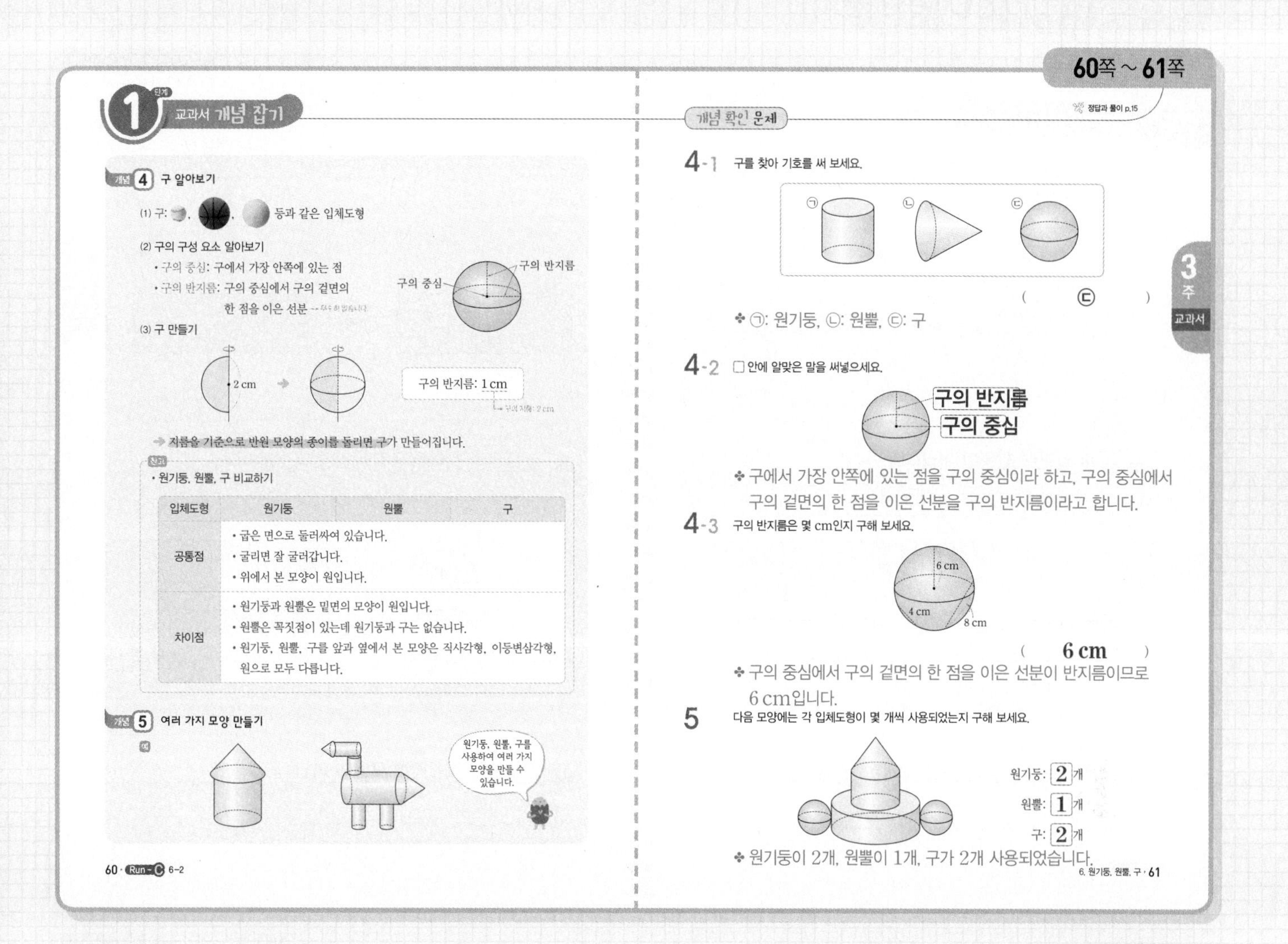
60쪽 ~ 61쪽

1단계 교과서 개념 잡기

개념 4 구 알아보기

(1) 구: 등과 같은 입체도형

(2) 구의 구성 요소 알아보기
- 구의 중심: 구에서 가장 안쪽에 있는 점
- 구의 반지름: 구의 중심에서 구의 겉면의 한 점을 이은 선분

구의 중심, 구의 반지름

(3) 구 만들기

2 cm → 구의 반지름: 1 cm

→ 지름을 기준으로 반원 모양의 종이를 돌리면 구가 만들어집니다.

참고
- 원기둥, 원뿔, 구 비교하기

입체도형	원기둥	원뿔	구
공통점	• 굽은 면으로 둘러싸여 있습니다. • 굴리면 잘 굴러갑니다. • 위에서 본 모양이 원입니다.		
차이점	• 원기둥과 원뿔은 밑면의 모양이 원입니다. • 원뿔은 꼭짓점이 있는데 원기둥과 구는 없습니다. • 원기둥, 원뿔, 구를 앞과 옆에서 본 모양은 직사각형, 이등변삼각형, 원으로 모두 다릅니다.		

개념 5 여러 가지 모양 만들기

예

원기둥, 원뿔, 구를 사용하여 여러 가지 모양을 만들 수 있습니다.

60 · Run-C 6-2

개념 확인 문제

정답과 풀이 p.15

4-1 구를 찾아 기호를 써 보세요.

㉠ ㉡ ㉢

(㉢)

✤ ㉠: 원기둥, ㉡: 원뿔, ㉢: 구

4-2 □ 안에 알맞은 말을 써넣으세요.

구의 반지름
구의 중심

✤ 구에서 가장 안쪽에 있는 점을 구의 중심이라 하고, 구의 중심에서 구의 겉면의 한 점을 이은 선분을 구의 반지름이라고 합니다.

4-3 구의 반지름은 몇 cm인지 구해 보세요.

6 cm, 4 cm, 8 cm

(6 cm)

✤ 구의 중심에서 구의 겉면의 한 점을 이은 선분이 반지름이므로 6 cm입니다.

5 다음 모양에는 각 입체도형이 몇 개씩 사용되었는지 구해 보세요.

원기둥: 2개
원뿔: 1개
구: 2개

✤ 원기둥이 2개, 원뿔이 1개, 구가 2개 사용되었습니다.

6. 원기둥, 원뿔, 구 · 61

3주 교과서

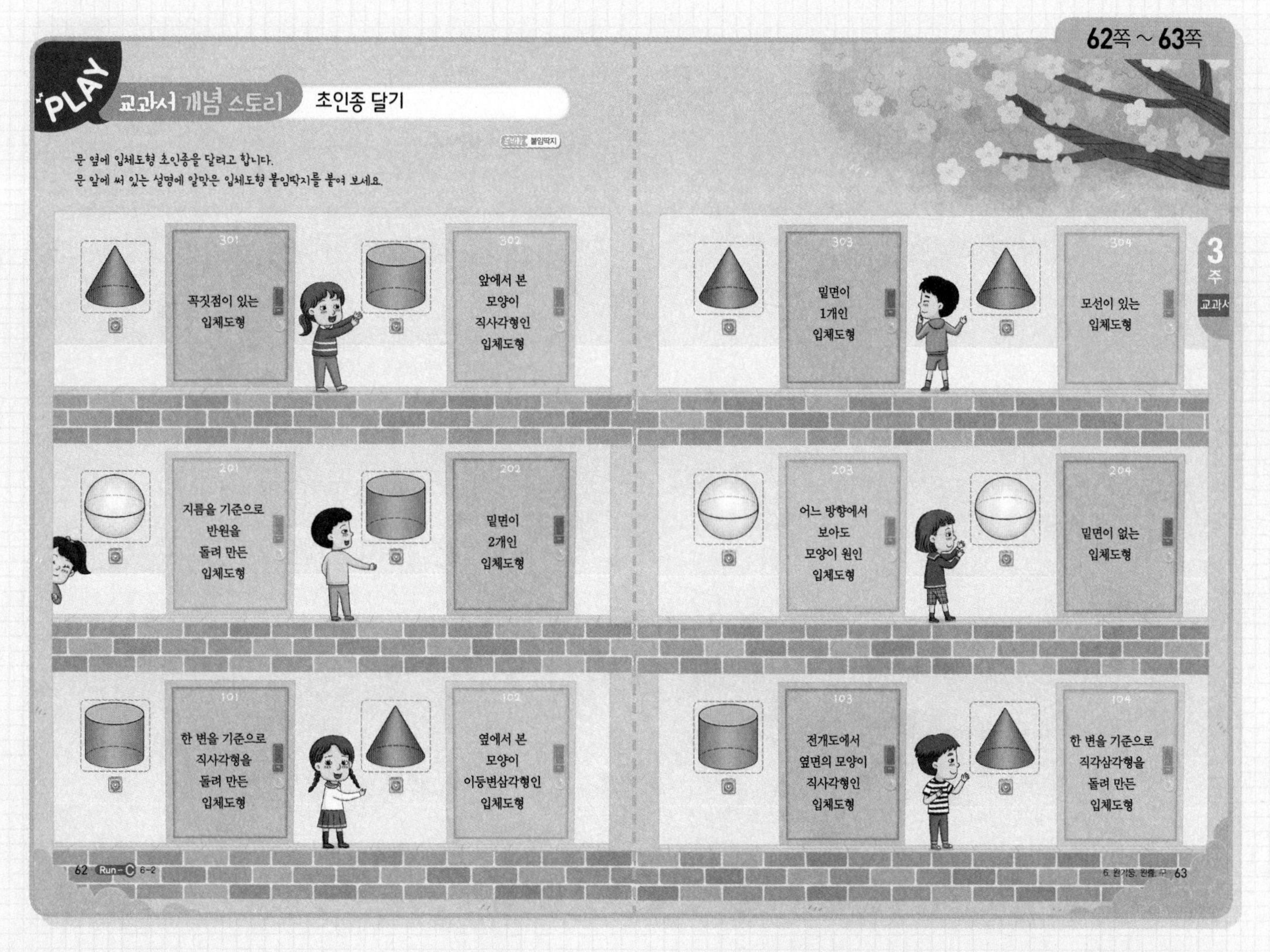
62쪽 ~ 63쪽

PLAY 교과서 개념 스토리 초인종 달기

준비물 붙임딱지

문 옆에 입체도형 초인종을 달려고 합니다.
문 앞에 써 있는 설명에 알맞은 입체도형 붙임딱지를 붙여 보세요.

301 꼭짓점이 있는 입체도형
302 앞에서 본 모양이 직사각형인 입체도형
303 밑면이 1개인 입체도형
304 모선이 있는 입체도형
201 지름을 기준으로 반원을 돌려 만든 입체도형
202 밑면이 2개인 입체도형
203 어느 방향에서 보아도 모양이 원인 입체도형
204 밑면이 없는 입체도형
101 한 변을 기준으로 직사각형을 돌려 만든 입체도형
102 옆에서 본 모양이 이등변삼각형인 입체도형
103 전개도에서 옆면의 모양이 직사각형인 입체도형
104 한 변을 기준으로 직각삼각형을 돌려 만든 입체도형

62 Run-C 6-2

6. 원기둥, 원뿔, 구 63

3주 교과서

64쪽 ~ 65쪽

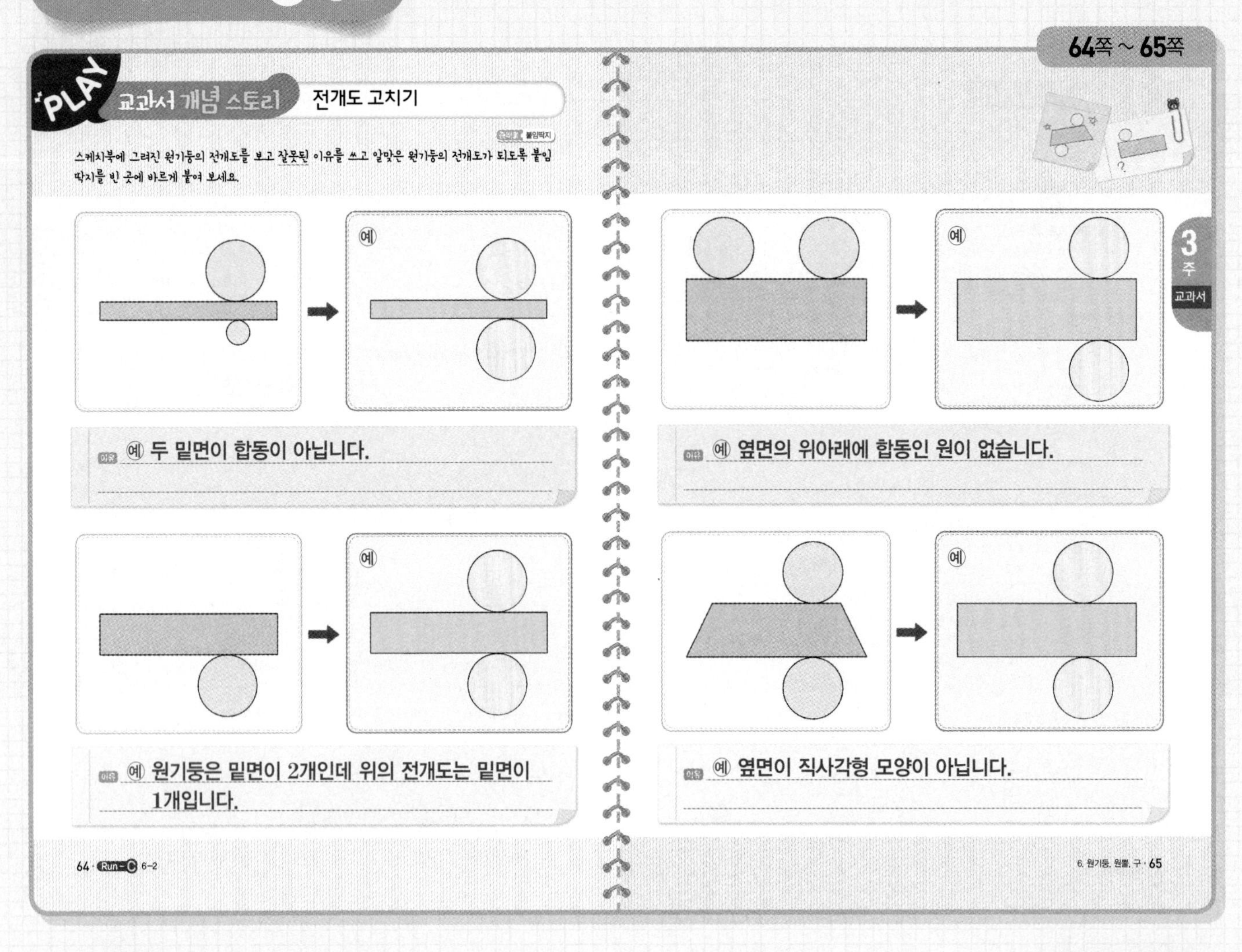

PLAY 교과서 개념 스토리
전개도 고치기
스케치북에 그려진 원기둥의 전개도를 보고 잘못된 이유를 쓰고 알맞은 원기둥의 전개도가 되도록 붙임딱지를 빈 곳에 바르게 붙여 보세요.
예
이유 예 두 밑면이 합동이 아닙니다.
이유 예 옆면의 위아래에 합동인 원이 없습니다.
이유 예 원기둥은 밑면이 2개인데 위의 전개도는 밑면이 1개입니다.
이유 예 옆면이 직사각형 모양이 아닙니다.
64 · Run-C 6-2
6. 원기둥, 원뿔, 구 · 65

66쪽 ~ 67쪽

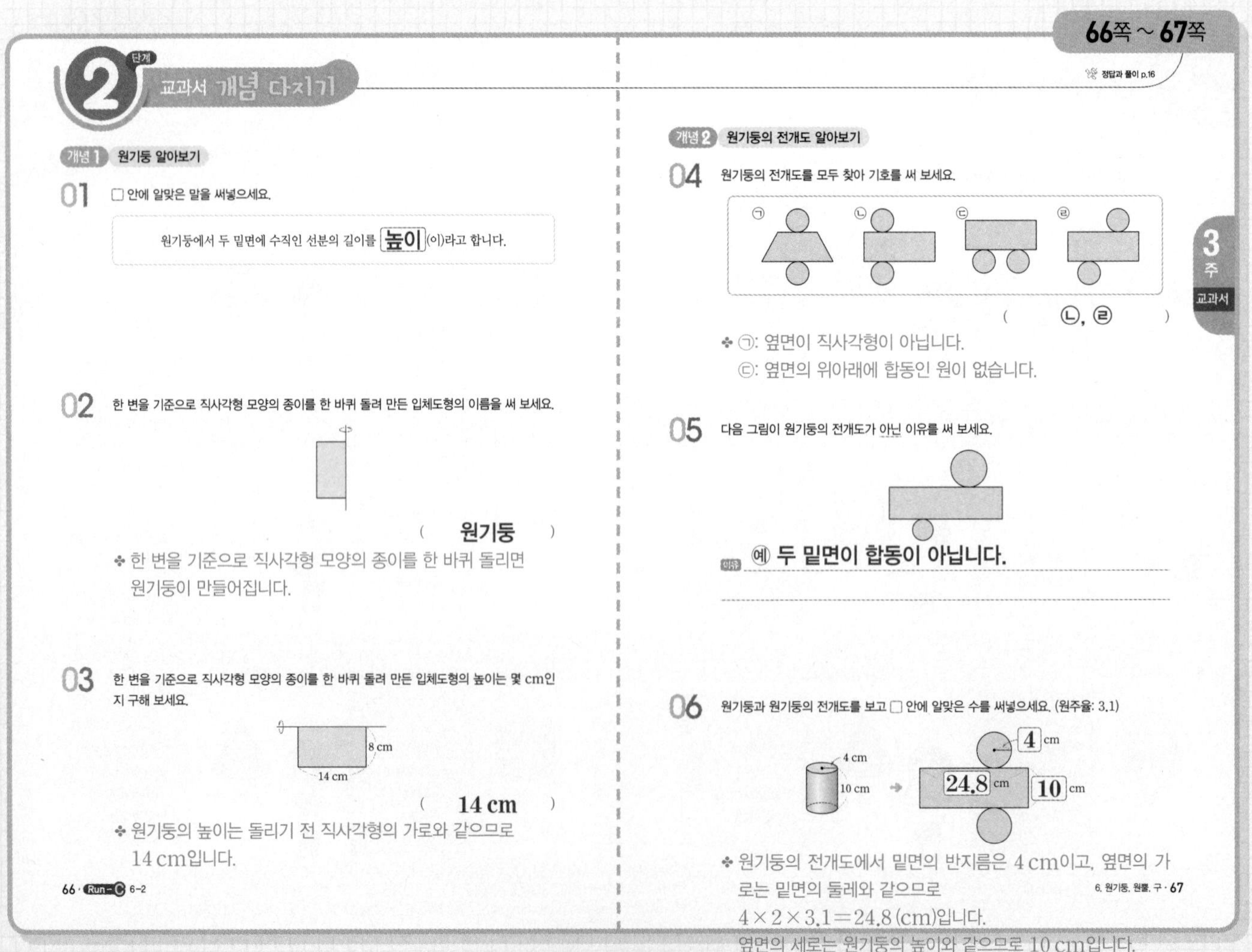

2단계 교과서 개념 다지기
개념 1 원기둥 알아보기
01 □ 안에 알맞은 말을 써넣으세요.
원기둥에서 두 밑면에 수직인 선분의 길이를 높이 (이)라고 합니다.
02 한 변을 기준으로 직사각형 모양의 종이를 한 바퀴 돌려 만든 입체도형의 이름을 써 보세요.
(원기둥)
✤ 한 변을 기준으로 직사각형 모양의 종이를 한 바퀴 돌리면 원기둥이 만들어집니다.
03 한 변을 기준으로 직사각형 모양의 종이를 한 바퀴 돌려 만든 입체도형의 높이는 몇 cm인지 구해 보세요.
8 cm
14 cm
(14 cm)
✤ 원기둥의 높이는 돌리기 전 직사각형의 가로와 같으므로 14 cm입니다.
66 · Run-C 6-2
개념 2 원기둥의 전개도 알아보기
04 원기둥의 전개도를 모두 찾아 기호를 써 보세요.
㉠ ㉡ ㉢ ㉣
(㉡, ㉣)
✤ ㉠: 옆면이 직사각형이 아닙니다.
㉢: 옆면의 위아래에 합동인 원이 없습니다.
05 다음 그림이 원기둥의 전개도가 아닌 이유를 써 보세요.
이유 예 두 밑면이 합동이 아닙니다.
06 원기둥과 원기둥의 전개도를 보고 □ 안에 알맞은 수를 써넣으세요. (원주율: 3.1)
4 cm
10 cm
4 cm
24.8 cm
10 cm
✤ 원기둥의 전개도에서 밑면의 반지름은 4 cm이고, 옆면의 가로는 밑면의 둘레와 같으므로
4×2×3.1=24.8 (cm)입니다.
옆면의 세로는 원기둥의 높이와 같으므로 10 cm입니다.
6. 원기둥, 원뿔, 구 · 67

정답과 풀이 p.17

개념 3 원기둥의 전개도 그리기

07 원기둥의 전개도를 그려 보세요. (원주율: 3)

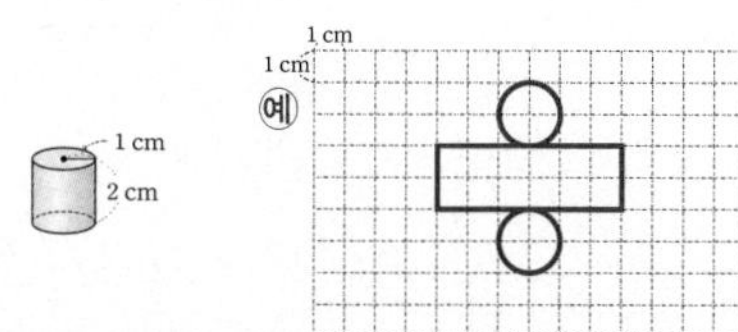

✣ 옆면의 가로는 밑면의 둘레와 같으므로 $1\times2\times3=6$ (cm)이고, 옆면의 세로는 원기둥의 높이와 같으므로 2 cm입니다.

08 원기둥의 전개도를 그려 보세요. (원주율: 3)

✣ 옆면의 가로는 밑면의 둘레와 같으므로 $1\times2\times3=6$ (cm)이고, 옆면의 세로는 원기둥의 높이와 같으므로 3 cm입니다.

09 원기둥의 전개도를 그려 보세요. (원주율: 3)

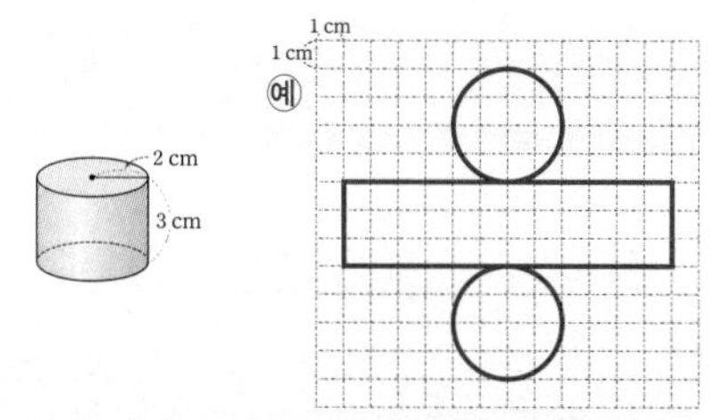

✣ 옆면의 가로는 밑면의 둘레와 같으므로 $2\times2\times3=12$ (cm)이고, 옆면의 세로는 원기둥의 높이와 같으므로 3 cm입니다.

개념 4 원뿔 알아보기

10 한 변을 기준으로 직각삼각형 모양의 종이를 돌려 만든 입체도형의 이름을 써 보세요.

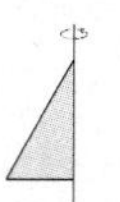

(원뿔)

✣ 한 변을 기준으로 직각삼각형 모양의 종이를 한 바퀴 돌리면 원뿔이 만들어집니다.

11 원뿔의 모선의 길이, 높이, 밑면의 반지름은 각각 몇 cm인지 구해 보세요.

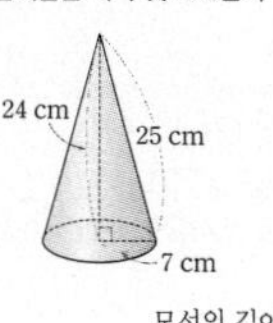

모선의 길이 (25 cm)
높이 (24 cm)
밑면의 반지름 (7 cm)

12 원뿔의 무엇을 재는 것인지 찾아 선으로 이어 보세요.

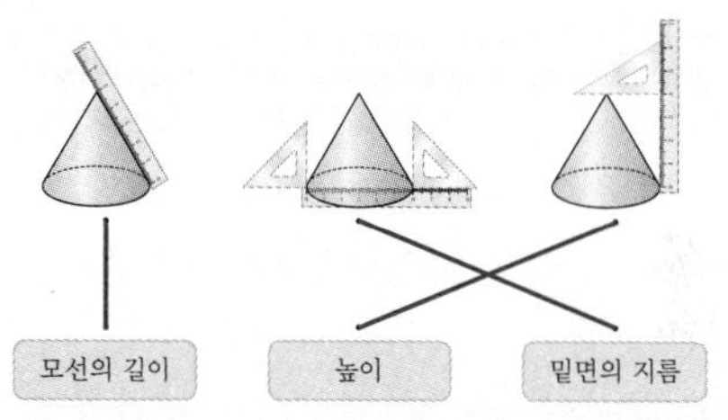

정답과 풀이 p.17

2단계 교과서 개념 다지기

개념 5 구 알아보기

13 지름을 기준으로 반원 모양의 종이를 돌려 만든 입체도형의 이름을 써 보세요.

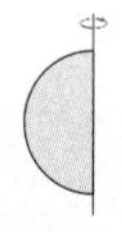

(구)

✣ 지름을 기준으로 반원 모양의 종이를 한 바퀴 돌리면 구가 만들어집니다.

14 지름을 기준으로 반원 모양의 종이를 한 바퀴 돌려 만든 입체도형의 반지름은 몇 cm인지 구해 보세요.

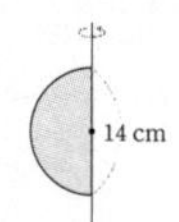

(7 cm)

✣ 지름을 기준으로 반원 모양의 종이를 한 바퀴 돌리면 구가 만들어지며 반지름은 반원의 지름의 반입니다.
➜ $14\div2=7$ (cm)

15 다음 구를 위에서 본 모양의 둘레는 몇 cm인지 구해 보세요. (원주율: 3)

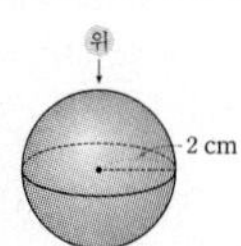

(12 cm)

✣ 구를 위에서 본 모양은 반지름이 2 cm인 원 모양입니다.
➜ (원의 둘레)$=2\times2\times3=12$ (cm)

개념 6 여러 가지 모양 만들기

16 다음 모양에서 찾을 수 있는 입체도형의 이름을 모두 써 보세요.

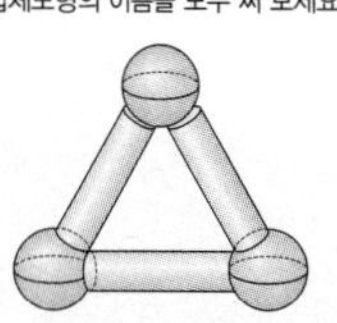

(원기둥, 구)

17 다음 모양을 만드는 데 각 입체도형을 몇 개씩 사용했는지 구해 보세요.

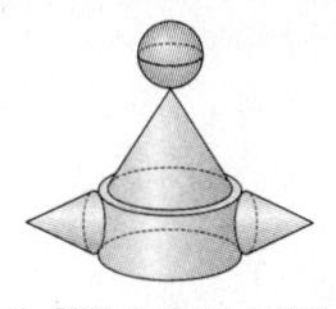

원기둥: 1개
원뿔: 3개
구: 1개

✣ 원기둥 1개, 원뿔 3개, 구 1개를 사용하여 만든 모양입니다.

18 다음 모양을 만드는 데 가장 많이 사용한 입체도형은 무엇이고, 몇 개 사용했는지 차례로 구해 보세요.

(원기둥), (5개)

✣ 원기둥 5개, 원뿔 2개, 구 3개를 사용했습니다.
따라서 가장 많이 사용한 입체도형은 원기둥입니다.

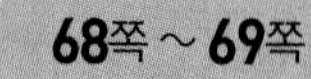

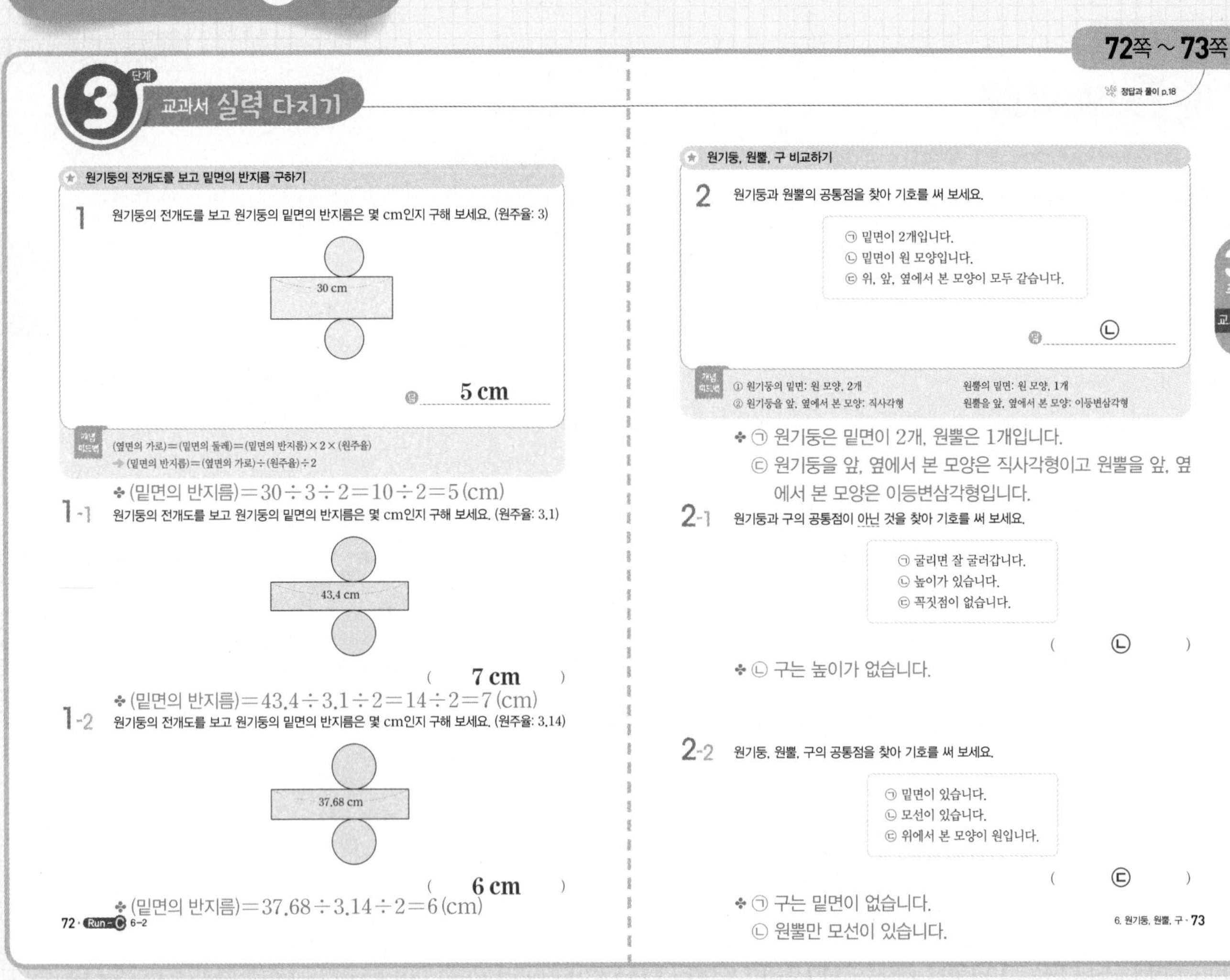

72쪽 ~ 73쪽

3단계 교과서 실력 다지기

정답과 풀이 p.18

원기둥의 전개도를 보고 밑면의 반지름 구하기

1 원기둥의 전개도를 보고 원기둥의 밑면의 반지름은 몇 cm인지 구해 보세요. (원주율: 3)

30 cm

답 5 cm

개념 익히기: (옆면의 가로)=(밑면의 둘레)=(밑면의 반지름)×2×(원주율)
→ (밑면의 반지름)=(옆면의 가로)÷(원주율)÷2

✤ (밑면의 반지름)$=30\div3\div2=10\div2=5$ (cm)

1-1 원기둥의 전개도를 보고 원기둥의 밑면의 반지름은 몇 cm인지 구해 보세요. (원주율: 3.1)

43.4 cm

(7 cm)

✤ (밑면의 반지름)$=43.4\div3.1\div2=14\div2=7$ (cm)

1-2 원기둥의 전개도를 보고 원기둥의 밑면의 반지름은 몇 cm인지 구해 보세요. (원주율: 3.14)

37.68 cm

(6 cm)

✤ (밑면의 반지름)$=37.68\div3.14\div2=6$ (cm)

72 · Run-C 6-2

원기둥, 원뿔, 구 비교하기

2 원기둥과 원뿔의 공통점을 찾아 기호를 써 보세요.

㉠ 밑면이 2개입니다.
㉡ 밑면이 원 모양입니다.
㉢ 위, 앞, 옆에서 본 모양이 모두 같습니다.

답 ㉡

개념 익히기: ① 원기둥의 밑면: 원 모양, 2개 / 원뿔의 밑면: 원 모양, 1개
② 원기둥을 앞, 옆에서 본 모양: 직사각형 / 원뿔을 앞, 옆에서 본 모양: 이등변삼각형

✤ ㉠ 원기둥은 밑면이 2개, 원뿔은 1개입니다.
㉢ 원기둥을 앞, 옆에서 본 모양은 직사각형이고 원뿔을 앞, 옆에서 본 모양은 이등변삼각형입니다.

2-1 원기둥과 구의 공통점이 아닌 것을 찾아 기호를 써 보세요.

㉠ 굴리면 잘 굴러갑니다.
㉡ 높이가 있습니다.
㉢ 꼭짓점이 없습니다.

(㉡)

✤ ㉡ 구는 높이가 없습니다.

2-2 원기둥, 원뿔, 구의 공통점을 찾아 기호를 써 보세요.

㉠ 밑면이 있습니다.
㉡ 모선이 있습니다.
㉢ 위에서 본 모양이 원입니다.

(㉢)

✤ ㉠ 구는 밑면이 없습니다.
㉡ 원뿔만 모선이 있습니다.

6. 원기둥, 원뿔, 구 · 73

3주 교과서

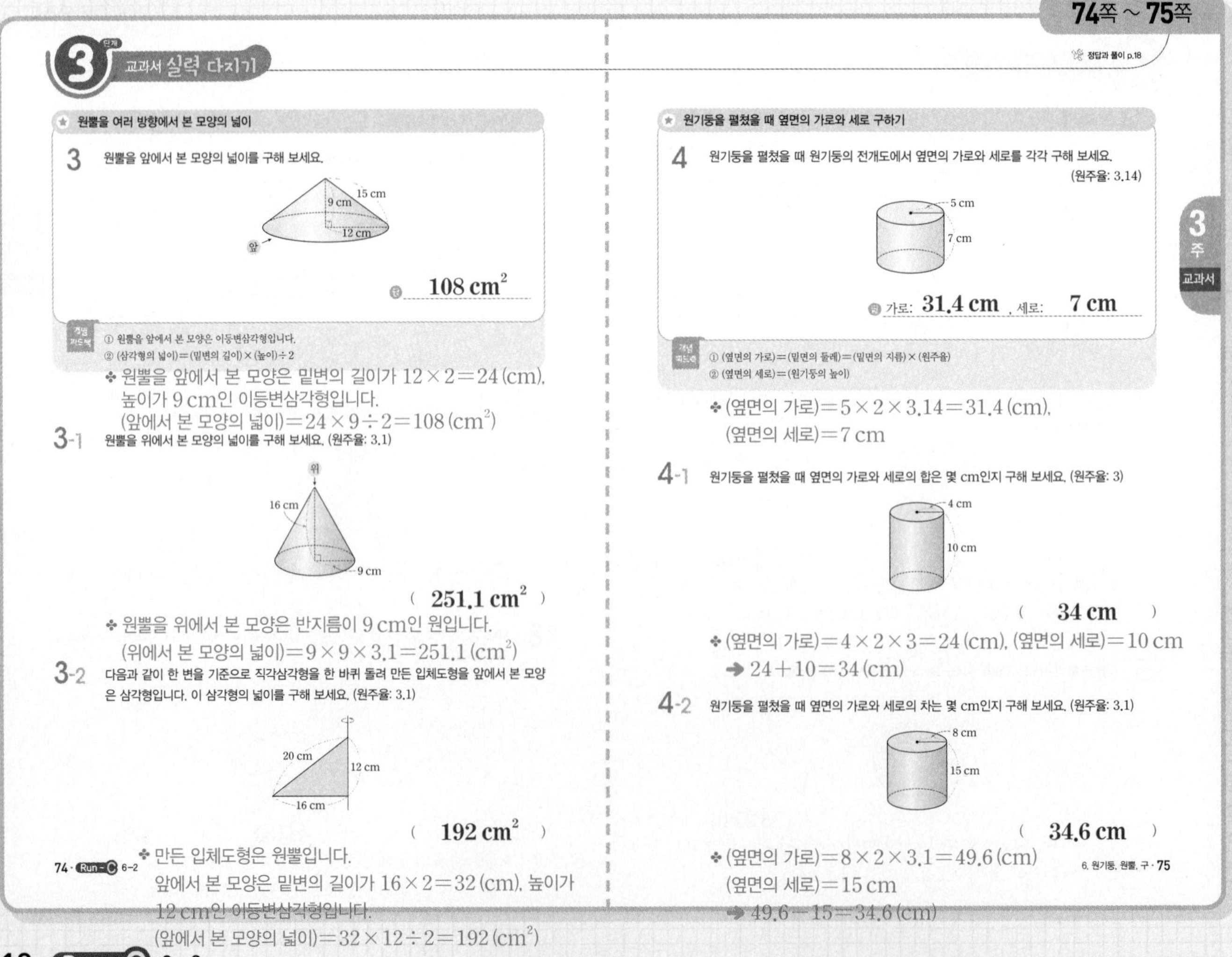

74쪽 ~ 75쪽

3단계 교과서 실력 다지기

정답과 풀이 p.18

원뿔을 여러 방향에서 본 모양의 넓이

3 원뿔을 앞에서 본 모양의 넓이를 구해 보세요.

15 cm, 9 cm, 12 cm, 앞

답 108 cm²

개념 익히기: ① 원뿔을 앞에서 본 모양은 이등변삼각형입니다.
② (삼각형의 넓이)=(밑변의 길이)×(높이)÷2

✤ 원뿔을 앞에서 본 모양은 밑변의 길이가 $12\times2=24$ (cm), 높이가 9 cm인 이등변삼각형입니다.
(앞에서 본 모양의 넓이)$=24\times9\div2=108$ (cm²)

3-1 원뿔을 위에서 본 모양의 넓이를 구해 보세요. (원주율: 3.1)

위, 16 cm, 9 cm

(251.1 cm²)

✤ 원뿔을 위에서 본 모양은 반지름이 9 cm인 원입니다.
(위에서 본 모양의 넓이)$=9\times9\times3.1=251.1$ (cm²)

3-2 다음과 같이 한 변을 기준으로 직각삼각형을 한 바퀴 돌려 만든 입체도형을 앞에서 본 모양은 삼각형입니다. 이 삼각형의 넓이를 구해 보세요. (원주율: 3.1)

20 cm, 12 cm, 16 cm

(192 cm²)

✤ 만든 입체도형은 원뿔입니다.
앞에서 본 모양은 밑변의 길이가 $16\times2=32$ (cm), 높이가 12 cm인 이등변삼각형입니다.
(앞에서 본 모양의 넓이)$=32\times12\div2=192$ (cm²)

74 · Run-C 6-2

원기둥을 펼쳤을 때 옆면의 가로와 세로 구하기

4 원기둥을 펼쳤을 때 원기둥의 전개도에서 옆면의 가로와 세로를 각각 구해 보세요. (원주율: 3.14)

5 cm, 7 cm

답 가로: 31.4 cm, 세로: 7 cm

개념 익히기: ① (옆면의 가로)=(밑면의 둘레)=(밑면의 지름)×(원주율)
② (옆면의 세로)=(원기둥의 높이)

✤ (옆면의 가로)$=5\times2\times3.14=31.4$ (cm),
(옆면의 세로)$=7$ cm

4-1 원기둥을 펼쳤을 때 옆면의 가로와 세로의 합은 몇 cm인지 구해 보세요. (원주율: 3)

4 cm, 10 cm

(34 cm)

✤ (옆면의 가로)$=4\times2\times3=24$ (cm), (옆면의 세로)$=10$ cm
→ $24+10=34$ (cm)

4-2 원기둥을 펼쳤을 때 옆면의 가로와 세로의 차는 몇 cm인지 구해 보세요. (원주율: 3.1)

8 cm, 15 cm

(34.6 cm)

✤ (옆면의 가로)$=8\times2\times3.1=49.6$ (cm)
(옆면의 세로)$=15$ cm
→ $49.6-15=34.6$ (cm)

6. 원기둥, 원뿔, 구 · 75

3주 교과서

3단계 교과서 실력 다지기

정답과 풀이 p.19

★ 옆면의 넓이를 이용하여 원기둥의 높이 구하기

5 다음 원기둥을 펼쳤을 때 옆면의 넓이가 $272.8\ cm^2$입니다. 원기둥의 높이는 몇 cm인지 구해 보세요. (원주율: 3.1)

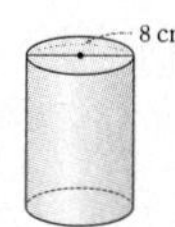

답 11 cm

개념 히트백
① (옆면의 가로)=(밑면의 둘레)=(밑면의 지름)×(원주율)
② (원기둥의 높이)=(옆면의 세로)=(옆면의 넓이)÷(옆면의 가로)

✤ (옆면의 가로)=(밑면의 둘레)$=8\times3.1=24.8$ (cm)
(원기둥의 높이)=(옆면의 세로)=(옆면의 넓이)÷(옆면의 가로)
$=272.8\div24.8=11$ (cm)

5-1 다음 원기둥을 펼쳤을 때 옆면의 넓이가 $540\ cm^2$입니다. 원기둥의 높이는 몇 cm인지 구해 보세요. (원주율: 3)

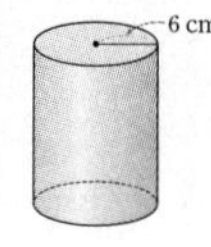

(15 cm)

✤ (옆면의 가로)$=6\times2\times3=36$ (cm)
(원기둥의 높이)$=540\div36=15$ (cm)

5-2 다음 원기둥을 펼쳤을 때 옆면의 넓이가 $967.12\ cm^2$입니다. 원기둥의 높이는 몇 cm인지 구해 보세요. (원주율: 3.14)

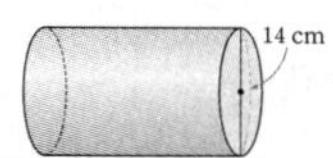

(22 cm)

✤ (옆면의 가로)$=14\times3.14=43.96$ (cm)
(원기둥의 높이)$=967.12\div43.96=22$ (cm)

★ 평면도형을 돌려서 만든 입체도형을 보고 둘레 구하기

6 한 변을 기준으로 직사각형 모양의 종이를 돌려 만든 입체도형을 펼쳤을 때 옆면의 둘레는 몇 cm인지 구해 보세요. (원주율: 3.1)

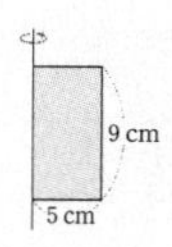

답 80 cm

개념 히트백
① 한 변을 기준으로 직사각형 모양의 종이를 돌리면 원기둥이 됩니다.
② (옆면의 가로)=(밑면의 둘레), (옆면의 세로)=(원기둥의 높이)
③ (옆면의 둘레)=((옆면의 가로)+(옆면의 세로))×2

✤ (옆면의 가로)$=5\times2\times3.1=31$ (cm), (옆면의 세로)$=9$ cm
➜ $(31+9)\times2=80$ (cm)

6-1 한 변을 기준으로 직사각형 모양의 종이를 돌려 만든 입체도형의 밑면의 둘레는 몇 cm인지 구해 보세요. (원주율: 3)

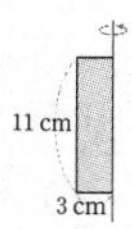

(18 cm)

✤ 밑면의 반지름이 3 cm인 원기둥이 됩니다.
➜ (밑면의 둘레)$=3\times2\times3=18$ (cm)

6-2 한 변을 기준으로 직각삼각형 모양의 종이를 돌려 만든 입체도형의 밑면의 둘레는 몇 cm인지 구해 보세요. (원주율: 3)

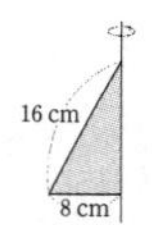

(48 cm)

✤ 밑면의 반지름이 8 cm인 원뿔이 됩니다.
➜ (밑면의 둘레)$=8\times2\times3=48$ (cm)

Test 교과서 서술형 연습

정답과 풀이 p.19

1 원기둥과 원뿔이 있습니다. 두 입체도형의 높이의 차는 몇 cm인지 구해 보세요.

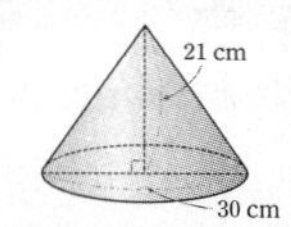

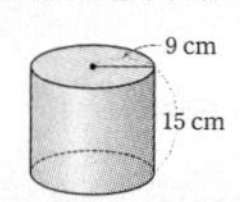

해결하기 원뿔의 높이는 21 cm이고, 원기둥의 높이는 15 cm입니다.
따라서 두 입체도형의 높이의 차는 21 − 15 = 6 (cm)입니다.

답 구하기 6 cm

2 원기둥과 원뿔이 있습니다. 두 입체도형의 높이의 합은 몇 cm인지 구해 보세요.

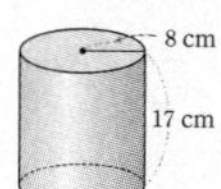

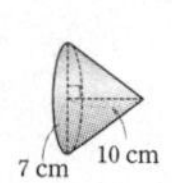

해결하기 예 원기둥의 높이는 17 cm이고, 원뿔의 높이는 10 cm입니다.
따라서 두 입체도형의 높이의 합은 $17+10=27$ (cm)입니다.

답 구하기 27 cm

3 다음은 한 변을 기준으로 직사각형 모양의 종이를 한 바퀴 돌려서 만든 원기둥입니다. 돌리기 전의 도형의 넓이는 몇 cm^2인지 구해 보세요.

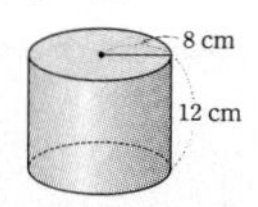

해결하기 돌리기 전의 도형은 가로가 8 cm, 세로가 12 cm인 직사각형입니다.
따라서 돌리기 전의 도형의 넓이는 8 × 12 = 96 (cm^2)입니다.

답 구하기 96 cm^2

4 다음은 한 변을 기준으로 직각삼각형 모양의 종이를 한 바퀴 돌려서 만든 원뿔입니다. 돌리기 전의 도형의 넓이는 몇 cm^2인지 구해 보세요.

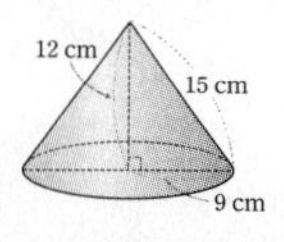

해결하기 예 돌리기 전의 도형은 밑변의 길이가 9 cm, 높이가 12 cm인 직각삼각형입니다.
따라서 돌리기 전의 도형의 넓이는 $9\times12\div2=54$ (cm^2)입니다.

답 구하기 54 cm^2

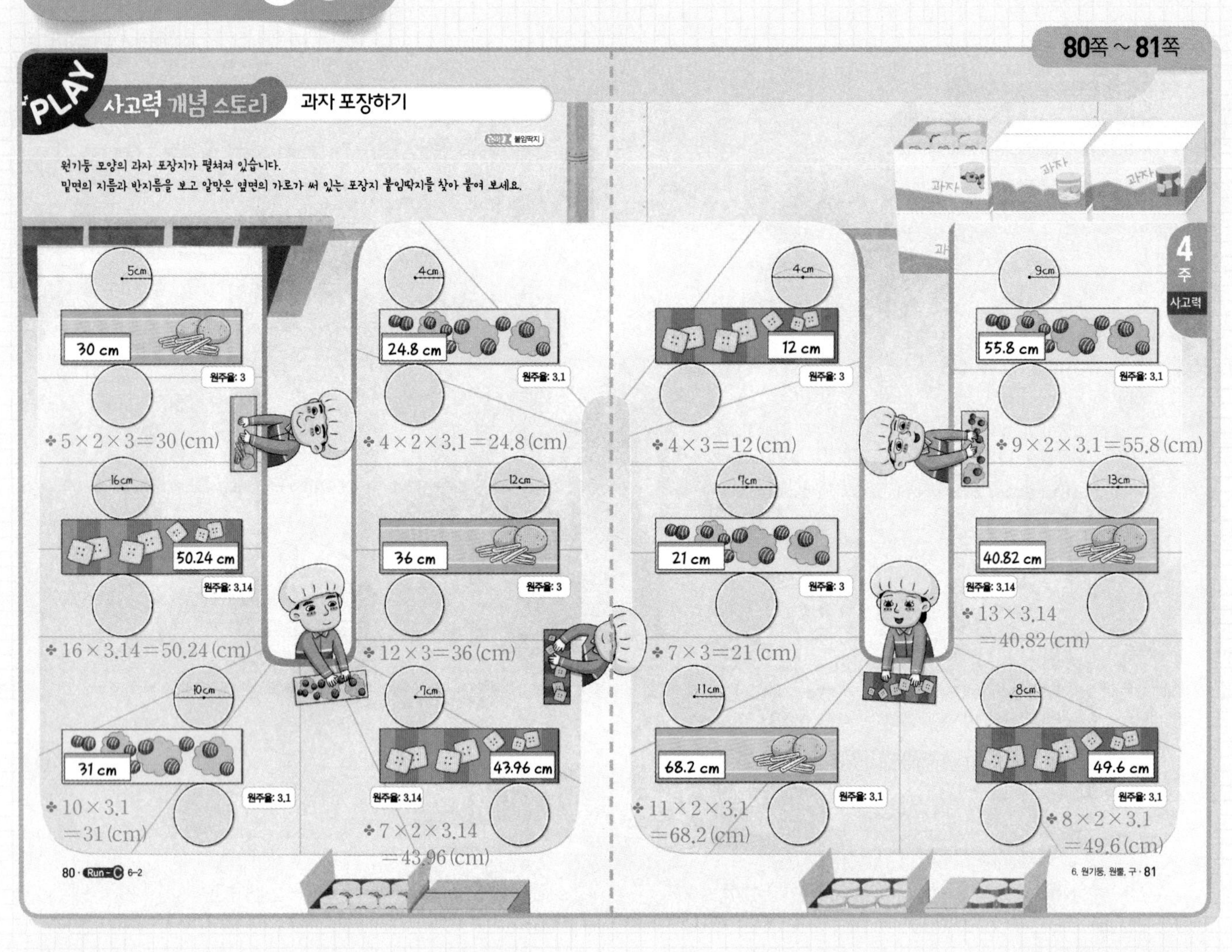
80쪽 ~ 81쪽
PLAY 사고력 개념 스토리 과자 포장하기
원기둥 모양의 과자 포장지가 펼쳐져 있습니다.
밑면의 지름과 반지름을 보고 알맞은 옆면의 가로가 써 있는 포장지 붙임딱지를 찾아 붙여 보세요.
30 cm
원주율: 3
✤ 5×2×3=30 (cm)
24.8 cm
원주율: 3.1
✤ 4×2×3.1=24.8 (cm)
12 cm
원주율: 3
✤ 4×3=12 (cm)
55.8 cm
원주율: 3.1
✤ 9×2×3.1=55.8 (cm)
50.24 cm
원주율: 3.14
✤ 16×3.14=50.24 (cm)
36 cm
원주율: 3
✤ 12×3=36 (cm)
21 cm
원주율: 3
✤ 7×3=21 (cm)
40.82 cm
원주율: 3.14
✤ 13×3.14 =40.82 (cm)
31 cm
원주율: 3.1
✤ 10×3.1 =31 (cm)
43.96 cm
원주율: 3.14
✤ 7×2×3.14 =43.96 (cm)
68.2 cm
원주율: 3.1
✤ 11×2×3.1 =68.2 (cm)
49.6 cm
원주율: 3.1
✤ 8×2×3.1 =49.6 (cm)
80 · Run-C 6-2
6. 원기둥, 원뿔, 구 · 81

82쪽 ~ 83쪽
PLAY 사고력 개념 스토리 뚜껑 닫기
원기둥 모양의 통에 꼭 맞는 입체도형 물건을 담았습니다.
알맞은 원기둥의 밑면의 넓이가 써 있는 뚜껑 붙임딱지를 붙여 뚜껑을 닫아 보세요. (원주율: 3.1)
198.4 cm²
✤ 8×8×3.1=198.4 (cm²)
251.1 cm²
✤ 9×9×3.1=251.1 (cm²)
77.5 cm²
✤ 5×5×3.1=77.5 (cm²)
607.6 cm²
✤ 14×14×3.1=607.6 (cm²)
310 cm²
✤ 10×10×3.1=310 (cm²)
111.6 cm²
✤ 6×6×3.1=111.6 (cm²)
793.6 cm²
✤ 16×16×3.1=793.6 (cm²)
697.5 cm²
✤ 15×15×3.1=697.5 (cm²)
523.9 cm²
✤ 13×13×3.1=523.9 (cm²)
446.4 cm²
✤ 12×12×3.1=446.4 (cm²)
375.1 cm²
✤ 11×11×3.1=375.1 (cm²)
151.9 cm²
✤ 7×7×3.1=151.9 (cm²)
82 Run-C 6-2
6. 원기둥, 원뿔, 구 83

정답과 풀이 p.21

1단계 교과 사고력 잡기

1 원기둥을 잘라서 펼쳤을 때 옆면의 넓이가 더 넓은 원기둥을 찾아 보세요. (원주율: 3)

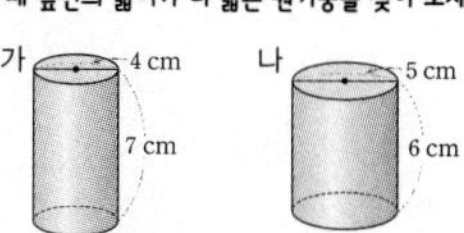

❶ □ 안에 알맞은 말을 써넣으세요.

원기둥의 전개도에서 옆면은 **직사각형** 모양입니다.

❷ 가를 잘라서 펼쳤을 때 옆면의 넓이를 구해 보세요.

(84 cm^2)

✤ (옆면의 가로)=(밑면의 둘레)$=4\times3=12$ (cm)
(옆면의 세로)=(원기둥의 높이)$=7$ cm
➜ (옆면의 넓이)$=12\times7=84$ (cm^2)

❸ 나를 잘라서 펼쳤을 때 옆면의 넓이를 구해 보세요.

(90 cm^2)

✤ (옆면의 가로)$=5\times3=15$ (cm)
(옆면의 세로)$=6$ cm
➜ (옆면의 넓이)$=15\times6=90$ (cm^2)

❹ 원기둥을 잘라서 펼쳤을 때 옆면의 넓이가 더 넓은 원기둥의 기호를 써 보세요.

(나)

2 구의 반지름이 6 cm인 구 3개를 이어 붙여 모양을 만들었습니다. 구 3개의 중심을 이어 그린 도형의 둘레는 몇 cm인지 구해 보세요.

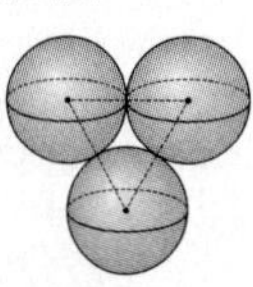

❶ □ 안에 알맞은 말을 써넣으세요.

구의 중심에서 구의 겉면의 한 점을 이은 선분을 **구의 반지름**(이)라고 합니다.

❷ 구 3개의 중심을 이어 그린 도형의 이름을 써 보세요.

(정삼각형)

✤ 구의 반지름이 모두 같으므로 세 변의 길이도 모두 같습니다.

❸ 도형의 한 변의 길이를 구해 보세요.

(12 cm)

✤ 한 변의 길이는 구의 반지름 2개를 합한 것과 같으므로 $6+6=12$ (cm)입니다.

❹ 도형의 둘레를 구해 보세요.

(36 cm)

✤ 정삼각형은 세 변의 길이가 모두 같으므로 $12\times3=36$ (cm)입니다.

정답과 풀이 p.21

1단계 교과 사고력 잡기

3 다음과 같은 원기둥 모양의 롤러에 페인트를 묻혀서 똑바로 3바퀴를 굴렸습니다. 페인트가 칠해진 부분의 넓이를 구해 보세요. (원주율: 3)

❶ 롤러의 옆면의 가로와 세로를 각각 구해 보세요.

가로 (24 cm)
세로 (13 cm)

✤ (옆면의 가로)=(밑면의 둘레)$=4\times2\times3=24$ (cm)
(옆면의 세로)=(원기둥의 높이)$=13$ cm

❷ 롤러의 옆면의 넓이를 구해 보세요.

(312 cm^2)

✤ (옆면의 넓이)$=24\times13=312$ (cm^2)

❸ 롤러를 1바퀴 굴렸을 때 넓이를 구해 보세요.

(312 cm^2)

✤ 롤러를 1바퀴 굴렸을 때의 넓이는 옆면의 넓이와 같습니다.

❹ 롤러를 3바퀴 굴렸을 때 넓이를 구해 보세요.

(936 cm^2)

✤ $312\times3=936$ (cm^2)

4 다음 그림과 같이 한 변을 기준으로 직사각형 모양의 종이를 돌렸을 때 만들어지는 입체도형 ㉠과 ㉡ 중 어느 도형의 밑면의 둘레가 몇 cm 더 긴지 구해 보세요. (원주율: 3)

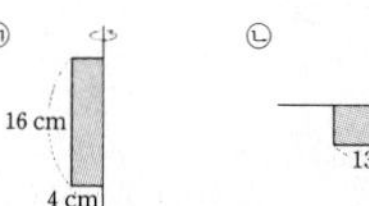

❶ ㉠의 밑면의 지름은 몇 cm인지 구해 보세요.

(8 cm)

✤ (밑면의 지름)$=4\times2=8$ (cm)

❷ ㉠의 밑면의 둘레는 몇 cm인지 구해 보세요.

(24 cm)

✤ (밑면의 둘레)$=8\times3=24$ (cm)

❸ ㉡의 밑면의 지름은 몇 cm인지 구해 보세요.

(10 cm)

✤ (밑면의 지름)$=5\times2=10$ (cm)

❹ ㉡의 밑면의 둘레는 몇 cm인지 구해 보세요.

(30 cm)

✤ (밑면의 둘레)$=10\times3=30$ (cm)

❺ 어느 도형의 밑면의 둘레가 몇 cm 더 긴지 차례로 구해 보세요.

(㉡), (6 cm)

✤ $30>24$이므로 ㉡의 밑면의 둘레가 $30-24=6$ (cm) 더 깁니다.

2단계 교과 사고력 확장

정답과 풀이 p.22

1 원기둥에 그림과 같이 점 ㄱ에서 점 ㄴ까지 일정한 각도를 유지하면서 선을 그었습니다. 원기둥의 전개도에 선이 지나간 자리를 그려 보세요. (단, 선분 ㄱㄴ은 원기둥의 높이입니다.)

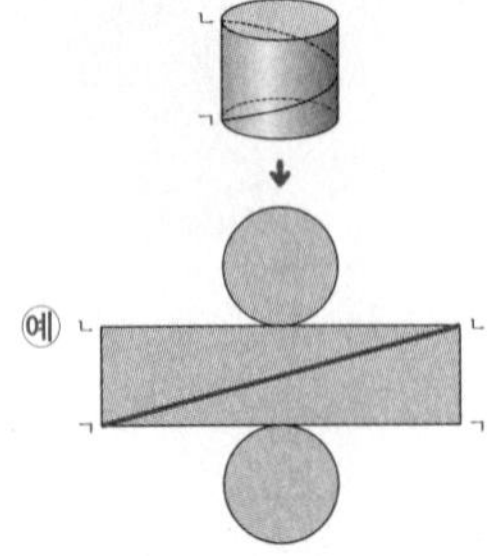

✤ 원기둥에 일정한 각도를 유지하면서 선을 그었으므로 전개도에서 직선으로 나타납니다.

2 원기둥에 그림과 같이 점 ㄱ에서 점 ㄴ을 지나 점 ㄷ까지 일정한 각도를 유지하면서 선을 그었습니다. 원기둥의 전개도에 선이 지나간 자리를 그려 보세요. (단, 선분 ㄱㄷ은 원기둥의 높이입니다.)

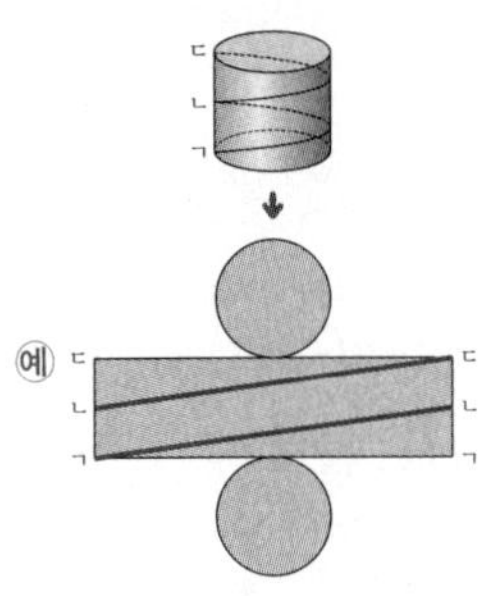

3 원뿔과 원뿔을 앞에서 본 모양을 보고 ㉠과 ㉡에 알맞은 각도를 각각 구해 보세요.

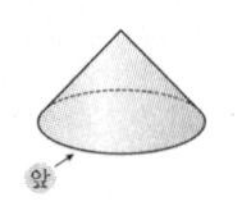

① 원뿔을 앞에서 본 모양은 어떤 도형인지 이름을 써 보세요.
(이등변삼각형)

② ㉠+㉡의 값을 구해 보세요.
($90°$)

✤ ㉠+㉡$=180°-90°=90°$

③ ㉠과 ㉡에 알맞은 각도를 각각 구해 보세요.
㉠ ($45°$)
㉡ ($45°$)

✤ 이등변삼각형이므로 두 각의 크기가 같습니다.
㉠=㉡$=90°\div2=45°$

4 원뿔과 원뿔을 앞에서 본 모양을 보고 ㉠과 ㉡에 알맞은 각도를 각각 구해 보세요.

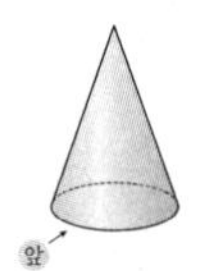
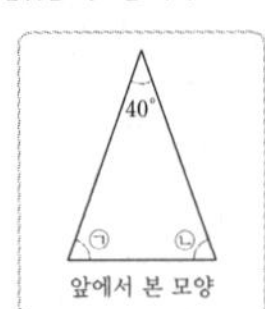

㉠ ($70°$)
㉡ ($70°$)

✤ 원뿔을 앞에서 본 모양은 이등변삼각형이므로
㉠+㉡$=180°-40°=140°$, ㉠=㉡$=140°\div2=70°$입니다.

2단계 교과 사고력 확장

정답과 풀이 p.22

5 두 입체도형을 앞에서 본 모양의 둘레는 같습니다. □ 안에 알맞은 수를 구해 보세요.

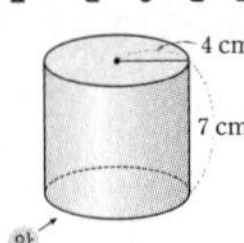

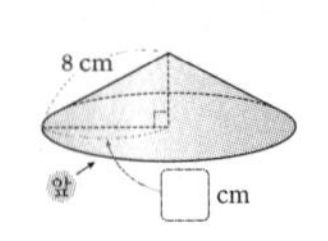

① 원기둥을 앞에서 본 모양의 둘레를 구해 보세요.
(30 cm)

✤ 원기둥을 앞에서 본 모양은 가로가 $4\times2=8$ (cm), 세로가 7 cm인 직사각형입니다.
(직사각형의 둘레)$=(8+7)\times2=30$ (cm)

② □ 안에 알맞은 수를 구해 보세요.
(7)

✤ 원뿔을 앞에서 본 모양은 두 변의 길이가 각각 8 cm, 8 cm인 이등변삼각형입니다.
(한 변의 길이)$=30-8-8=14$ (cm)
따라서 원뿔의 밑면의 반지름은 $14\div2=7$ (cm)입니다.

6 두 입체도형을 앞에서 본 모양의 넓이는 같습니다. □ 안에 알맞은 수를 구해 보세요. (원주율: 3)

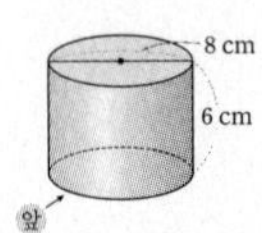

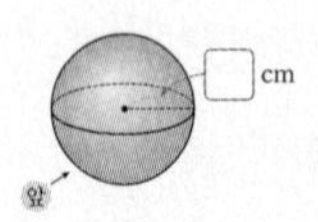

(4)

✤ 원기둥을 앞에서 본 모양은 가로가 8 cm, 세로가 6 cm인 직사각형입니다.
(직사각형의 넓이)$=8\times6=48$ (cm^2)
구를 앞에서 본 모양은 원입니다.
(원의 넓이)$=□\times□\times3=48$, $□\times□=16$, $□=4$

7 정육면체 모양 상자 안에 꼭 맞는 원기둥이 있습니다. 이 원기둥을 펼쳤을 때 옆면의 넓이를 구해 보세요. (원주율: 3.1)

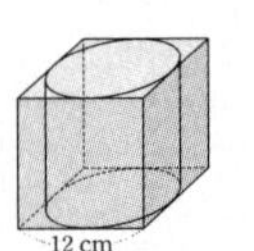

① 원기둥의 밑면의 지름은 몇 cm인지 구해 보세요.
(12 cm)

② 원기둥의 높이는 몇 cm인지 구해 보세요.
(12 cm)

③ 원기둥을 펼쳤을 때 옆면의 가로와 세로를 각각 구해 보세요.
가로 (37.2 cm)
세로 (12 cm)

✤ (옆면의 가로)=(밑면의 둘레)$=12\times3.1=37.2$ (cm)
(옆면의 세로)=(원기둥의 높이)$=12$ cm

④ 원기둥을 펼쳤을 때 옆면의 넓이를 구해 보세요.
(446.4 cm^2)

✤ $37.2\times12=446.4$ (cm^2)

4주 사고력

92쪽 ~ 93쪽

3단계 교과 사고력 완성

정답과 풀이 p.23

평가 영역 □개념 이해력 ☑개념 응용력 □창의력 □문제 해결력

1 원기둥을 다음과 같이 잘랐습니다. 자른 도형을 앞에서 본 모양이 삼각형일 때 앞에서 본 모양의 넓이를 구해 보세요.

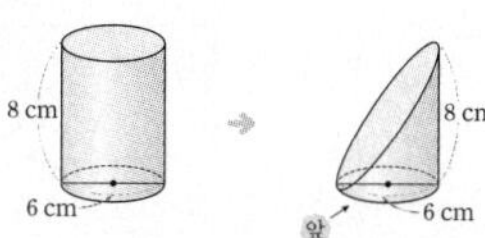

(**24 cm²**)

✤ 자른 도형은 원기둥을 반으로 자른 것과 같으므로 앞에서 본 모양은 밑변의 길이가 6 cm, 높이가 8 cm인 직각삼각형입니다.
(앞에서 본 모양의 넓이) $=6\times8\div2=24\,(cm^2)$

평가 영역 □개념 이해력 □개념 응용력 □창의력 ☑문제 해결력

2 은혜는 한 변의 길이가 27.9 cm인 정사각형 모양의 도화지에 다음과 같이 저금통을 만들기 위해 원기둥의 전개도를 그렸습니다. 전개도를 따라 오려 붙였을 때 저금통의 높이는 몇 cm인지 구해 보세요. (원주율: 3.1)

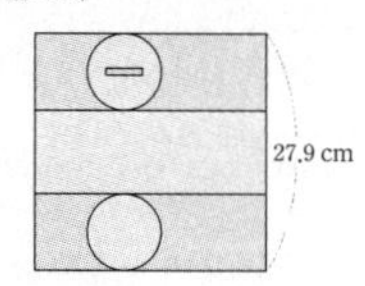
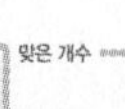

(**9.9 cm**)

✤ (저금통의 옆면의 가로) = (밑면의 둘레) = 27.9 cm
(밑면의 지름) $=27.9\div3.1=9\,(cm)$
높이는 도화지의 한 변의 길이에서 두 밑면의 지름을 뺀 것과 같으므로 $27.9-9\times2=27.9-18=9.9\,(cm)$입니다.

평가 영역 □개념 이해력 ☑개념 응용력 □창의력 □문제 해결력

3 그림과 같이 원뿔의 꼭짓점인 점 ㅇ을 중심으로 원뿔을 3바퀴 굴렸더니 처음의 자리로 돌아왔습니다. 원뿔의 밑면의 반지름은 몇 cm인지 구해 보세요. (원주율: 3.1)

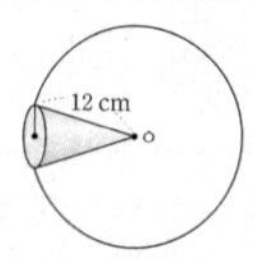

(**4 cm**)

✤ (큰 원의 둘레) $=12\times2\times3.1=74.4\,(cm)$
원뿔을 3바퀴 굴렸더니 처음의 자리로 돌아왔으므로 큰 원의 둘레는 원뿔의 밑면의 둘레의 3배와 같습니다.
(밑면의 둘레) $=74.4\div3=24.8\,(cm)$
원뿔의 밑면의 반지름을 □ cm라 하면
□×2×3.1=24.8, □×6.2=24.8, □=4입니다.

평가 영역 □개념 이해력 □개념 응용력 □창의력 ☑문제 해결력

4 원뿔을 보고 나눈 대화입니다. 원뿔의 높이는 몇 cm인지 구해 보세요. (원주율: 3)

원뿔의 밑면의 둘레를 재었더니 24 cm이었어.
한 변을 기준으로 돌리기 전의 평면도형의 넓이는 18 cm²이었어.
은주
예지

(**9 cm**)

✤ (밑면의 반지름) $=24\div3\div2=4\,(cm)$
한 변을 기준으로 돌렸을 때 원뿔이 되는 평면도형은 직각삼각형입니다.
직각삼각형의 밑변의 길이가 4 cm일 때 높이를 □ cm라 하면
4×□÷2=18, 4×□=36, □=9입니다.

4주 사고력

94쪽 ~ 95쪽

Test 종합평가 6. 원기둥, 원뿔, 구

맞은 개수

정답과 풀이 p.23

1 원기둥, 원뿔, 구를 각각 찾아 기호를 써넣으세요.

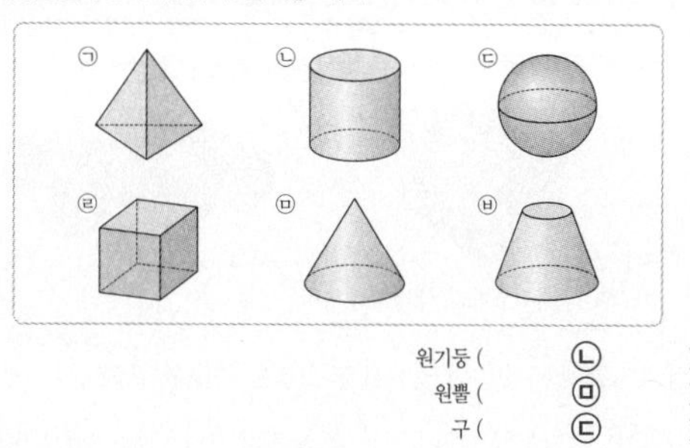

원기둥 (**㉡**)
원뿔 (**㉤**)
구 (**㉢**)

2 원기둥의 각 부분의 이름을 □ 안에 써넣으세요.

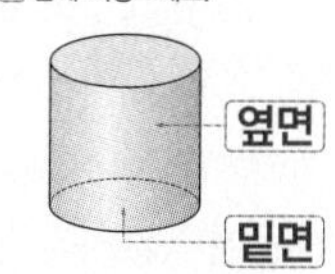

3 구의 반지름은 몇 cm인지 구해 보세요.

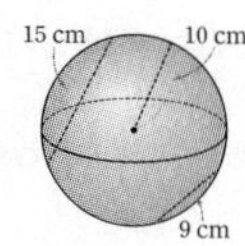

(**10 cm**)

✤ 구의 중심에서 구의 겉면의 한 점을 이은 선분은 10 cm입니다.

4 다음은 원뿔의 무엇을 재는 것인지 써 보세요.

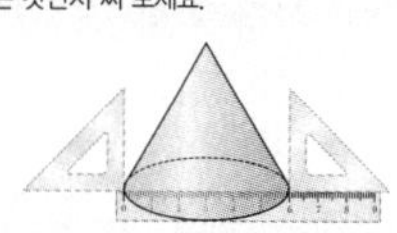

(**밑면의 지름**)

4주 평가

5 입체도형을 위, 앞, 옆에서 본 모양을 그려 보세요.

입체도형	위에서 본 모양	앞에서 본 모양	옆에서 본 모양
	○	□	□
	○	○	○
	○	△	△

6 원기둥의 전개도를 찾아 기호를 써 보세요.

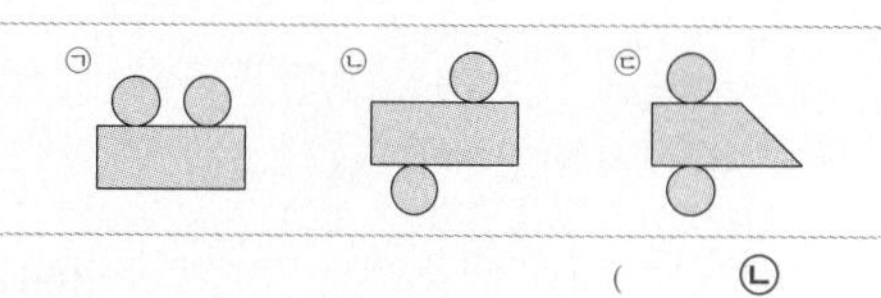

(**㉡**)

✤ ㉠ 옆면의 위아래에 합동인 원이 없습니다.
㉢ 옆면의 모양이 직사각형이 아닙니다.

96쪽 ~ 97쪽

종합평가 6. 원기둥, 원뿔, 구

정답과 풀이 p.24

7 원기둥과 원뿔의 높이의 차를 구해 보세요.

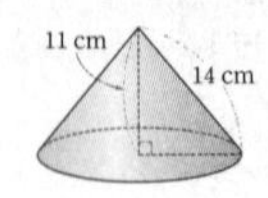

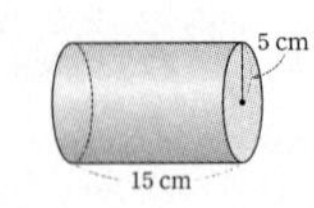

(**4 cm**)

✤ 원뿔의 높이는 11 cm, 원기둥의 높이는 15 cm입니다.
➔ $15-11=4$ (cm)

8 지름을 기준으로 반원 모양의 종이를 한 바퀴 돌려 구를 만들었습니다. 구의 지름은 몇 cm인지 구해 보세요.

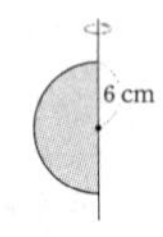

(**12 cm**)

✤ 반원의 반지름이 6 cm이므로 지름은 $6\times2=12$ (cm)입니다.

9 설명이 잘못된 것을 찾아 기호를 써 보세요.

㉠ 원기둥의 옆면은 굽은 면입니다.
㉡ 원기둥과 원뿔은 밑면이 1개입니다.
㉢ 원기둥의 두 밑면은 합동입니다.
㉣ 원뿔의 꼭짓점은 1개입니다.

(㉡)

✤ 원기둥은 밑면이 2개, 원뿔은 밑면이 1개입니다.

10 □ 안에 알맞은 수를 써넣으세요. (원주율: 3.1)

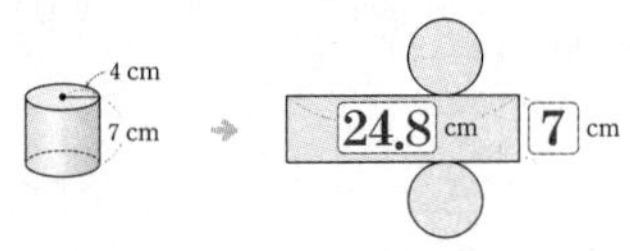

✤ (옆면의 가로)=(밑면의 둘레)$=4\times2\times3.1=24.8$ (cm)
(옆면의 세로)=(원기둥의 높이)=7 cm

11 구를 위에서 본 모양의 둘레는 몇 cm인지 구해 보세요. (원주율: 3.14)

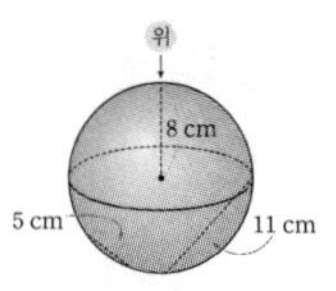

(**50.24 cm**)

✤ 구를 위에서 본 모양은 지름이 $8\times2=16$ (cm)인 원입니다.
➔ $16\times3.14=50.24$ (cm)

12 원기둥의 전개도입니다. 밑면의 반지름은 몇 cm인지 구해 보세요. (원주율: 3)

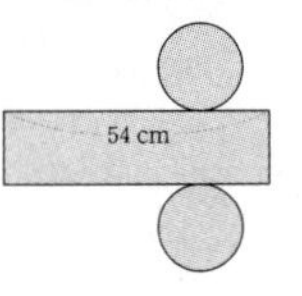

(**9 cm**)

✤ (밑면의 지름)$=54\div3=18$ (cm)
➔ (밑면의 반지름)$=18\div2=9$ (cm)

98쪽 ~ 99쪽

정답과 풀이 p.24

13 두 입체도형을 앞에서 본 모양의 넓이는 같습니다. □ 안에 알맞은 수를 구해 보세요.

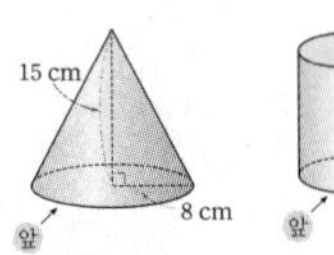

(**12**)

✤ 원뿔을 앞에서 본 모양은 밑변의 길이가 $8\times2=16$ (cm), 높이가 15 cm인 이등변삼각형입니다.
(이등변삼각형의 넓이)$=16\times15\div2=120$ (cm^2)
원기둥을 앞에서 본 모양은 가로가 $5\times2=10$ (cm)인 직사각형입니다.
따라서 직사각형의 세로는 $120\div10=12$ (cm)입니다.

14 원기둥과 원기둥의 전개도입니다. 전개도의 옆면의 둘레는 몇 cm인지 구해 보세요. (원주율: 3.14)

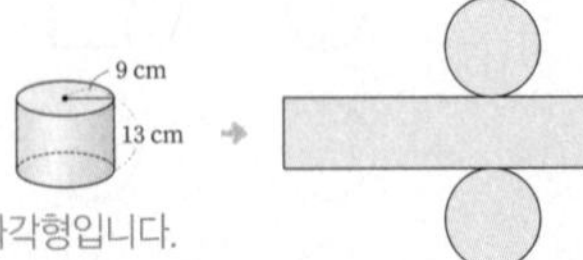

(**139.04 cm**)

✤ 전개도에서 옆면은 직사각형입니다.
(옆면의 가로)=(밑면의 둘레)
$=9\times2\times3.14=56.52$ (cm)
(옆면의 세로)=(원기둥의 높이)=13 cm
(옆면의 둘레)$=(56.52+13)\times2=139.04$ (cm)

15 그림과 같이 한 변을 기준으로 직사각형 모양의 종이를 돌려서 만든 입체도형을 펼쳤을 때 옆면의 넓이는 몇 cm^2인지 구해 보세요. (원주율: 3)

13 cm
5 cm

(**390 cm^2**)

✤ 한 변을 기준으로 직사각형 모양의 종이를 돌리면 원기둥이 됩니다.
(옆면의 가로)=(밑면의 둘레)
$=5\times2\times3=30$ (cm)
(옆면의 세로)=(원기둥의 높이)=13 cm
➔ (옆면의 넓이)$=30\times13=390$ (cm^2)

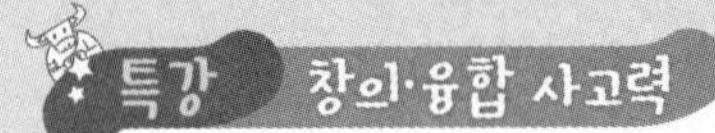

정답과 풀이 p.24

1 마트에서 밑면의 반지름이 3 cm인 원기둥 모양의 음료수 캔을 4개씩 끈으로 한 번 묶어서 판매하려고 합니다. 끈을 사용하여 묶는 두 가지 방법 중 끈을 더 적게 사용하는 방법으로 묶으려고 할 때 물음에 답하세요. (단, 묶은 매듭은 생각하지 않습니다.) (원주율: 3)

가

나

(1) 가에서 사용한 끈의 길이를 구해 보세요.

(**42 cm**)

✤ 캔 4개를 묶은 모양을 앞에서 본 모양은 다음과 같습니다.

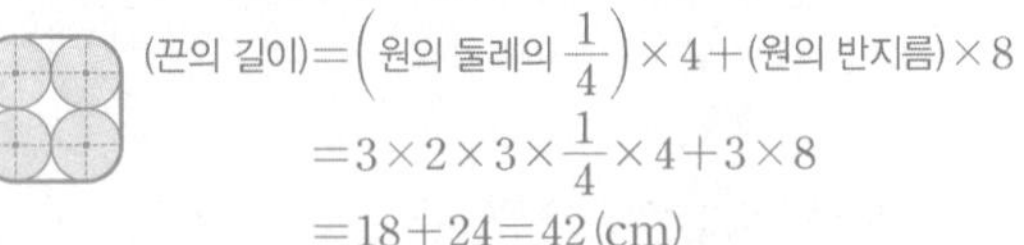

(끈의 길이)$=\left(\text{원의 둘레의 }\frac{1}{4}\right)\times4+(\text{원의 반지름})\times8$
$=3\times2\times3\times\frac{1}{4}\times4+3\times8$
$=18+24=42$ (cm)

(2) 나에서 사용한 끈의 길이를 구해 보세요.

(**54 cm**)

✤ 캔 4개를 묶은 모양을 앞에서 본 모양은 다음과 같습니다.

(끈의 길이)$=\left(\text{원의 둘레의 }\frac{1}{2}\right)\times2+(\text{원의 반지름})\times12$
$=3\times2\times3\times\frac{1}{2}\times2+3\times12$
$=18+36=54$ (cm)

(3) 가와 나 중 끈을 더 적게 사용하는 방법의 기호를 써 보세요.

(**가**)

✤ $42<54$이므로 끈을 더 적게 사용하는 방법은 가입니다.

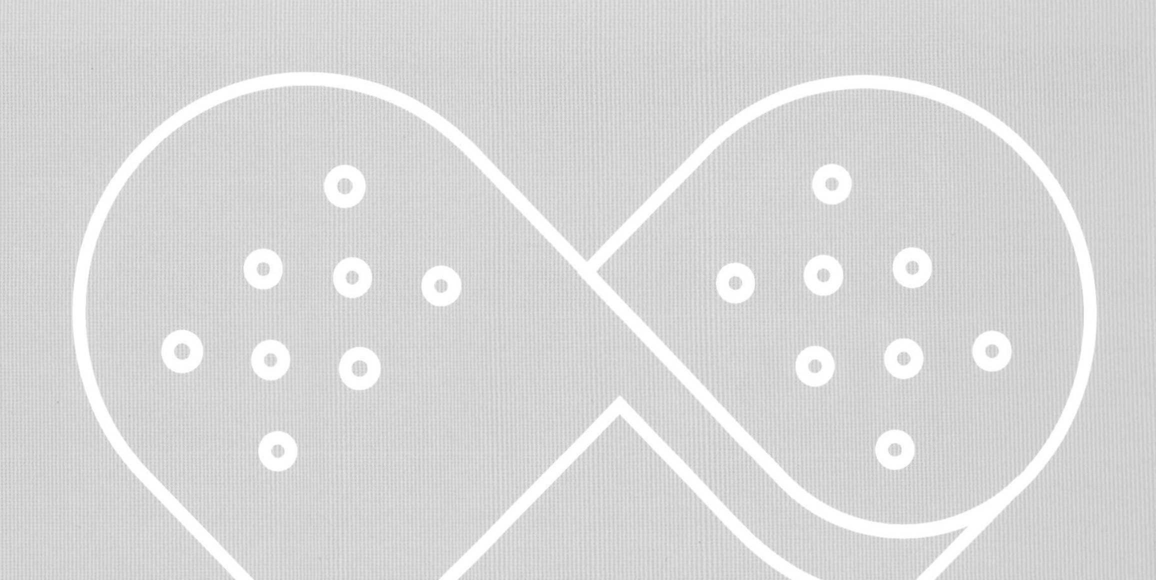

진단부터 치료까지 유형 클리닉

닥터 유형

수학 기본을 다졌으면 이제는 유형 올킬!

진단부터 치료까지
유형 클리닉

4단계 유형 클리닉 시스템

1step 개념별 유형 (교과서&익힘책 유형) 》 2step 꼬리를 무는 유형 》 3step 수학 독해력 유형 》 4step 사고력 플러스 유형

수학 6-2

정답과 풀이

유형 사고력

교과서 사고력

교과서 개념